O TURNO DA NOITE

Volume 2

Revelações

André Vianco

O TURNO DA NOITE

Volume 2

Revelações

4ª reimpressão – agosto/2009

novo século®

São Paulo 2009

Direção Geral *Nilda Campos Vasconcelos*
Supervisão Editorial *Silvia Segóvia*
Editoração Eletrônica *Sergio Gzeschnik*
Capa *Christian Pinkovai*
Fotos da capa *Marisa Samogin*
Revisão *Ruy Cintra Paiva*
Cristiane Mezzari

Dados Internacionais de Catalogação na Publicação (CIP)
(Câmara Brasileira do Livro, SP, Brasil)

Vianco, André
O turno da noite, volume 2 : revelações / André Vianco.
– Osasco, SP : Novo Século Editora, 2006.

1. Ficção brasileira I. Título.

06-8249 CDD-869.93

Índices para catálogo sistemático:

1. Ficção : Literatura brasileira 869.93

2010

Novo Século Editora Ltda
Rua Aurora Soares Barbosa, 405 – 2º andar
CEP 06023-010 – Osasco – SP
Fone (11) 3699-7107 – Fax (11) 3699-7323
www.novoseculo.com.br
atendimento@novoseculo.com.br

Este livro é dedicado
a minha filha Bruna,
com todo o amor
do papai.

Agradeço imensamente a todos
os leitores que acompanham
meus escritos. Sem vocês essas
viagens não teriam tantas
paisagens.

Revelações

CAPÍTULO 25

Escuridão. Patrícia olhou para o outro lado do estacionamento. Um carro queimado e enferrujado jazia dentre a grama alta que crescia envolvendo o velho chassi como o esqueleto de um animal imenso, abandonado na mata. Os olhos de vampira deixavam ver outra criatura noturna, movendo-se perigosa e mansamente ao lado do carro destruído. Bruno espreitava. Encontrou a melhor posição e ficou parado, cheirando a noite, esperando os alvos tomarem posição na arapuca.

Patrícia olhou para trás. Cerca de trinta metros de onde estava erguia-se a torre de uma velha caixa d'água que servira à fábrica. A caixa d'água, bem ao estilo de construção brasileira, parecia um bólido de concreto suspenso ao final de uma coluna e, como Saturno, era dotada de um anel cimentado e uma grade, por onde eventualmente os funcionários da manutenção passaram centenas de vezes. Defronte à caixa d'água, um galpão decrépito, guarnecido na terça parte mais alta das paredes por vidros empoeirados, quase todos quebrados, feitos em cacos esquecidos de um tempo em que tudo em volta era vivo e agitado. Agora era reino de trevas, ponto de encontro de marginais da periferia e policiais corrompidos pelo dinheiro fácil.

Raul vigiava de cima da torre enquanto o quarto e último componente da emboscada, Alexandre, permanecia rente ao galpão, displicente e confiante, meramente disfarçado pelo mato alto que crescia folgado.

A lua minguante enfeitava a noite fria. As nuvens pesadas corriam pelo céu, ora encobrindo o halo luminoso, ora deixando a luz refletida pelo satélite branco semi-encoberto atravessar suave e lindamente.

Patrícia repassou a ligação em sua cabeça. Zinco tinha telefonado. "Zinco." Certamente um codinome do cara do turno da manhã, um apelido que manteria sua verdadeira identidade debaixo do carpete. Zinco tinha dito que era funcionário da agência Jugular, funcionário de Ignácio e que, da aprovação do quarteto em diante, seria ele quem daria as ordens para os serviços que seriam executados. O turno da manhã controlava a inteligência da agência. Informações, material, fornecedores, informantes, dedos-duros, clientes, armas, munição, dinheiro, corrupção, apoiadores, tudo. Tudo passava pelo pessoal da manhã. O fato era que Zinco ligou duas horas e meia antes para avisar que o turno da noite tinha trabalho na agenda. Um serviço pesado. Patrícia rebateu de pronto, perguntando por que Ignácio tinha mudado de idéia, afinal o vampiro veterano havia prometido alguns dias de descanso aos vampiros novatos. Zinco respondeu que era uma encomenda nova e urgente, fora da escala. Coisa grande e que deveriam estar preparados por volta das onze da noite. Serviço extra significava treino e grana extra. Finalizou o contato dizendo que o pessoal já tinha deixado o armamento necessário para o embate na sala de seu apartamento.

Missão: Soldados do tráfico venderiam armas roubadas para contrabandistas que repassariam para guerrilheiros das FARC. Objetivo: Eliminar todos os bandidos, apanhar todas as armas e o dinheiro.

Ao fim da ligação, Patrícia mordiscou seu lábio e deslocou-se de seu canto preferido no quarto. Ao contrário do que um observador imaginaria, a vampira não dormia em sua cama, enorme e convidativa. Ficava num canto, beirando o *closed* e a parede. Uma reentrância oportuna, escura e quase escondida daquele quarto. Ela se espremia ali, fechava os olhos e ficava no seu transe diurno. Antes de deixar o quarto, pôs o pequeno bilhete recebido na noite passada. A sensação de perigo queimava forte em sua mente. Fechou os olhos clamando por poder sobre seus pensamentos. Precisava da cartilha de escuridão. Precisava desenvolver seu bloqueio mental mais que qualquer outra habilidade. Tinha de saber o que se escondia por trás de toda aquela ajuda que Ignácio prestava ostensivamente. Havia uma coreografia ensaiada por trás dos sorrisos do vampiro, por trás de suas boas intenções e gestos paternais. Havia mais interesse do que o realmente demonstrado. Ela farejava intenções toda vez que o veterano rondava por perto, mas não conseguia decifrar Ignácio. Não era um rico e abastado vampiro fazedor do bem. Ele era um noturno, um noturno que escondia um segredo e, depois daquele bilhete avisando do perigo, só tinha uma certeza: perigo significava Ignácio, o veterano. Só ele poderia oferecer perigo ao quarteto. Depois de guardar mais uma vez o bilhete no bolso, a vampira Patrícia tinha ido até a sala com a voz de Zinco ainda retumbando em seu ouvido. Estava decidida a não comentar com os colegas sobre o aviso. Teria de arriscar. Sabia exatamente o porquê. A razão era a força psíquica de Ignácio. Aquele inesperado bilhete ratificava a idéia de que o vampiro estava manipulando a ela e aos amigos. Terreno perigoso. Pensamentos abertos, a disposição do inimigo. Ignácio, daquele bilhete em diante passava a ser qualificado como inimigo. Um sujeito danoso que a havia seduzido mentalmente. Treinaria o bloqueio mental para evitar que o vampiro pudesse ler seus pensamentos, prever seus passos, roubar suas esperanças. O vampiro antigo de alguma forma conseguia agir como uma antena, sintonizando os pensamentos dos que estavam ao seu redor e, o pior, certamente era capaz de emitir algum tipo de encanto, posto que todas as vezes que estavam em sua presença, dificilmente se lembravam de qualquer desconforto ou dúvida. E não podia contar aos amigos porque talvez esses ainda não estivessem aptos a bloquear a mente. Assim sendo, contando sobre o bilhete, colocaria a existência de todos em risco, pois se Ignácio não lesse sua mente, leria a dos amigos. Saberia que ela estava conspirando e dando trela para um desconhecido, que supostamente teria revelações a fazer. Patrícia sentia-se percorrendo um pântano com terreno movediço debaixo dos pés. Se ficasse paralisada, aparvalhada, afundaria naquela lama sinistra e seria dragada para sempre. Queria saber quem era aquele vampiro, precisava de tempo, para isso teria de fingir normalidade, até mesmo para com os amigos. Teria de atender aos chamados da agência Jugular. Teria de continuar com a série de assassinatos que era paga para fazer. Ao menos com essa parte já estava se acostumando e não achava de todo ruim. Empregava seus poderes vampíricos para acabar com gente que não valia nada. Com gente nociva, que merecia aquilo. E ainda tinha uma fonte de sangue e rendimentos. A que preço? Isso ainda estava por descobrir.

Logo após o chamado, Patrícia despertou os amigos. Avisou do novo trabalho de urgência e que seria contra gente da pesada. Alexandre estralou os dedos e sorriu enquanto Raul e Bruno permaneceram soturnos.

Na cozinha encontraram grande quantidade de bolsas de sangue. Se o trabalho ia ser difícil, precisariam de toda energia e poder vampírico que pudessem acumular. Passaram a sorver do sangue servido em bandejas pelo turno do dia. A sede, cada vez mais, tornava aquelas bolsas uma espécie de jóia difícil de tirar os olhos. Um após o outro foram ingerindo o líquido da vida, ainda quente, misteriosamente, ainda vivo. Ninguém fez perguntas. Só queriam o poder para o combate.

Zinco não tardaria em enviar instruções.

Duas horas e meia após o primeiro telefonema, lá estavam. Patrícia afilou os olhos, apurando a visão.

Bruno subiu no capô enferrujado do veículo abandonado. Seu sobretudo pesado balançava suavemente conduzido pelo vento. Olhou para trás. Os outros três amigos também tinham optado por sobretudos. Não pelo frio, mas pela impressão visual. O tecido negro tornava-se extensão das sombras, abrigando-os com mais facilidade do olhar de curiosos, quando se abaixavam junto às áreas de escuridão, pareciam fazer parte delas, tenebrosos, frios e imóveis. Bruno desceu. Não queria estragar a emboscada. O elemento surpresa seria fundamental para o sucesso da missão daquela noite. O objetivo era impedir que uma transação ilegal fosse realizada. Contrabando de armas. Gente da pesada. Alexandre tinha coçado a cabeça quando recebera a notícia, dizendo que não ia ser fácil esse novo jogo. Alexandre lembrou que todos eram inexperientes demais para encarar gente daquele porte. Já Bruno, talvez ainda sob o efeito da recente ingestão de sangue do ladrãozinho pé-de-chinelo que tentara assaltá-lo uma noite atrás, sentiu crescer a vontade de encarar esse novo desafio. Rebatera os argumentos de Alexandre com argumentos mais fortes ainda. Mostrou as pistolas Desert Eagle dispostas em cima da mesa junto com um fuzil russo com mira telescópica. Lembrou ainda da superioridade vampírica. Tinham-se tornado bichos das trevas. A escuridão estava ao lado deles. Eram imortais. Que chances teriam meros mortais frente a eles? Bruno estava habituando-se ao fato de andar armado e de não ter um coração humano, bombeando no peito para mantê-lo em pé. Passou a mão sobre o tórax. Duas pistolas presas aos coldres. As armas, somadas à sua condição vampírica eram nutrientes explosivos para sua coragem. Queria defrontar-se com os marginais e disparar. Poucos dias atrás não era assim. Poucos dias atrás era um vampiro sofrendo de neuras existenciais, jogado num canto, rejeitando o alimento, perdendo o viço físico e mental. Agora, não. Agora era membro de uma organização que limparia o mundo de gente como aquela. Seria um justiceiro encarnado. Tiraria da existência falsos filantropos que distribuíam veneno em vez de comida. Acabaria com traficantes que aliciavam adolescentes para o mundo do crime. Bendito o dia em que o destino o colocara no caminho de Ignácio. Ignácio tinha sido sua salvação. Tinha sido o cara que lhe abrira os olhos. Tomara-o como um padrinho da noite. Um padrinho que o guiaria. Era um sujeito estranho, sem dúvida alguma, mas quão normal deveria ser um vampiro antigo? Questão difícil de se responder. O estranho Ignácio. Figura delgada. Alto. Às vezes usando aqueles óculos ridículos, simulando uma deficiência humana. Misturando-se aos mortais. Um vampiro secular e sábio. Um vampiro que poderia acabar com os quatro num piscar de olhos. Um demônio materializado que perambulava pelas ruas de São Paulo, tomando sangue de gente e contratando vampiros novatos para o mundo das trevas. Bruno sorriu. Agora fazia parte disso também. Um vampiro maldito. Bebedor de sangue. Um monstro. Um monstro a serviço da sociedade. Retesou-se. Os ouvidos captando um crepitar característico. Pneus rodando sobre pedriscos. Virou-se e fez um sinal para Patrícia, que, distante, entendeu o gesto. A vampira, por sua vez, sinalizou para Raul e Alexandre. Bruno abaixou-se no mato cerrado, escondendo-se nas sombras. Seus dentes pontiagudos brotaram, pressionando o lábio inferior. Sede. Pressa. Seus olhos ficaram vermelhos e perigosamente luminescentes, estreitou as pálpebras, esses marginais chegariam ariscos, procurando por qualquer coisa estranha e um par de olhos boiando no escuro do mato seria estranho pra caramba. Pousou as mãos nas coronhas das armas. Avistou um furgão cruzando o portão de arame. O som dos cascalhos esmagados pelos pneus tamborilava em seus tímpanos. Bandidos. Dava graças por terem vindo. Por estarem agindo. Por estarem contrabandeando. Infringindo a lei. Envenenando o mundo como o velho que distribuía marmitex. Estavam dando-lhe o direito de assassiná-los. Dando direito a julgá-los instantaneamente, proclamar a sentença e executá-los de bate pronto. Você que lê essas linhas, pense duas vezes antes de sair da linha. Bruno pode estar de olho em você, te vigiando, te sondando, um passo atrás de você, no metrô, na rua, em cima daquele prédio escuro e sem brilho. Ele pode estar à sua espreita, à sua espera. Um justiceiro de caninos aguçados. Um justiceiro sedento.

Bruno cerrou os olhos e um sorriso involuntário tomou seu rosto. Um segundo furgão. Patrícia estava certa. O pessoal da agência estava certo. Era serviço da pesada. O armamento disposto na sala do apartamento da amiga vampira não era demasiado. Era justo. O suficiente para quadruplicar o poder de dano do turno da noite. O que trazia aquele bando? Dentro dos furgões viriam os contrabandistas de armas? Provavelmente sim. Eram eles. Precisariam de veículos grandes para transportar o armamento ilegal que servira ao tráfico de drogas. Provavelmente o receptador ou receptadores viriam em um carro mais discreto, trazendo o dinheiro. Escolheriam o que queriam levar e pronto. Negócio feito. Os calhordas só não contavam com um bando de adolescentes vestidos de preto, à espreita, armados com pistolas e dentes afiados.

Raul, do alto da torre, igualmente protegido pelas sombras e a distância, olhou pela mira telescópica. Nunca tinha usado uma daquelas, mas, instintivamente, sabia o que fazer. Era só colocar a cabeça da vítima no cruzamento das linhas, no "X", e sapecar. Feito. "X" na cabeça e mandava mais um para o inferno. As ordens tinham sido claras. Sem prisioneiros, sem sobreviventes. Era para acabar com a operação. Deveriam matar todos os contrabandistas e compradores, desmantelando o esquema e aborrecendo meia dúzia de chefões do submundo. Com os cadáveres no chão era só telefonar para a agência. O pessoal do atendimento providenciaria a limpeza do local quando estivesse seguro. Sem sobreviventes. A ordem retumbava em seu ouvido. Passava o dedo gelado no gatilho frio e metálico do fuzil. Ia ser mais fácil que o traficantezinho no apartamento. Tinha dado um tiro na cabeça do safado e depois um no peito. Fácil. Agora tinham mais alvos. Ignácio estava acelerando o processo de adaptação. Raul sorriu e seus dentes ficaram expostos. Mais alvos queria dizer que, depois de feito o serviço, teriam um legítimo banquete à disposição. Ignácio era um maldito. Tinha-lhe servido aquela bolsa de sangue no Trianon para começar e agora tornara-se um viciado. Ficavam eufóricos quando começavam uma missão e loucos para pôr a mão nos bandidos tão logo fosse possível. Não viam a hora de estar frente a frente com o perigo para estrangular os malditos e se refestelarem no sangue quente de suas artérias. Agora Raul estava pouco se importando com quem estava dentro dos furgões. Estava era interessado em quantos viriam. Quantos? Quanto mais, melhor. Mais sangue depois do trampo. Por isso ficou contente quando viu dois furgões. Agora, com a mira telescópica, vasculhava o terreno. Procurava pelos receptadores.

Patrícia continuou abaixada. Os furgões tinham estacionado e apagado os faróis. Provavelmente os receptadores estavam atrasados. Questionou-se se seria a hora de entrar em ação. Quando os receptadores chegassem os vendedores de armas estariam mortos. Depois de um breve julgamento decidiu esperar. Os vampiros esperariam por sua iniciativa. Receber o chamado por parte da agência e receber as instruções a tornara uma espécie de "cabeça" da operação. Esperaria até a chegada dos compradores. Talvez eles tivessem um código. Uma espécie de ritual para se aproximar. Talvez os receptadores telefonassem via celular antes de entrar, enquanto se chegavam, esperando um tipo de confirmação. Essas operações, em geral, deveriam ser bem complexas. Esperaria até todos os participantes entrarem em cena. Só quando todo o circo estivesse montado, agiria.

Do primeiro furgão a chegar, um homem desceu. Era alto e barrigudo. Usava uma touca de lã na cabeça, camiseta e calças marrom. Trazia uma espingarda calibre doze nas mãos. Rodeou o furgão. Do segundo, mais um personagem desceu. Camiseta da Portuguesa, um revólver cromado, de cano longo, cigarro na boca, barba por fazer. Vagou, olhando para todos os lados. Parecia conhecer bem o ponto de encontro. Parecia tenso também. Fixou o olhar no carro queimado e enferrujado, abandonado, cercado por mato alto. Deu cinco passos na direção do veículo. Uma impressão ruim. Não estava gostando daquela noite. Cheiro estranho. Coçou o peito e olhou para o gordo de marrom, que tirava um celular do bolso e digitava um número. Segundos depois estava falando. Quando desligou o aparelho reduzido e prateado colocou-o de volta no bolso.

Mais quatro homens armados com fuzis desceram dos carros. Todos com feições fechadas, querendo intimidar com os olhos os demônios invisíveis.

Uma rajada de vento mais forte bateu no descampado. O galpão de vidraças quebradas uivou. Folhas de papel rolaram pelo chão. Os homens armados protegeram com os braços os olhos dos finos e minúsculos grãos de areia que revoejaram com a passada do vento.

Bruno abaixou-se um pouco mais, nivelando-se ao mato alto que havia deitado com a rajada de vento. Os olhos vermelhos fixos nos bandidos. A língua seca zanzando na boca. Sede. Vontade de abandonar as pistolas e pular de forma selvagem sobre a caça e trucidar a jugular pulsante com os dentes pontiagudos. Encontrou os olhos cintilantes de Patrícia. A amiga também espreitava, pronta para o ataque. Só que dos olhos dela pareciam escapar uma mensagem: "Calma! Calma! Aguarde que está chegando nossa hora".

O garoto continuaria aguardando o comando da vampira que liderava a ação da missão. Por hora era saborear aquela sensação de estar espreitando. Estavam escondidos, no escuro, na noite, protegidos por todas as coisas que protegem os vampiros. E os humanos cegos e abstraídos em seus mundinhos de abelhinhas ocupadas sequer notavam que estavam passando agora pelo fim do rolo da linha que empinava suas vidas como pipas ao vento. Em mais alguns instantes Patrícia daria a ordem e seria um deus nos acuda para o lado da bandidagem. Eram suas horas derradeiras e nem sabiam disso. Bruno ficou imóvel como pedra e sorridente como um diabo.

Cinco minutos mais tarde um sedã preto cruzou o velho portão alambrado. O som do cascalho castigado pela borracha repetiu-se enchendo a noite do barulho já conhecido. O carro parou a uma distância de dez metros dos furgões. Dois homens saíram da frente do carro. Um instante depois mais dois abriram as portas traseiras e ficaram a um metro do carro, cada um de cada lado. Eram melhor vestidos os desse quarteto. Eram as pessoas do dinheiro. Os compradores de armas. Os dois últimos ficaram para trás, em seus ternos escuros e gravatas e mãos nos bolsos, provavelmente apalpavam a coronha de pistolas, para cobrir os amigos que avançavam em direção aos furgões. Nunca se sabe quando se terá de arrebentar o coco de alguém com uma pistola 9mm.

Raul, do alto da torre, gesticulou para Patrícia. Os dedos levantados. Três e três novamente. Raul tinha seis na mira. Era o sinal que a vampira precisava. Se o amigo tinha seis ao alcance, os três vampiros restantes dariam cabo do resto, ou seja, mais quatro bandidos, o quarteto que chegara no sedã. Seis vagabundos com as armas no furgão sob a mira do fuzil e quatro almofadinhas chegando ao encontro. Agindo rápido, iria ser moleza, era quase um para um se Raul desse conta do recado, sapecando a meia dúzia de mulambentos. Só não contava em ter o carro dos compradores tão afastado da torre. Imaginou que os malditos contrabandistas estacionariam entre a torre e o galpão abandonado, a fim de estarem mais escondidos e protegidos de qualquer eventual curioso, o que os colocaria exatamente no centro da arapuca que visualizara. No entanto, o carro estava longe e seria mais difícil efetuar um cerco rápido, eles teriam tempo para o início de um revide, posto que dois compradores avançavam enquanto dois caras de olhos bem abertos tinham ficado para trás. Eram espertos. A líder do turno da noite refletiu um instante. Fez um barulho estalando a boca repetidas vezes. Não haveria melhor momento. Estavam todos dentro do imenso terreno. Talvez se esperasse que os compradores terminassem a transação e saíssem para pegá-los na rua, talvez não conseguisse liquidar a fatura na mesma noite. Ignácio não ia gostar disso. Tinham muitos "talvez" nesses pensamentos. A vampira franziu o cenho e estreitou mais uma vez os olhos vermelhos. Gesticulou para Bruno. Era tempo.

Bruno retirou as duas pistolas dos coldres, destravou-as, deixando-as prontas para o trabalho. Entendeu o sinal da amiga. Ela queria cercar os comerciantes. Bruno levantou-se mansamente do meio do mato alto e afastou-se do carro enferrujado. Os homens estavam conversando, concentrados na negociação. Os quatro de fuzis AK em punho estavam ao redor dos negociadores, olhando em direção da torre. Teriam visto Raul? Bruno correu em direção ao alambrado, pisando suavemente, desejando não fazer barulho algum, desejo que, de alguma forma, era percebido por seu corpo encantado de vampiro e, misteriosamente, ao tocar o cascalho, parecia não exercer peso ou pressão, pois as pedras não entravam em atrito, e som algum escapava de suas passadas rápidas. Era como o caminhar de um fantasma. Invocou a velocidade assustadora de Ignácio, mas ao que parecia ainda não tinha poder suficiente para transformar-se em sombra. Movia-se muitas vezes mais rápido que um homem comum, mas ainda estava longe de desaparecer, como Ignácio conseguia tão bem. A Cartilha da Escuridão... tinha de estudar a maldita cartilha.

Patrícia pegou a outra direção, contornando o grupo pela direita, de quem olhava da torre para os contrabandistas. Bruno já tinha atingido uma posição favorável. Os homens teriam uma boa surpresa, com tiros chegando da frente e a trinta e cinco graus à direita e esquerda. Só faltava Alexandre para ampliar o assalto, pegando os dois compradores recuados e atentos ao lado do sedã.

Patrícia manteve-se encoberta pelo mato alto e, quando chegou em sua melhor posição de tiro, sinalizou para Raul.

O vampiro, com o fuzil de longo alcance, deitou o rosto pálido no metal frio e escuro, deixando a visão passar pela mira telescópica. Tinha cinco homens desprotegidos, prontos para serem abatidos, o sexto, que estivera o tempo todo em boa linha de tiro era agora eclipsado por um furgão. Selecionou o primeiro. Um dos seguranças com fuzil pendurado no pescoço. Esperou. Colocou a cabeça do homem bem na mira, no centro da linha cruzada. Pousou o dedo no gatilho frio. Prendeu a respiração desnecessária. Era só esperar a cabeça do filho da mae ficar quietinha no meio do "X" e sapecar.

Os seguranças vigiavam os furgões. Já tinham estado ali uma dúzia de vezes sem nunca serem importunados, sem nunca cruzar com nenhum espectador indesejado nem cachorro perdido. Por isso mantinham-se relaxados. Aquela noite deveria ser como naquela última dúzia de vezes. O negócio nunca durava mais que quinze minutos, era mais uma troca de mercadoria. Os compradores conferiam os itens da lista acordada e os vendedores conferiam o dinheiro. Todo mundo sabia o que estava fazendo ali. Não era que nem uma dona de casa perdida num supermercado indecisa entre um AR-15 norte-americano ou uma metralhadora italiana. A conversa já tinha sido toda gasta por telefone. Não ficavam regateando e discutindo preço feito uma feira pública no local da troca. Chegavam ali sabendo exatamente o que tinham. Armas e dinheiro. Pá e pum. Só isso. A única espera era para a conferência de ambas as partes e pronto. Acabou. Entravam em seus carros e desapareciam e contavam a história na bocada.

Tudo correndo dentro da normalidade até escutarem o disparo inesperado. Um pipoco seco contra a lataria do furgão. Os seguranças curvaram-se. Agora o sangue gelava nas veias, pois uma saraiva de tiros vinha dos dois lados.

Puta que lá merda! Uma emboscada!

Dois deles se jogaram no chão e rastejaram para debaixo do furgão. Quantos seriam? De que grupos seriam? Rivais? Gente do Feio? Polícia querendo tomar o dinheiro e as armas? Polícia honesta querendo prendê-los? Poderia até mesmo ser armação dos compradores! Filhos da mãe! De toda forma não restavam dúvidas de que os atiradores não queriam negociar. Queriam-nos mortos.

Raul ralhou. Estava irritado. Tinha dado dois tiros e não tinha acertado nenhum. Maldita mira telescópica! Nunca tinha usado uma arma daquelas. As ordens tinham sido expressas. Todos mortos. Ninguém poderia escapar. Tinha de compensar os disparos errados. Tinha de derrubar os bandidos! Vasculhou o terreno procurando mais um. Um dos bandidos estava recostado no furgão e andava vagarosamente, lateralmente. Era só pôr o "X", droga!

Alexandre deixou a proteção do galpão e avançou alguns passos. Pistola em punho. Observando os seguranças. Esperando a hora certa de disparar. Ninguém ia escapar com vida. Estava sendo pago para isso. Tinha uma pistola na mão para isso. Ergueu o braço. Se alguém se afastasse do sedã ia tomar chumbo. Andava para a frente, decidido, destemido. Os bandidos junto ao furgão começaram o revide. As balas vindo dos parceiros no chão eram alguma coisa de infernais. Alexandre, frio como gelo, via os contrabandistas irem ao chão, enchendo o ar da noite com o doce aroma do sangue enquanto avançava de olhos nos seguranças que tinham ficado para trás e agora sacavam pistolas e vinham na direção dos furgões, armas erguidas, procurando a fonte dos disparos. Alexandre, ainda rente, protegido pela distância e pela escuridão da noite que premiava suas roupas negras, fez mira certeira e avançou, cada passo mais perto dos alvos ampliava-lhe a chance de sucesso.

Patrícia e Bruno tinham agido com um sincronismo impressionante. Assim que o primeiro disparo espocou, levantaram-se e abriram fogo. Surpresa! As pistolas explodiram repetidas vezes. Os homens de terno foram ao chão primeiro. Passado o susto inicial, os contrabandistas ergueram as armas e buscaram abrigo. Patrícia descobriu que o carro negro dos compradores era blindado quando tentou atingir um dos homens de terno que tinha recuado e procurou abrigo atrás de uma das portas abertas do sedã. A bala parou na janela blindada, deixando o vidro embaçado e trincado em várias camadas.

Bruno derrubou dois dos compradores e um traficante. Faltavam os cinco contrabandistas e um comprador. Avançou decidido até perto de um furgão. Disparava contra os traficantes que arriscavam tiros imprecisos em sua direção. O barulho das espingardas calibre doze era como trovão. Bruno precisou desviar-se uma única vez. Tinha visto alguns dos malandros pular para baixo do furgão. Outro dos bandidos, o alto e barrigudo de touca na cabeça, remuniciava a espingarda. Bruno apontou em sua direção e puxou o gatilho das duas pistolas ao mesmo tempo. O corpo do bandido foi arremessado para dentro do veículo. Os pés para fora se agitavam. Bruno, passos rápidos, aproximou-se. Seus olhos e rosto de fera mostraram surpresa. O homem não tinha morrido! Seria ele bicho da noite também? Não. Não era. Bruno puxou sua camisa marrom, rasgando-a. Colete de Kevlar. Era à prova de balas. Bruno ergueu uma das pistolas enquanto projéteis ricocheteavam de encontro à porta do furgão. O homem tinha soltado a espingarda e respirava entrecortado. Ergueu as mãos mostrando que se entregava. Certamente o impacto de meia dúzia de disparos no peito tinha machucado seu tórax o suficiente para acabar com qualquer coragem, mesmo com aquele colete impedindo a morte imediata. Bruno enfiou a pistola debaixo do queixo sem Kevlar do bandido e puxou o gatilho uma vez. O sangue pintou o teto interno do utiliário. O bandido tombou enquanto o vampiro se afastava já focando o próximo alvo. Deixado às suas costas, o corpo do barrigudo de calça marrom deslizava para a morte, tremilicando em seus últimos espasmos. Bruno sorria vendo sua próxima vítima tentando se esconder. Não eram eles os tais bandidões do jornal que abriam fogo contra viaturas de polícia? Não eram eles os caras que apavoravam as favelas e os trabalhadores? Cadê toda aquela coragem brutal? Toda aquela marra? Estava indo embora junto com a urina que soltavam enquanto o pavor espremia-lhes as virilhas. Dois debaixo do carro e os outros três tinham saído de seu campo de visão e disparavam contra a torre. Tudo indicava que tinham localizado Raul, que estava servindo de excelente despiste para seus movimentos.

Patrícia tombou com um tiro no peito. O homem com a camisa da Portuguesa, de revólver cromado e cigarro ainda aceso tinha boa mira. A vampira sentiu o ferimento latejar. Tinha de se aproximar de um dos cadáveres dos compradores. Sangue em abundância. Energia em abundância. Iria se curar com rapidez e mostrar para o torcedor da lusa o que era bom para a tosse.

Bruno aproximou-se do furgão no momento em que mais um dos marginais rastejava para fora da proteção. Um rapaz com coisa de vinte e cinco anos, na flor da idade, magricela e de cabelos cacheados carregando um fuzil. Parou ao lado do homem, que quando desvirou o corpo arregalou os olhos desesperado. Tentava falar alguma coisa, mas a voz parecia entalada na garganta. Bruno franziu o cenho e exibiu-lhe os dentes pontiagudos. O rapaz gritou erguendo a arma. O vampiro apontou uma das pistolas para a cabeça do bandido e puxou o gatilho. Um estalo seco. Nenhuma explosão. Nenhuma bala escapando da cápsula. Sem munição. Um disparo. Um dos seguranças engravatados, ainda vivo, rastejando no chão e com o terno coberto de poeira, conseguira erguer seu braço ensangüentado e atingir o agressor de negro. Bruno pendeu para o lado, sentindo uma dor intensa queimando o pescoço. Gemeu guturalmente. A ferida era extensa e horrenda. Perdeu o equilíbrio e a visão escureceu. Seus olhos vermelhos apagaram, ficando negros e tirando o brilho fantástico que a noite tinha. Pedaços da pele de seu pescoço, o osso branco do maxilar e da coluna cervical estavam expostos. Bateu o corpo contra o furgão levando a mão ao buraco aberto. O contrabandista de vinte e poucos anos, refeito em sua coragem ao ver o estranho ferido de morte, puxou o gatilho do fuzil, que expeliu uma rajada de projéteis que transfixaram o corpo do agressor. Bruno tombou com diversos rombos no tórax e mais um tiro na perna.

O bandido com camiseta da Portuguesa aproximou-se de Patrícia. Descarregou o revólver no peito da garota.

Os contrabandistas buscaram proteção atrás dos furgões. Os tiros contra os veículos tinham cessado.

— Uma moça! — exclamou o bandido torcedor da lusa.

— Vamo rapá fora, Edvaldo! O negócio tá brabo!

— Rapá fora o cacete, Zóio. Os caras apagaram o Alemão. Com que cara a gente vai ficá? Vamo sentá o dedo nesses nóias. Só tem mais um. E é ruim de tiro que nem tua vó. Não vamo deixar esse piolho apavorar, não. Vamo atrás dele. Esses dois aqui já era. Hoje em dia tá fogo... dá uma olhada nessa mina... mó cara de princesinha.

Edvaldo foi até o furgão, ainda consternado com o amigo que queria abandonar o serviço pela metade.

— Rapá, fora! Tô te desconhecendo, Zóio! Tô te desconhecendo. Nós tamo com os carros cheio de ferramenta, meu irmão. Vamos castigar esse piolho, mano. Vamo pegá ele vivo e esfola ele inteirinho. Ninguém faz um negócio desse sem ter certeza de que vai me apagar. Agora o cara tá ferrado. — ameaçou o contrabandista, tirando um fuzil AR-15 da caixa metálica, municiando e destravando o armamento com agilidade. — O Dentinho fica aqui pra garantir. Vocês vêm comigo.

— Os freguês já era, Edvaldo. Que vamos falar pro Zé Pequeno? — perguntou Dentinho.

— Vamo falá que os freguês já era, ué. Fala que a patricinha aí arrepiou geral. Azar o deles. Agora vamo vingar o Alemão.

— Ele vai ficar puto.

— Puto tô eu de ficar sendo arrepiado por mininha. Olha ela. Parece um chaveirinho. Viu o tamanho do ferro da mina? Maior que ela, xará! Vamos levar os corpos dos três pro Zé vê que não é brincadeira, não.

Edvaldo deixou a proteção do furgão e começou a correr em sentido do carro queimado, olhando para a torre. As nuvens cobrindo a lua tornavam a noite ainda mais escura, dificultando a visão. Três comparsas o seguiram, enquanto Dentinho ficou para trás, para cuidar dos furgões e das armas.

Raul, matreiro, percebendo a aproximação perigosa dos bandidos, não perdeu tempo com os degraus e arremessou-se da escadaria, levando pouco mais de um segundo para tocar o chão com suavidade sobrenatural. Largou o fuzil de longo alcance no chão e correu em direção ao galpão abandonado. Usaria a escuridão do ambiente a seu favor.

Alexandre tinha chegado ao sedã enquanto os disparos comiam soltos. O segurança que se escondeu atrás da porta blindada defendendo-se e salvando-se de Patrícia, caminhou em sua direção, lateralmente. O homem estava tão alucinado que não viu o vulto negro vindo e quando seus olhos encontraram de surpresa o invasor não houve reação que desse jeito. Sentiu a mão forte do rapaz apertando seu pescoço e escutou, com agonia, os ossos de seu pescoço estalando. Alexandre ficou segurando a garganta do bandido, com os olhos injetados de ira e desejo de morte. Soltou-o quando o corpo do oponente relaxou completamente. Seus dentes cravaram na jugular do bandido e o sangue quente entrou em seu organismo de vampiro. Os tiros que escutavam pareciam vir de muito longe e seu corpo flutuava distante, mas uma aflição descomunal apoderou-se de seus pensamentos e Alexandre tirou os dentes da vítima. Os tiros tinham parado. Escutava homens correndo. Levantou-se e, ligeiro e cauteloso, aproximou-se dos furgões. Não tinha sido notado por ninguém. Quando percebeu que Patrícia e Bruno haviam sido vitimados pelos bandidos, perdeu a concentração e a confiança que investia seu peito e desvaneceu dando um banho de água fria em seu comportamento de caçador. Vacilou e colocou um dos joelhos no chão. As sombras cobriam seu corpo. O tempo de indecisão foi suficiente para começar a ouvir disparos contra a torre. Tinham localizado Raul. O som agora era de trovão. Os bandidos tinham mudado o armamento que vinha na mão. O plano estava dando errado. Os pilantras contrabandistas eram muito mais experientes com as armas de fogo. O turno da noite estava perdendo a parada. Logo acabariam com Raul e ele ficaria sozinho. Fim de jogo. Indeciso, percebeu os bandidos aproximando-se ainda mais da torre da caixa d'água. Viu o vulto de Raul despencar da torre e correr em direção ao galpão escuro. Raul, de preto, se esconderia facilmente. Os malandros iam em seu encalço. Eram quatro. Quantos estavam mortos? Os compradores que tinham chegado no furgão, todos. Restavam seis marginais. Aproximou-se dos corpos de Patrícia e Bruno. Tinha visto quatro correndo atrás de Raul. Faltavam dois traficantes vendedores de armas. Alexandre recobrou a confiança. Os malandros corriam para um galpão escuro. Um sorriso maléfico brotou em seus lábios. Podia ir agora e acabar com todos em instantes. Raul não era burro nem nada. Estava atraindo os idiotas para o fim. Não se juntaria ao amigo nesse momento. Olhou para Patrícia e Bruno caídos entre os veículos. Também eram amigos... e estavam em apuros. Abandonou as sombras e aproximou-se ainda mais dos furgões. Tão confuso e perturbado psicologicamente que não se concentrava em seus poderes vampíricos. Sem perceber de imediato, deixara a noite ficar escura, assustadora. As passadas ligeiras removiam o chão de pedras e faziam um barulho proibitivo, raspando a sola contra os pedriscos. Respirava entrecortado, como se lhe faltasse ar nos pulmões mortos. Tinha de arrastar Patrícia até o corpo de um dos seguranças para que ela se reanimasse com o sangue ainda quente. Ficou de frente a um dos furgões para ajudar a amiga. À direita focou o sedã negro. Mais corpos no chão. Sangue para todos os lados. O corpo musculoso de Bruno inerte. Os buracos de bala não eram pequenos. Alexandre engoliu em seco. Costumava ser o mais valente. Ser o bravo. Agora estava daquele jeito. Numa montanha russa de sentimentos. Desespero. Ouviu disparos vindos do galpão. Deu mais um passo em direção da amiga. Vários furos no peito. Nenhum movimento. Seria possível? Patrícia estaria morta? Mesmo não sendo ela sua preferida, tinha de ajudá-la primeiro. Colocar sangue em sua boca. O cheiro embriagante de sangue fazendo seu estômago queimar... Os pés de um cadáver para fora do furgão. Mais um passo e o barulho de brita debaixo de sua bota. Os pés do cadáver se mexendo. Não era um morto! Era um deles! Um dos bandidos!

Segundos antes, Dentinho escutou um passo. Tinha deitado o corpo um instante, tentando alcançar seu celular guardado no interior do furgão. Ergueu-se assustado, se fosse um dos parceiros do crime poderiam pensar que ele estava deitado de boa, dando sopa, cochilando enquanto eles arriscavam o rabo para pegar o folgado que tinha sobrado. Mas não eram os parceiros! Era o folgado! Dentinho ergueu o revólver trinta e oito. Olhou para os lados. Não tinha mais ninguém. O cara segurava uma arma. Uma pistola. Dentinho puxou o gatilho. Sorriu, exibindo o hiato na arcada inferior e os dentes proeminentes da arcada superior. Gostava de matar folgados. Assistiu o cara dar dois passos para trás, fazendo cara de dor e colocando a mão no buraco da camisa. Gostava de atirar na barriga. Não matava na hora e a pessoa chorava antes de morrer. Ia ser o herói da noite. Ia ser o cara que tinha pegado o folgado. Já podia até ver a cara do Edvaldo Português na hora que voltassem com a turma. Pensava justamente nisso quando ergueu as sobrancelhas e mais uma vez apontou o revólver para o garoto. Dentinho passou a mão livre no seu cabelo encaracolado. Era outro daqueles estranhos. O garoto... aquele folgado estava demorando para cair de joelhos e começar a chorar. Em vez disso, viu-o erguer o rosto. Dentinho arrepiou-se dos pés à cabeça. Os olhos do moleque estavam pegando fogo!

Alexandre ergueu a pistola e deu um disparo certeiro no meio da testa do bandido. Antes que o corpo do contrabandista-traficante fosse ao chão, foi amparado pelo vampiro. Alexandre arrastou o desfalecido até perto de Patrícia. O sangue que brotou da ferida no meio da testa gotejou em boa dose para dentro da boca da vampira inanimada. O garoto, usando da sua força anormal, ergueu o corpo do bandido, de modo a não interromper o fluxo sangrento. Segundos depois arremessou o cadáver de lado e apanhou mais um morto no chão e dirigiu-se a Bruno. Abriu a boca do vampiro e passou a servi-lo do líquido mágico, espremendo as feridas do cadáver. Enquanto fazia isso, olhava hipnotizado para Patrícia. O corpo da amiga estremeceu e passou a repetir espasmos até que levantou o tronco de uma só vez.

— Ah! Como isso dói! — praguejou a vampira, enfiando o dedo num ferimento feito no peito.

Alexandre soltou o cadáver e deitou-se sobre o corpo do bandido de touca, o primeiro a ser abatido. Sorveu o quanto pôde de sangue. Precisava se alimentar por conta do balaço na barriga. Agora o estômago queimava, não pela fome de vampiro, mas por culpa do tiro. A cada gole ingerido menos o ferimento incomodava. Ergueu o rosto sanguinolento e caminhou até um dos compradores engravatados, abaixou-se com a boca aberta exibindo os dentes pontiagudos.

Bruno levantou-se gemendo. Seus ferimentos eram múltiplos e extensos. Não conseguiu ficar de pé, caindo sentado. Tentou falar alguma coisa. O ar passava por sua garganta aberta pela bala e a voz não saiu articulada.

Patrícia, no entanto, parecia refeita e pronta para terminar o trabalho. Caminhou até o furgão. Abriu uma das caixas de armamento. Apanhou um fuzil russo AK-47. Ali dentro tinha pelo menos uma dúzia deles. Uma plaqueta dourada encravada na coronha da arma lhe chamou a atenção. Patrícia sorriu por um segundo. Bandidos não dispensavam a proteção divina nem quando partiam para os crimes mais brutais. Passou levemente os dedos sobre as letras entalhadas em baixo relevo lembrando de uma manhã na escola dominical ao lado de Lígia, sua melhor amiga. "O Senhor é meu pastor e nada me faltará." Patrícia devolveu o AK-47 para a caixa e procurou Alexandre com os olhos.

— Cadê o resto dos bandidos? — perguntou a vampira.

Alexandre levantou-se de sua refeição engravatada, limpou o sangue e ergueu o queixo em direção ao galpão.

— Estão lá dentro, atrás do Raul.

Patrícia olhou para Bruno e abriu um sorriso.

— Não sei quanto a você, mas eu ainda estou com sede, bonitão.

Bruno só aquiesceu e rastejou na direção do outro homem de terno. Sabia que ia precisar de muito mais sangue para sair daquela situação. O vigor mágico já percorria seus tecidos, refazendo seus ferimentos, mas ainda sentia dor e debilidade.

Patrícia abriu uma segunda caixa de madeira. Granadas e mais fuzis. Esses pareciam com os do Exército norte-americano. Uma dúzia de M-16. A vampira suspirou e olhou para os corpos no chão. Essa gente nunca mais colocaria aquelas armas malditas em circulação. Olhou para Alexandre e para Bruno e gesticulou no sentido do galpão.

Raul não esperava por aquela. Tinha sido encurralado. Poderia tentar a manobra que os amigos tinham executado na mansão do envenenador de mendigos. Poderia fazer-se passar por morto. Ou poderia tentar acabar com aqueles filhos da mãe. Escolheu a segunda opção. Não tinha sido de grande valia com rifle de mira telescópica, mas com a pistola poderia se sair melhor. Até preferia estar com um 38 na mão. Foi com um daqueles que acabou com o traficante, sentiria mais confiança na hora de puxar o gatilho. Mas a pistola tinha mais projéteis e tinha visto quatro deles vindo em seu encalço. A barriga ardia. Era hora de arriscar o pescoço e descolar um jantar da melhor qualidade. Traficantes ávidos por dinheiro que não se satisfaziam simplesmente com o narcotráfico e agora queriam abastecer mercadores que, por sua vez, facilitariam as coisas para as Forças Armadas Revolucionárias da

Colômbia. Mundinho complicado esse do narcotráfico. Não seria mais produtivo o traficante ir direto lidar com as FARC e obter drogas no lugar de dinheiro? Vai entender esse lance de globalização. O fato é que de um jeito ou de outro, se esses porras-loucas saíssem dali levando dinheiro ou drogas, iam ferrar a vida de meio mundo lá fora. Se as armas não fossem para a Colômbia, podiam muito bem ir parar nas mãos de uma facção criminosa que abriria fogo contra a população e contra a polícia. Aqueles ali não iam fazer isso, não. Aqueles ali iriam parar em caixões a sete palmos debaixo da terra, sem uma gota de sangue nas veias. Raul sorriu e deixou o esconderijo com a pistola erguida. O que poderia acontecer de pior se errasse os tiros? Ser morto?

Edvaldo estranhou quando o rapaz saiu de trás da coluna de ferro com a arma erguida. Pentelho peitudo duma figa!

— Acabou moleque. Larga esse brinquedo! — ordenou o traficante com camiseta da Portuguesa.

Raul olhou para os quatro adversários. Quantos conseguiria derrubar antes de ser derrubado? Um? Dois? Fixou o olhar no que estava com a camiseta da Portuguesa.

— Pra quem você trabalha, piolho?

Raul continuou quieto.

— Que é, mano? Não tem língua, não? — gracejou outro dos bandidos.

Raul deixou os olhos correrem pelas armas dos bandidos. Eram espingardas e rifles. Coisa da pesada, jogo duro.

— Aí, pivete, fala logo que eu tô com pressa. Seus amigos já foram pro saco. Se você não abrir o bico te dou um teco e pronto. Vai pra casa do chapéu.

Raul sorriu.

O bandido da Portuguesa, com um rifle pendurado no pescoço e um cigarro no canto da boca, barba mal feita, tirou um trinta e oito cromado da cintura. Apontou para a perna de Raul e disparou, acertando bem no joelho.

O vampiro gemeu de dor e inclinou o corpo levando a mão ao joelho ferido.

— Assim cê pára com esse sorriso irritante de filho da mãe na minha frente. Tá achando que isso aqui é brincadeira, moleque? Cê matou um parceirão meu, seu folgado. Tá achando que vai ficar barato?

Raul riu e endireitou o corpo. Deu dois pulinhos mancando e continuou com a risada, baixinho dessa vez, abaixou a pistola deixando-a rente ao corpo.

Edvaldo engatilhou o trinta e oito e mirou a cabeça do rapaz.

— Do que cê tá rindo, palhaço? Toma um tiro no joelho e dá risada? Tá cheirado, rapaz? Te vendi alguma coisa hoje à noite?

Os outros três riram da gracinha do Edvaldo.

— Sabe o que é engraçado, ô da lusa? — perguntou o vampiro.

— O quê? — emendou o bandido.

— O engraçado é que nenhum de vocês, quando acordou hoje pela manhã, pensou que justamente hoje, hoje mesmo, poderia ser o último dia de suas vidas. Não se despediram de ninguém, não deram beijo na esposa, não rezaram pedindo perdão de seus pecados. Não sonhavam que viveriam só até aqui. E aqui, nesse galpão esquecido, meus senhores, é o fim da linha. Fizeram a última refeição num boteco da vida, comeram bolinho de ovo, tomaram uma cerveja, quem sabe duas ou três rodadas de sinuca antes do telefone tocar. Talvez um ou outro tenha feito planos sobre amanhã, tipo pagar uma conta d'água, levar biscoito pra vovó, ir cobrar a dívida de drogas de um ferrado. E enquanto fazia esses planinhos, fumando cigarro vagabundo, não sabia que não voltaria para casa e que acabaria aqui, nesse chão que pisamos, morto da silva num galpão decrépito e esquecido, bem na minha frente.

O quarteto de bandidos ficou calado. Edvaldo engoliu em seco. Apesar da franca maioria e de ter a arma apontada para a cabeça do garoto, por alguma razão, sentia medo. O escuro parecia mais escuro e o menino não parecia um menino. Sentia-se oprimido e pequeno. O moleque que tinha dado risada na cara dos quatro sabia mexer com a cabeça dos outros. Mesmo falando um monte de bobagem. Mas uma coisa o filho da mãe tinha adivinhado. Ele tinha uma conta de água para pagar amanhã na lotérica. Estava até vendo a conta pendurada na geladeira. A mulher reclamando que iam cortar a bosta da água. E ele ia jogar na Megassena e ia pagar quarenta paus de água. Ô mulher pra gastar água, sô. Novamente, com um nó na garganta, engoliu a saliva em seco.

Raul endireitou o corpo de novo e ergueu a pistola mirando o torcedor da lusa.

O quarteto contrabandista abriu fogo antes que o folgado puxasse o gatilho.

O corpo de Raul dançou com a chuva de tiros. A visão se apagou e o corpo afundou na inconsciência. Estava morto e entregue ao manto. Seu corpo tombou pesado e reto e a pistola ficou presa em sua mão.

Os disparos cessaram. O cheiro de pólvora impregnou o ar. O corpo do rapaz jazia destroçado no chão empoeirado do velho galpão.

— Antes ele do que eu. — murmurou Zóio.

Os quatro começaram a rir.

— Pivete folgado, sô. Muito sem noção. Tá vendo a gente armado até os caroços e fica levando uma. Dando uma de Buda ou sei lá o quê. Deus ô livre.

O traficando apelidado de Zóio começou a rir ainda mais.

— E eu tô ligado que você tem uma conta de água pra pagar, Valdão. Tô ligado, mano. Você falou disso a noite inteira no bar, na hora da sinuca, reclamando da Jocasta.

Os quatro voltaram a rir, olhando para o cadáver estendido.

— Vai pro inferno, vagabundo. — praguejou Edvaldo, aproximando-se dois passos e cuspindo na direção de Raul.

Ainda no meio de risadas viraram-se ao mesmo tempo no sentido da larga porta do galpão. Um calafrio assaltou o grupo. Não deram um passo sequer. Não deram um pio. Permaneceram imóveis. Estupefatos. Três vultos negros parados à porta do galpão. Três vultos negros de faces fantasmagóricas, brancas com olhos vermelhos, empunhando armas. As armas que deveriam estar no furgão. M-16, AK-47, uma escopeta. Tudo produto da casa.

Como se tivessem ensaiado, os quatro bandidos soltaram as armas ao mesmo tempo, deixando-as tombar pesadas contra o chão cimentado.

— Pega leve, galera. A grana do chefe é da boa. Tem pra todo mundo. — adiantou-se o torcedor da lusa.

— Oh, Deus... — murmurou um dos contrabandistas, levando a mão a uma imagem de Nossa Senhora pendurada em uma corrente.

Dois dos bandidos notaram que um dos caras parados na frente do galpão tinha a garganta arregaçada por um tiro de uma 9mm. A roupa dele estava esburacada e podia ver a carne cinza aberta por outros disparos de fuzil. O bandido perdeu o ar e sentiu o corpo amolecer caindo de joelhos. Aquele sujeito... era para estar morto! Tinham atirado nele!

— Não vai adiantar soltar as armas, não. — disse Alexandre. — Nem mesmo ajoelhar para rezar.

Patrícia destravou o fuzil russo, fazendo um barulho metálico e mecânico ressoar pelo imenso vazio do galpão.

— A festa acabou, galerinha. — disse a garota.

A última coisa que os ouvidos humanos captaram foi a rajada de tiros cuspida pelas metralhadoras apontadas pelos fantasmas.

Os quatro corpos foram ao chão. Sem um pio. Sem choro. Sem lágrimas. Quatro bandidos que não colocariam mais armas na mão de gente errada. Quatro bandidos eliminados pela agência Jugular. Quatro bandidos exterminados pelo Turno da Noite.

Bruno, com o corpo estropiado, se aproximou de Raul. O vampiro estava imóvel, como morto.

Alexandre deixou o galpão e foi até o matagal, onde descobriu o Alfa Romeo T-Spark, negro cintilante, camuflado por galhos secos e folhagem solta. Era o carro de Raul, mas teria de dirgi-lo para darem o fora dali. Conduziu o possante veículo vagarosamente até ao lado do furgão e do sedã dos larápios, abrindo o porta-malas.

Bruno e Patrícia trouxeram Raul carregado pelos ombros e o colocaram dentro do carro. A boca do vampiro estava cheia do sangue dos bandidos mortos no galpão. Recuperar-se-ia em pouco tempo.

Patrícia acomodou a bolsa de náilon com o dinheiro no porta-malas enquanto Alexandre enfiou as armas como pôde. Fuzis, metralhadoras, pistolas de grosso calibre e munição que não acabava mais.

O motor do T-Spark roncou e Alexandre saiu em alta velocidade.

CAPÍTULO 26

Uma garoa fina descia perene do céu formando figuras na janela onde Yuli mantinha a testa encostada. A jovem vampira tinha derramado todas as lágrimas que possuía e agora só o sentimento de tristeza teimava em verter pra fora, parecendo contaminar todos ao redor, posto que mesmo lotado o ônibus, não havia um zumbido no ar, ninguém conversava, ninguém contava, ninguém ria. Pareciam todos encantados pela água e pelos relâmpagos que brilhavam vez ou outra no céu negro, rajando as nuvens e pincelando ares de mosaico a céu aberto.

Yuli se contrai no assento, colocando os pés em cima do banco e fechando os joelhos num abraço. Cola o queixo na perna e seus olhos ficam nos vidros escurecidos pela noite. Mais uma vez seus pensamentos vão ao encontro de Marcos, seu amado namorado. Seu amor perdido. Onde ele estaria agora? Os vampiros teriam direito a redenção? Teriam direito a vida após a morte? Ela não sabia. Sentia-se perdida sem Marcos. Sentia-se acuada e com medo da própria sombra. Um veleiro solto, que perdeu a âncora e o farol, subindo e descendo nas vagas de um oceano gigantesco, em meio a nevoeiro e tempestade. Queria voltar para o Rio Grande do Sul e voltar para sua família. Queria voltar para o colégio e voltar a ver os amigos. Queria andar de dia e não ter cólicas na primeira noite de lua cheia. Além de ser vampira, era uma lupina. Uma garota-loba, que perdia a razão com a chegada da lua. Não queria ser atraída pelo aroma do líquido da vida. Não queria nada daquilo. Queria sua vida antiga de volta. Queria a âncora de seu barco e sentir novamente a aproximação de um porto seguro. Suas preocupações de adolescente, as chateações da sua irmã mais nova, as broncas da mãe, porque chegava tarde depois de ficar com Marcos no carro, do sol à beira da piscina no clube. Sentia falta de tudo isso. Perder-se-ia mais uma vez por causa de tudo isso.

O ônibus fez uma curva abrupta e os pneus encontraram chão de brita. Yuli, mordida pela curiosidade repentina, ergueu os olhos. Estavam parando num restaurante de beira de estrada. A garota balançou a cabeça negativamente. Mais uma parada, mais tempo perdido. A noite ia passar mais rápido agora. Pelos seus cálculos não chegariam a Porto Alegre antes do amanhecer. Bufou, vendo as pessoas descendo, conversando agora animadas com a oportunidade de encherem a barriga e espicharem as pernas. A vampira viu que o benfeitor ao seu lado já estava no corredor. Esperou um instante antes de levantar. Não pretendia comer nada por ali.

Yuli pisou no chão de pedra britada. Caminhou calmamente até chegar ao de cimento. Achou curioso o fato de não lhe faltar equilíbrio, uma vez que os sapatos da esnobe assassinada no CEASA eram dois números maiores que o seu. A vampira não entrou no restaurante. Sentou-se no banco de madeira à frente do estabelecimento. Havia mais quatro ônibus parados no estacionamento, o que garantia um vaivém que lhe distraiu por alguns minutos. A vampira pegou-se observando uma morena que tinha parado na sua frente, fumando um cigarro. Ela conversava com mais duas amigas, mas Yuli tinha os olhos presos nela. No pescoço dela. Da pele da garota de cabelos cacheados exalava um aroma inebriante. A vampira de traços orientais passou a língua nos lábios vendo a jugular da moça pulsar. Sua boca ficou seca e Yuli podia jurar que ouvia as batidas do coração da morena, compassadas, ritmadas, entrando fundo em seus ouvidos. Fechou os olhos e apertou as pálpebras. Não era possível. Já tinha tomado o sangue da idiota no estacionamento do CEASA e agora estava sentindo a sede uma vez mais. Yuli levantou-se e andou na direção do banheiro. Ao lado da porta, um telefone público. Tirou o aparelho do gancho e discou a seqüência de números para ligação a cobrar. Era madrugada. Cinco toques seguidos. Ninguém atendeu. Yuli bateu o telefone no gancho. Repetiu a operação. No terceiro toque começou a famigerada musiquinha de chamada a cobrar. Yuli apertou os lábios e sentiu um frio no peito. A voz de um homem. Seu pai, seu Gilberto.

— Papai... — disse a menina, vacilando e com a voz sumida.

— Alô?

Yuli levou a mão à boca e afastou-se do microfone do telefone.

— Alô? Quem é?

Yuli apertou os olhos e inspirou fundo, sentindo a vontade de chorar inflar seu peito.

— Sabe que horas são, ô palhaço? Isso não é hora de passar trote em casa de família.

A vampira aproximou o aparelho mais uma vez, sua voz saiu fraca e embargada.

— Papai.

— ...

— Sou eu.

— Yuli? Filha?

— Sou eu, papai.

— Filha! Deus do Céu! Irene! Irene! — Yuli sorriu ao ouvir o pai chamando a mãe. — Yuli! Você está viva, minha filha? Ô, meu Deus! Guria, tu deixa a gente doido! — a voz alegre do pai estava virando para crítica.

— Eu tô voltando pra casa, pai.

— Yuli, diz onde tu está, minha filha. Por que tu fez isso com a gente, guria? Sumir tantos dias?

— Se eu conseguir... eu explico, papai. — choramingou a garota, afastando-se do fone, já pensando em não ficar muito tempo na linha para não ser rastreada nem nada. Não queria a família comprometida com toda aquela balbúrdia que estava na televisão.

Yuli desligou o aparelho e agachou-se chorando. Abaixou a cabeça, deixando os cabelos escorrerem para a frente. Arfava, tomada de emoção, angústia e saudade. Ao menos agora sua família sabia que ela estava viva. E provavelmente diriam as famílias dos amigos que foram capturados à beira da lagoa dos Patos pelos vampiros lobos. Seria recebida por todos eles e por um batalhão de perguntas. Os pais dos filhos perdidos perceberiam sua palidez mórbida e a denunciariam para o Serviço de Contenção. Não tinha dúvida. Seria ver seu rosto branco e suas veias escuras, tal e qual estampado na tela da TV por inúmeros telejornais, fariam a maldita ligação. Teria de enfrentar seu destino. Teria de enfrentar a todos.

Yuli fungou contida, retomando o controle do choro. Secou as lágrimas negras e limpou o rosto. Enquanto pensava que talvez uma maquiagem pudesse amenizar sua aparência, uma sensação estranha a invadiu. Era como se olhos invisíveis a espiassem, como se um vigia perseguisse seus movimentos e pensamentos. Yuli levantou-se de supetão e olhou para os lados. Não viu nada. Tornou a secar rapidamente as novas e derradeiras lágrimas rubras que marcavam sua face. Sentia o peito oprimido. As incertezas e medos voltavam. Os pais dos amigos a interrogariam. Sua palidez cadavérica não daria chance para evasivas. Estava sendo cercada por alguém. Yuli virou-se rapidamente. A garota que se aproximava da oriental tomou um susto tão grande que a bituca de cigarro voou de sua mão. Seus cachos negros balançaram enquanto encarava o rosto pálido da garota de olhos puxados com cara de quem tinha chorado.

— Tá tudo bem, guria? — perguntou a morena.

Yuli só balançou a cabeça positivamente enquanto levava as costas das mãos até os olhos, com medo de restos de lágrimas denunciarem sua nova raça.

A morena perguntou, mas não esperou resposta e entrou no banheiro feminino, ao lado do telefone público.

Yuli ficou olhando para a porta que voltou automaticamente a se fechar por meio da mola retrátil. O cheiro do sangue da garota enchia suas narinas mais uma vez. Yuli tornou a apertar os olhos, lutando contra seus instintos. Seus ouvidos se encheram com o gotejar da água da garoa que descia pelas calhas e desprendia-se das telhas. Para seu desespero suas presas tinham-se ampliado, descendo e forçando os lábios inferiores. O frio da noite tornara-se agradável e a escuridão era sua madrinha para saciar a fome. Ninguém tinha seguido a morena. Ela estava sozinha e sem proteção dentro do banheiro. Seria fácil. Estava pronta para cravar os dentes pontiagudos na pele da mulher e drenar sua energia de vida. Precisava disso. Yuli caminhou até o banheiro feminino. Pousou sua pequena e delicada mão na maçaneta. Emitiu um rosnado ferino e involuntário enquanto girava e empurrava a porta. Olhou para dentro. Nem sinal da garota. Ela estava dentro do boxe com a porta fechada. Yuli fechou os olhos pela enésima vez e se afastou da porta, batendo violentamente as costas contra a parede. Não podia ser assim. Não queria que fosse assim. Ela não era um bicho.

Distante alguns metros dali, escondido atrás de uma *van*, com o rosto e parte das roupas molhadas pelo chuviscar insistente, o soldado Diego mantinha a mão na coronha da pistola. Não tinha piscado os olhos uma vez sequer durante toda a viagem. Até agora a infecta não tinha feito nada de suspeito, mas um segundo atrás, diante sua inexorável vigilância, o rapaz tinha visto a japonesinha ficar com os olhos vermelhos e acesos feito brasas e se mover até a porta do banheiro. O soldado gelou. Diego sabia que era hora de agir. Dispararia as balas de prata contra a cabeça da infecta e acabaria com ela mesmo sem o telefonema do capitão Brites ao seu celular. Tinha abandonado o esconderijo e tirado a pistola do coldre quando viu, mordendo-se de curiosidade, a infecta recuar ligeira. Mesmo a quinze metros de distância, com a garoa e a pouca luz, o soldado conseguia ver a fisionomia da garota. Ela estava perturbada, estava confusa. Ela lutava contra o instinto assassino que passava a reger os infectos. Os relatórios eram claros. O capitão tinha descoberto muita coisa com os cativos novos. A fome de sangue ficava insuportável ao fio de poucos dias. Diego olhou para seu relógio de pulso. O ônibus logo sairia. Talvez ela quisesse se aproveitar para saltar ali, naquela parte da estrada. Muita mata em volta para se esconder. Retornou os pensamentos um momento para trás. Tinha visto quando ela chorou lágrimas de sangue junto ao orelhão. Agora a via com o rosto sombrio, afastando-se relutante daquele banheiro. Certamente ela cogitava infectar a garota que estava no toalete. Se não a matasse drenando todo seu sangue, talvez a deixasse para trás com a doença. Diego baixou a arma e começou a caminhar em direção ao ônibus. Caso fosse visto pela infecta Yuli recuando mais uma vez para a *van*, tal atitude iria parecer muito suspeita. Andou angustiado com o barulho que seus calçados faziam sobre a brita. Com certeza ela olharia para ele.

Yuli, ainda tomada pela torrente de sensações que jorravam da luta de seus instintos de noturna contra sua resistente moral humana, mais uma vez se assustou percebendo a presença de alguém próximo a si. Primeiro seus ouvidos captaram aqueles passos sobre as pedras e depois seus olhos de vampira viram o rapaz. Via as veias pulsantes em seu pescoço molhado pelo chuvisqueiro. Ele estava tão agitado quanto ela. Yuli parou e observou-o por uns dois segundos. Conhecia aquele rosto. Era um moço que estava no seu ônibus. A vampira olhou ao redor. De onde ele vinha? Aquele pedaço da propriedade era escuro. Estava todo molhado, indicando que estivera exposto ao mau tempo por um período não muito curto. Situação esquisita. Baixou a cabeça e caminhou para perto do ônibus. Não adiantava nada se colocar em alerta daquele jeito se não ia atacar ninguém no momento. Tinha de passar despercebida. Não podia ser notada. Seu rosto branco era um convite aberto aos celulares e ao Serviço de Contenção. Yuli aproximou-se do restaurante. Cheiro de café com leite e pão na chapa. As pessoas começavam a voltar para o ônibus de viagem. Yuli olhou para dentro do estabelecimento.

Duas e meia da manhã. Decididamente seria dia quando chegassem a Porto Alegre. Teria de falar com o motorista antes do raiar do sol. Teria de saltar e se esconder na mata por volta das cinco. Não podia deixar essa manobra para muito tarde, corria o risco de ficar sem esconderijo.

A vampira entrou no ônibus e tomou seu assento. Seus olhos voltaram para fora. Mesmo olhando para as pessoas que circulavam no chão de cimento em frente ao restaurante, notou o estranho sujeito que observara lá fora, na garoa, passando ao seu lado no corredor. Yuli cerrou os olhos, escutando as vozes das pessoas que retornavam às poltronas, e fingiu adormecer. Ouviu quando seu benfeitor sentou ao seu lado. O homem que a tinha salvado no terminal rodoviário Tietê. Tinha comprado uma passagem para ela sem fazer perguntas até então. Uma passagem da Viação Esperança. Yuli suspirou fundo. Esperança. Deixaria o ônibus rodar mais uma centena de quilômetros e aguardaria a aproximação do trevo de uma cidade para descer. Esperança. Com alguma sorte, na noite seguinte estaria em sua casa para o que desse e viesse. Esperança.

O ônibus tinha voltado para a estrada e para a rodagem monótona. Diego começa a sentir o peso do cansaço. Suas pálpebras teimavam em descer e o jovem soldado temia adormecer. Molhava os olhos com água mineral de cinco em cinco minutos e consultava o relógio do Grupo de Operações Especiais. Os horários eram sincronizados via satélite. Sempre que se comunicavam criavam um *log* com precisão de início e fim de operação. Voltou os olhos para a frente. A infecta, de nome Yuli, estava imóvel desde a última parada, o homem sentado ao lado dela tinha caído no sono e roncava baixinho. Diego voltou os olhos para a estrada. Não gostava de viajar na chuva e a garoa, teimosa, insistia em banhar o asfalto. O soldado tivera na infância uma desagradável experiência. Como todo moleque de oito anos, tinha um melhor amigo em sua rua. Todo fim de semana e feriado passava brincando com a criançada, mas em especial com Edinho, seu parceiro de pelota. Foi num dia de chuva que aconteceu. O pai do Edinho voltava de uma pescaria quando o carro perdeu o controle numa curva fechada. Pai e filho foram encontrados mortos quando o socorro chegou. Pista molhada. Tinham dito que um pneu estourou, que o pai do Edinho tinha enchido a cara na beira do rio. Foi a primeira vez que Diego foi a um enterro. O enterro do melhor amigo. Dois caixões carregados pelos parentes.

Um enorme e outro pequenininho. Seu amigo descendo para o fundo escuro da cova e sendo depositado ao lado do pai. Seu amigo. Desde então, estrada e chuva não batiam nas suas idéias e sentia-se inseguro quando tinha de enfrentar a situação. Até mesmo no Exército era difícil disfarçar quando partiam em missão nos caminhões em dia de toró. Todo mundo percebia o seu jeito. Diego voltou os olhos para a infecta. Ela estava quieta. Respirou fundo e fechou os olhos quando sentiu um tremor no bolso de sua calça. Era o celular. Era Operações Especiais chamando. Tirou o aparelho e pressionou o botão verde.

— Pronto.

— Soldado. — reverberou a voz do capitão.

— Sim, senhor.

— Mudanças nos planos. Não deixe a garota escapar. Escolte-a até o quartel.

— Entendido, senhor.

O celular ficou mudo.

Diego nem teve tempo de guardá-lo quando notou a rápida diminuição na velocidade do ônibus. Luzes potentes entraram pelo vidro frontal. A portinhola que separava o motorista dos passageiros ficou amarelada. Os ocupantes passaram a perceber o que acontecia.

O soldado olhou para a garota. Ela olhava para ele também. Diego pousou a mão na coronha da pistola sentindo um frio na barriga. Yuli voltou-se para a frente e olhou pela janela. O ônibus tinha praticamente parado.

Um garoto na fileira da frente de Diego abriu a janela e deixou o ar frio e cortante invadir o ônibus, alguns protestaram, mas a voz admirada do garoto sobressaiu-se:

— É um comando!

O passageiro fechou rapidamente a janela por causa dos frios pingos de garoa que entravam voluteando.

Yuli ficou olhando pelo vidro. Comando? O que seria isso? Sentiu os cabelos arrepiarem até a nuca. Comando lembrava Exército.

Apertou as mãos. Levantou-se num repente. Caminhou até a porta para ter com o motorista.

Diego ficou atônito, perdido por um momento. Era claro que ela ia tentar fugir. Se o capitão Brites tinha ligado era claro que esse comando anunciado pelo garoto era composto por soldados do Serviço de Contenção do sul. Tinham um destacamento em Porto Alegre que cobria as cidades circunvizinhas e era certo que esses homens tinham sido alertados por Brites da presença da vampira naquele ônibus. Diego sacou a pistola e manteve-a rente à perna para que nenhum passageiro se alarmasse antes da hora. Caminhou lentamente, aproximando-se cauteloso de seu alvo.

A vampira forçou a maçaneta e empurrou a porta pesada. Os olhos do motorista, que já tinha parado completamente o veículo, vieram ao seu encontro.

— É melhor ir sentar, mocinha. Esse negócio vai demorar. — falou, movendo a cabeça na direção da fileira de carros parados. — Tá vendo? Não é só em Sampa que tem engarrafamento.

Uns quinze veículos à frente, silhuetas de soldados na pista andavam freneticamente, indo de carro em carro.

Yuli tinha contado doze soldados na primeira olhada. Alguns holofotes postos nos acostamentos dos dois lados da estrada iluminavam todo o asfalto molhado. Seis soldados vinham à direita, subindo agora para dezoito o número de homens avistados pela vampira. Yuli mordiscou o lábio inferior, apreensiva. Olhou para trás. Duas crianças no colo da mãe já na primeira fileira de bancos. Era uma senhora negra e seus filhos, dormindo profundamente. Mais crianças nos bancos de trás. E o gentil homem que comprou sua passagem. Não poderia se transformar em fera agora. Poderia perder completamente os sentidos como nas noites de lua cheia e fazer uma verdadeira desgraça na vida daqueles tantos inocentes. O rapaz que vira molhado no estacionamento do restaurante tinha-se levantado e vinha para a frente também. Aquele sujeitinho era curioso pra dedéu. Também devia estar fugindo de alguém. Yuli voltou os olhos para a estrada. Olhou para os lados. Mata fechada a menos de cinqüenta metros à sua direita. Seus olhos ficaram vermelhos e num reflexo cobriu-os com as mãos. A claridade súbita fez as pupilas ressentirem-se do excesso de luz lançada pelos holofotes. Tudo claro para um vampiro. Yuli olhou para o lado esquerdo. Pasto verde a perder de vista. Olhou para o asfalto de novo. Estavam mais perto. Uma dupla de soldados acendeu uma lanterna e projetou nos passageiros do Vectra estacionado na frente do ônibus. Yuli imaginou que poderia voar contra o vidro frontal do veículo da Viação Esperança e escapar em alta velocidade para a mata fechada. Poderia também pedir gentilmente que o motorista destravasse a porta. Se ele não o fizesse voluntariamente, evocaria seu poder de loba e desapareceria dali. Se algum daqueles infelizes viesse em seu encalço seria, fatalmente, devorado.

O motorista acionou uma chave de ar comprimido que fez a porta principal deslizar, deixando o caminho livre para os soldados que chegavam e para ela que aguardava a chance. Seu peito subia e descia rápido. Yuli olhava para as gotas da garoa que desciam e bailavam diante de seus olhos, salpicando de movimento as poças no chão. Desceu um degrau sob o olhar vigilante do motorista que estranhou a angústia da menina. Será que era ela que os milicos procuravam?

Yuli olhou para o acostamento. Mais um instante os soldados estariam ali, na sua frente. A hora era agora. Impulsionou o corpo para a frente, quando foi surpreendida pela toque frio em seu pulso.

— Tarde demais, garota. — murmurou uma voz rouca a suas costas.

Yuli arregalou os olhos ao ver a algema em seu punho. Ela era prateada. Ergueu o braço e puxou o corpo para o asfalto. O sujeito veio com ela. Notou que a outra extremidade da algema estava presa ao punho do rapaz, o curiosinho do restaurante. Ele tinha uma pistola. Quando desceu ao asfalto ergueu-a e apontou para sua cabeça.

— Não preciso te matar, menina. Não, se você obedecer. Você está presa pelo Serviço de Contenção. A partir de agora nenhum movimento brusco. As algemas são de prata. Aonde quer que você vá, eu vou contigo.

Yuli olhou para os lados. Três soldados em cada flanco, com escopetas com mira laser apontadas em sua direção. Yuli fitou Diego em silêncio. Aquele filho da mãe tinha estragado tudo. Ela não queria matar ninguém, só queria rever sua família antes de desaparecer no mundo.

— Temos um carro especial para o transporte de infectos, soldado. Vocês serão removidos para Porto Alegre e serão transportados com outros espécimes para Osasco ao meio-dia.

— Entendido, senhor. — respondeu Diego, prestando continência com o braço livre.

— Vamos andando.

Yuli e Diego foram escoltados até a barreira montada pelo Exército. Viram os carros que eram examinados, um a um, sendo checados com lanternas. Yuli viu uma garota tão pálida quanto ela ser abordada numa Frontier. Os soldados fizeram a garota descer sob os protestos de seus pais. Um dos homens da Contenção disparou com uma pistola especial no braço da menina. Era uma droga, um tipo de injeção. A garota queixou-se da dor momentânea e acariciou a ferida. Nenhum problema. Ela voltou para dentro da Frontier e seu veículo foi liberado para seguir viagem.

Um soldado apontou um microônibus adaptado. O veículo era blindado e tinha pneus grossos. Yuli, ainda ao lado de Diego por culpa das algemas, embarcou vendo a luz e a garoa ficarem do lado de fora.

A vampira estava numa arapuca antivampiro. O compartimento de transporte prisional era revestido com placas prateadas, os vidros tinham grades finas. Olhou para cima. O teto era de ferro, mas não sabia se aquilo era prata. Suas narinas tremeram. Cheiro de *bacon*. Alguém tinha comido ali dentro. Yuli olhou para o pulso algemado e apertou os lábios agora olhando para os olhos de Diego. O soldado desviou o olhar e foi sua vez de examinar o veículo.

Um dos agentes com óculos especiais que tampavam quase toda sua face aproximou-se da porta e mostrou uma chavinha, apontando-a para o punho de Diego. O soldado de Quitaúna afastou o braço.

— Prefiro ir assim. Tenho certeza de que posso com ela. — disse o rapaz, voltando a fitar os olhos de Yuli.

A vampira permaneceu fria. Encarou os olhos do captor por um breve instante e então os baixou. Não queria demonstrar coragem suficiente para confrontá-lo. Queria que ele pensasse que ela era inofensiva mesmo, desse modo suas chances de escapar daquela algema aumentariam. Tinha de ficar sozinha com ele. Cravar seus caninos no garoto. No entanto, para seu descontentamento, quatro daqueles soldados bem armados e com roupas especiais subiram no compartimento traseiro do microônibus, enquanto mais dois foram para a frente, isolados na cabine do condutor. Eles não dariam folga. Não vacilariam. Yuli baixou a cabeça. Estava perdida.

CAPÍTULO 27

Cinco minutos depois do Alfa-Romeo T-Spark deixar o local ermo, uma Caravan preta, com emblemas de funerária adentrou o pátio deserto. Dois homens desceram do carro fúnebre e andaram pacientemente pelo local examinando os mortos.

Ed, cabelos lisos, uma touca de lã na cabeça, *jeans* e camiseta surrados, andava com um cigarro no canto da boca, apontando cada corpo com o dedo, fazendo a contagem.

Fred olhou mais uma vez ao redor.

— Ué? Parece que tá faltando. Ele não disse que eram dez?

Ed aquiesceu sem nada dizer. Deu um trago no cigarro e arremessou a bituca para longe. Olhou para os pingos de sangue que formavam um caminho que conduzia a um galpão.

— Tem mais conteúdo pra lá. Olha a pista.

— Então primeiro vamos colocar esses no gavetão, o Scooby-Doo. O Sofia disse que estava tudo limpeza, mas que era pra ser rápido. Sem vacilo, Ed, sem vacilo.

Ed ajudou Fred com os primeiros defuntos. Olhava para a cara de cada um deles. Suspirou fundo imaginando que seria uma noite longa, uma noite de plataforma cheia. Quantos subiriam na locomotiva a vapor, quantos iriam no expresso diesel? Só de madrugada teria resposta, só de madrugada.

Depois foram com o carro fúnebre para dentro do galpão. Lá encheram o segundo gavetão com os quatro cadáveres. Bateram o tampão do porta-malas e Fred manobrou para fora, levantando poeira e deixando o ermo terreno para trás. Um sorriso nos lábios. Dez pacotes. O Sofia ia pagar uma boa grana essa semana. Deu um tapa na perna de Ed e ergueu as sobrancelhas. Ed sorriu de volta e tornou a olhar para o mato mergulhado na escuridão, enquanto acendia outro cigarro. Com dez conteúdos para receber, Fred estaria tão feliz que não ia ralhar por causa do cigarro dentro do carro. Seu sorriso diminuiu até desaparecer completamente. Fechou os olhos um instante imaginando a plataforma cheia e as histórias que iria ter de ouvir. Bufou recostando a cabeça no encosto do banco. Fred ficou olhando para o amigo um instante. Já estava acostumando com aquilo. Era sina de todo Ed.

CAPÍTULO 28

Sete furgões verde-escuros frearam sobre o asfalto molhado em frente a conhecida casa noturna, reduto de góticos e darks, de afeiçoados ao provocante e sedutor estilo de vida noturno, envergando os mais diferentes tipos de roupas e comprimento de saias. Garotas pálidas e de olhos arregalados e rapazes com capuzes pretos recostaram-se às paredes negras com faixas prateadas que formavam a entrada do Madame Satã, assustados com a repentina e veloz intromissão militar. Os com presença de espírito puseram sebo nas canelas e desapareceram antes que o primeiro par de botas tocasse a calçada molhada da frente da casa noturna. De dentro de cada veículo desceram sete soldados, fortemente armados, trajando roupas especiais, coletes à prova de balas, um tipo de coleira prateada e flexível envolvendo seus pescoços, tinham também óculos de lentes únicas, de lentes esverdeadas, que mais pareciam feitos para jogadores de *paintball* do que para soldados de verdade, capacetes verdes enegrecidos e reluzentes completavam o uniforme diferenciado do Serviço de Contenção. Em formação tática aproximaram-se da entrada do estabelecimento e, sem pedir licença, invadiram o recinto. Logo, diante de dezenas de olhos estupefatos, quarenta e oito soldados estavam no salão principal do Madame, de pé direito alto, telhado feito em vigas de madeira e sem forração, ambiente discretamente iluminado à luz de velas. Armas eram apontadas para os freqüentadores, pálidos e imóveis, com lanternas acopladas que, além de ferir os olhos e intimidar aqueles a quem eram apontadas, quebravam todo o encanto do reduto gótico. A entrada foi tão repentina e feroz que os *barmen* não terminaram os drinques, pararam congelados, tentando entender o que se passava.

Os soldados invadiram os corredores das mesas e, diante o comando de um deles, cerca de metade dos soldados dirigiram-se para o jardim de inverno, descendo para os porões onde ficavam as pistas de dança. Lanternas acopladas aos fuzis AR-15, Colts e escopetas, os homens do Serviço de Contenção renderam todos os presentes em menos de dois minutos.

— Quero que todos vão para aquele canto! — berrou o comandante da operação, apontando para o lado esquerdo do salão principal para a visão de quem entra na casa.

Os presentes continuaram imóveis até que os soldados começaram a arrancar os freqüentadores de suas cadeiras e empurrá-los com truculência.

Welington foi até perto da porta e apontou para o chão de madeira.

— Quero que formem uma fila aqui. Nenhum movimento brusco. Não há razão para pânico. Isso é apenas uma verificação de rotina. — o tenente deu alguns passos encarando os suspeitos. — É só rotina. Todos serão liberados em um instante contanto que colaborem com nossa missão.

O capitão Brites, do lado de fora, gesticulou para um soldado ao seu lado. A porta deslizante do furgão mais próximo foi aberta e o soldado trouxe do compartimento uma mesa retrátil que foi prontamente armada e posta na frente do capitão. Um segundo agente do Serviço de Contenção trouxe uma valise. Brites abriu-a e retirou uma grande pistola com um tanque de ar comprimido no bojo. Uma agulha prateada de cinco centímetros foi atarraxada na ponta. Brites apanhou um dos frascos com um soro esbranquiçado dentro da proteção da valise. O frasco foi ajustado a um receptáculo e um som de ar vazando ouviu-se por uma fração de segundo. Brites sinalizou para o soldado que estava na porta que, por sua vez, sinalizou para Welington que apontou para o primeiro garoto na fila.

— Anda. Você é o primeiro.

Os soldados de fora se preparam para a tarefa ensaiada exaustivamente no quartel de Quitaúna. Era assim que lidariam com os infectos dali para a frente.

O rapaz se aproximou do tenente e sentiu o frio do cano metálico atravessar sua camisa negra de seda. Sua calma desapareceu completamente e suas pernas bambearam. Aquele militar achava que ele era um deles, um dos infectos que tanto se falava na televisão. Suas mãos, com unhas longas e pontiagudas, tremiam. À porta do recinto foi recebido por mais dois soldados. Pontos vermelhos em seu peito. Eram miras de *laser*. Sua respiração ficou mais difícil. Então um terceiro soldado, na calçada, protegido da cabeça aos pés, surgiu na sua frente. O soldado ergueu um bastão e tocou seu pescoço pelo lado esquerdo. Uma fita metálica deu a volta em sua garganta e se viu preso, sufocando. O soldado empurrou o bastão metálico até a mesa de outro militar. Esse era o único que parecia estar vestido com um uniforme normal. Brites olhou para o rapaz sem um pingo de remorso. Era preciso fazer aquilo.

— Estenda o braço.

O rapaz obedeceu.

Brites, com um puxão, fez voar os botões da manga negra. O braço pálido do moço ficou exposto. O capitão perfurou a pele do rapaz com a pistola e apertou o gatilho. O garoto gemeu e dobrou os joelhos, só não tombando por causa da garra em seu pescoço.

Brites observou-o com a mão na coronha de sua pistola. O garoto babou um pouco e levantou o rosto cianótico. Estava com falta de ar. Não era vampiro.

— Dispensem. — ordenou.

Os soldados tiraram a mira das armas das costas do rapaz, e o que empunhava o bastão pressionou um botão fazendo com que o pescoço do garoto ficasse livre novamente.

— Anda, moleque, vai embora. — ordenou um deles, voltando a apontar a arma para o peito do rapaz.

O garoto cambaleando, bateu na parede da casa noturna e inspirou fundo. Viu a mira mais uma vez iluminando seu corpo. Começou a descer a rua olhando para trás. Assim que se sentiu melhor começou a correr.

Brites pressionou o rádio acoplado à sua orelha direita e chamou o seguinte.

Lá dentro, Welington apontou para uma garota bem na sua frente.

— Você é a próxima.

A garota se levantou. Pálida e trajando um longo vestido vermelho, caminhou até o militar e ergueu um dedo.

— O que vocês fizeram com ele? Para onde vão me levar.

Welington agarrou a garota pela nuca e arremessou-a em direção à porta. Um murmurinho ganhou o ambiente. A garota gritava e protestava até que um bastão foi encostado em seu pescoço e a fita metálica envolveu sua garganta. Ela foi empurrada até a frente de Brites e seus olhos ficaram vermelhos.

— O que está fazendo, cara? Está me sufocando.

Brites apertou um botão negro na pistola prateada e a agulha soltou-se, surgindo automaticamente outra em seu lugar.

Os olhos da garota cresceram.

— O que é isso?

— Estenda o braço. — ordenou a voz fria.

A garota tossiu e começou a puxar a garra que prendia sua garganta.

— Estou sufocando. Me solta!

— Estenda o braço.

A mulher de vestido vermelho não deu ouvidos para a exigência. Lágrimas desciam de seus olhos, ora saltados ora fechados e apertados.

Brites contornou a mesa enquanto dois soldados se aproximaram e firmaram o corpo da garota usando o cano das armas. A situação era para lá de delicada.

Brites perfurou o braço da suspeita num movimento rápido e puxou o gatilho. O líquido preparado em Quitaúna correu para dentro do corpo da garota entrando em sua circulação.

A suspeita uivou de dor e suas pernas se dobraram. Os soldados afastaram-se deixando as armas apontadas para a cabeça da garota.

Brites olhou-a por um instante.

— Podem soltá-la. Está dispensada.

A garra liberou o pescoço da garota que caiu na calçada.

— Rápido. Tirem-na daqui. — ordenou.

Em segundos o terceiro suspeito surgiu à porta e novamente o bastão agarrou uma nova vítima.

Brites substituiu a agulha na pistola pelo dispositivo automático e ergueu os olhos para o novo suspeito. Eram todos uns lunáticos que viviam enfurnados em locais como aquele, vestindo-se de negro e maquiando a cara para parecerem vampiros. Gostavam daquilo, da vida nas trevas. Se gostavam de ser filhos da noite, iam adorar o espetáculo do Serviço de Contenção.

— Estenda o braço. — ordenou o capitão.

A inspeção continuou monótona até beirar às quatro da manhã. Eram poucos os suspeitos que restavam. Ao ouvir a voz de Brites chamando o próximo, Welington sinalizou para o soldado junto aos suspeitos. O soldado apontou a arma para uma mulher de olhos hipnóticos e lábios sensuais. Seu corpo era esguio, contudo cheio de curvas provocantes que eram ressaltadas pelo vestido de tecido grosso agarrado aos contornos. Era de pele negra, porém maquiada excessivamente, deixando-a num tom acinzentado.

Os lábios carnudos estavam rubros por conta do batom e cintilavam ao menor toque de luz. Ela se moveu deixando os quadris rebolarem de uma forma atraente. Os olhos dos soldados esqueceram dos presentes por um instante para ficarem colados na silhueta da mulher. Ela usava salto alto e brincos que pendiam e tocavam seu longo pescoço, como se convidassem quem a olhasse por mais de dois segundos a beijar sua pele e sentir seu cheiro. A negra tinha cabelos longos e ondulados com diferentes tonalidades de preto, exalava um perfume arrebatador ao se aproximar dos intimidadores homens do Grupo de Operações Especiais do Exército. Ela parou na frente de Welington e encarou-o por um momento. Seus lábios se descolaram, exibindo dentes alvos e sua língua. Os olhos castanhos-claros pareciam dois sóis de tão iluminados. Welington sentiu um frio na barriga e seu coração acelerou. Deus do céu! Como aquela mulher era linda! Linda demais para ser tratada como uma qualquer. Tinha curvas estonteantes e um rosto avassalador. Os traços em sua face eram de uma mulher madura, coisa de mais de trinta anos... exalando uma jovialidade desconcertante. Ela sorriu para o tenente.

— Por aqui, senhora. — indicou, já constrangido com a demora.

A negra parou junto à porta, olhando para a calçada da frente do Madame Satã. Viu os sete furgões verde-escuros. Sabia que eram do Serviço de Contenção. Olhou para os militares que vacilavam à sua frente e para a expressão do homem de rosto duro à sua direita. Patentes de capitão. A mulher sorriu novamente. Poderia estar enganada, mas aquele deveria ser justamente o já famoso capitão Brites, um tipo novo de caçador de vampiros que aparecia na TV. Ela meneou a cabeça negativamente. Sabia que cedo ou tarde seus destinos se cruzariam.

O soldado com o bastão metálico aproximou a haste do pescoço da mulher e pressionou o botão. O pescoço dela foi enrodilhado pela fita prateada que logo a deixou presa e desconfortável. Ela levou a mão ao pescoço tentando aliviar o aperto da fita e encarou o soldado que empunhava o bastão.

O soldado tinha o coração disparado. Que olhos eram aqueles?! A mulher tinha um corpo perfeito. Alta, cheia de curvas sedutoras e exercia uma atração impressionante. O soldado vacilou no empunhar do bastão, ficando estático.

A mulher puxou o bastão uma vez, mas com força o bastante para terse soltado se fosse um bastão comum.

— Você precisa mesmo me tratar assim, garoto?

A voz da mulher varreu a calçada. O soldado sentiu seu sangue gelar nas veias. Que voz maravilhosa! Que voz arrebatadora!

— Não estou acostumada à truculência dos militares. Pode me soltar. Prometo que vou me comportar direitinho.

O soldado olhou para a dupla de colegas que apontavam as escopetas para o peito da mulher. Um deles baixou a arma, encarando-a com a expressão do rosto velada por um encanto compreensível. A voz da mulher incutia confiança em seus ouvidos. Ela estava falando a verdade. Podia jurar de pés juntos que se a soltassem ali, na frente, ela não ia se mover como tinha prometido. O soldado ficou encantado pela suspeita e olhou para o capitão junto à mesa. O capitão também olhava para a negra. O soldado deixou o dedo deslizar pelo bastão até chegar ao botão onde liberaria a suspeita. Quando tocava o botão, uma voz impediu-o de prosseguir.

— Não a liberte, soldado! — ordenou Welington, surgindo de trás da mulher. — Não a liberte ainda, pelo amor de Cristo. Ela tem de passar pelo teste primeiro.

Welington pressionou o aparelho preso ao ouvido e falou:

— Quero dez homens aqui na calçada, agora. Armas apontadas para a suspeita. Perigo real e imediato.

A voz de Welington pareceu libertar os homens do magnetismo da encantadora pessoa parada à frente deles. O soldado que tinha baixado a arma de fogo voltou a empunhá-la e seu rosto saiu do pasmo retornando ao concentrado. O rapaz que segurava o bastão agarrou firme a haste e conduziu a suspeita até a frente de Brites que a observava com interesse.

Os soldados chamados por Welington rapidamente circundaram a suspeita e mais pontos de mira *laser* mimetizaram-se ao vestido rubro da mulher.

— Seu braço, por favor. — pediu o capitão.

A mulher ergueu o braço e fitou Brites nos olhos.

O capitão ficou imóvel por um instante, preso ao olhar da mulher longamente. Olhos encantadores. Boca encantadora... e a voz... a voz era demais. Era baixa e firme e entrava gostosa nos ouvidos, como a voz de uma cantora segura de seu dom, de uma sereia que fazia naufragar embarcações.

— Prossiga, capitão. — ordenou a voz do tenente vinda pelo rádio.

Brites, ato-reflexo, ergueu a pistola com o líquido e perfurou a pele da suspeita. Puxou o gatilho e retirou a agulha. Seu estado de torpor desapareceu completamente quando viu os olhos da mulher rajarem de preto e escurecerem em uma fração de segundos. Ela se dobrou e caiu de joelhos.

Quando abriu a boca, emitiu um longo e sofrido gemido de dor, Brites viu suas presas pontiagudas brilharem com a luz do poste.

— Detenham-na. É uma vampira.

O capitão ficou com os olhos presos na cativa. Viu a negra ser arrastada para o veículo de contenção e ser presa em algemas de prata.

Brites sinalizou para Welington uma vez mais. Um novo suspeito foi atado pela garganta e arrastado até a mesa. O capitão disparou a dose do preparado em sua pele. Só um gemido, nada mais. Brites gesticulou para os soldados que libertaram o garoto com truculência. Sinalizou para o tenente e chamou o próximo. Enquanto uma garota com saia curta e coxas grossas era trazida à mesa, Brites deixou os olhos irem para o carro da contenção. A mulher de pele negra, de olhos lindos e lábios atraentes estava desacordada. Brites sentiu algo queimando em seu estômago. Era estranho olhar para ela. Era perigoso pensar nela. Um mau pressentimento tomou seus pensamentos. Um engulho formou-se por dentro de sua cabeça. Aquela vampira era diferente de tudo que tinha visto. Nem mesmo a loira e deslumbrante noiva de Sétimo, chamada Aléxia, se comparava aos encantos daquela nova cativa. Brites olhou para a garota parada à sua frente e puxou o gatilho do dispositivo mesmo sabendo que a menina de coxas grossas era só mais uma paga-pau de vampiros. O braço branco ficou roxo instantaneamente.

— Au. — gemeu a garota.

— Suma daqui. — tartamudeou Brites. — Pare de passar batom preto na boca, te deixa horrível.

A garota foi arrastada para a calçada e apoiou-se na parede negra de faixas cinzas prateadas pintadas em toda a fachada do estabelecimento. Viu uma garrafa de vinho no chão. Num vacilo de um soldado abaixou-se, agarrou a garrafa e arremessou contra Brites. O capitão esquivou a cabeça apenas o suficiente para não ser atingido e escutar o vidro estilhaçando às suas costas. O soldado ao lado da garota desferiu uma violenta coronhada com o fuzil na testa da desprevenida. A menina girou sobre os pés e, já com a cabeça sangrando, completamente desnorteada, bateu a cabeça na calçada.

— Sumam com ela daqui. Deixem-na num hospital, num hospício, no inferno. O que for mais perto, limpo e prático. — murmurou o líder do Serviço de Contenção.

Brites colocou seu quepe e sinalizou para os outros soldados. Entraram no veículo de contenção e zarparam para Quitaúna com a mais nova e imprevisível prisioneira.

CAPÍTULO 29

Era Alexandre ainda quem dirigia o Alfa-Romeo T-Spark. O carro negro percorria imponente as ruas da cidade, afastando-se da periferia, trazendo no porta-malas as armas e o dinheiro dos incautos mercadores.

Voltavam agora para o apartamento de Patrícia. Zinco tinha instruído que retornassem imediatamente para a garagem do edifício onde outro funcionário da Jugular os aguardava. De toda forma a casa da vampira continuava sendo o quartel general dos novatos, sempre que precisassem ou quisessem se reunir, era para lá que se destinariam.

No banco de trás, aparado por Bruno, vinha Raul, ainda desfalecido. Mesmo com o sangue ingerido o vampiro continuava inerte. Tantos tiros tinham literalmente moído o parceiro.

Patrícia sabia que o vampiro não tinha sido destruído, pois notara e apontara aos demais. Algumas das feridas curavam-se a olhos vistos, enquanto danos mais profundos demoravam mais. Talvez o amigo ainda estivesse desfalecido em razão da quantidade de tiros recebidos na cabeça. Aqueles bandidos eram coisa ruim. Porém, eram coisa do passado. Tinham sido exterminados e em poucas horas desapareceriam completamente da terra.

O quarteto ia em silêncio. O extermínio sumário e brutal dos bandidos parecia pesar sobre os jovens matadores agora que os ânimos caíam e as imagens vívidas dos fatos recém-ocorridos infestavam suas mentes com *flashes* passageiros.

Alexandre via as luzes da cidade passar sem se fixar na paisagem. Parecia submerso num estado de "piloto automático", guiando sem olhar para os lados, absorto nas lembranças. Tinha matado o cara no furgão e depois disparado à queima roupa contra quatro homens, praticamente desarmados, pois os quatro tinham largado as armas antes de morrer. Alexandre baixou a cabeça e afundou-se no banco, mantendo os olhos no asfalto.

Tinha passado pelo obelisco em homenagem aos heróis de 32, rumando para a Juscelino Kubitschek. Lembrava-se agora dele mesmo debruçado sobre o cadáver, tomando sangue. Sangue de gente!

— Eles eram bandidos, *o.k.*! — disse Bruno, como adivinhando o pensamento de todos. — Bandidos. Traficantes e contrabandistas. Essas caixas de armas no porta-malas iam parar na mão de traficantes, de marginais, da guerrilha, como falou o Zinco. Iam acabar matando policiais nas ruas, gente inocente, viciados que não pagam a conta, reféns. Iam deixar os traficantes ainda mais poderosos. Graças a nós isso não aconteceu. Graças à nossa interferência o tráfico não vai pôr a mão nessa bolsa de dinheiro nem nesses canos. Ignácio certamente irá destruir essas armas para que nunca mais caiam nas mãos da malandragem. O cara sabe o que tá fazendo e nos botou na jogada na hora certa. Temos de dar um ponto para o velho, gente.

Mais um instante de silêncio. Carros passando do lado. A noite avançando insuspeita. Uma buzinada quando o farol abriu.

— Eles eram bandidos. — repetiu o vampiro. — Fizemos essa opção. Estávamos morrendo. Ignácio nos abriu os olhos. Estamos matando gente que não presta.

— Vocês sentiram o que eu senti hoje?

Os rapazes não responderam à amiga.

— Sabem o que eu senti?

Bruno meneou a cabeça negativamente.

— Senti desejo. Gana. Vontade de pular em cima daqueles caras. Estou me remoendo por dentro porque eu sei que eu queria acabar com eles. Eu queria matar cada um deles.

— É duro admitir, cambada, mas o lance é que a gente tá pegando gosto pela morte, pelo sangue jorrando para dentro de nosso corpo encantado. É o combustível que nos deixa cada vez melhores em nossas ações, nossos saltos, nossa velocidade. É duro admitir. Mas é a pura verdade; estamos gostando de matar. — desabafou Alexandre. — Estamos virando vampiros mesmo, daqueles iguais ao do covil de Sétimo.

O vampiro de cabelos espetados ergueu a cabeça olhando para a amiga pelo retrovisor. Tinha os olhos marejados, como se estivesse a ponto de chorar.

Patrícia continuou:

— E eu estava nem aí que eles eram bandidos. Eu queria. Eu queria o sangue dentro das veias. Eu queria sangue! Estava com sede! Com fome!

Não estava pensando em mais nada. O fato de eles serem bandidos... eu ficava me repetindo isso para não ter remorso... eu...

— Mas esse é o ponto, Patrícia. Ignácio disse que seria assim. Que iríamos querer sangue cada vez mais. Somos assassinos e ponto final.

— O Ignácio é um puto, Bruno! Eu não confio nele! Você disse para darmos um ponto ao veterano, mas ainda estou com um pé atrás. — desabafou a vampira, arrependendo-se logo em seguida. Não podia emitir opiniões sobre Ignácio até desvendar o bilhete no seu bolso.

— Mas você precisa de sangue. Agora precisamos do Ignácio mais do que nunca. É nossa sina.

— Por quê?

— Porque ele tem a lista. A lista de gente ruim. Se continuarmos matando gente ruim, ao menos estaremos fazendo um favor à sociedade e a nós mesmos. Nossa cabeça ficará mais tranqüila, em paz.

— A minha cabeça não está tranqüila. — rebateu Alexandre, com uma lágrima descendo no rosto. — Pela primeira vez na vida, em dezenove anos, eu matei um cara. Mas o duro é que na hora eu não pensava em nada, eu estava gostando de ver a cara de surpresa daqueles filhos da mãe. Gostando do poder, da sensação, das armas... do sangue, da imortalidade. Era como se o medo dele entrasse pelos meus olhos, por minhas narinas. Eu estava babando para acabar com o infeliz. Mais um tiquinho e eu perderia o controle, embriagando-me com o medo que exalava daqueles merdas. O cheiro do medo é algo que entra no nosso nariz e atiça nosso desejo.

— Esquece essa história de "primeira vez na vida", *brother*. Você tá morto. Você é um vampiro. Se quiser existir, vai ter de tomar sangue para continuar indo em frente. Para tomar sangue vai ter de matar. Você-é-um-vampiro! Um morto-vivo que vai se arrastar para sempre.

— Mas do que eu tô me queixando é que a gente nem vacilou. Eu fiquei com um cagaço no começo do tiroteio, mas depois, quando entrei no jogo... eu queria matar. Vi o cara se escondendo da Patrícia atrás do vidro blindado. Cheguei de mansinho e pei! Mandei uma bala no infeliz. Eu queria acabar com eles... mas eu não sou assim, cara. Eu sou da paz. Acho que é por isso que estou me sentindo tão mal, todo griladão. Ser vampiro é como ser possuído por um demônio, sei lá.

O silêncio pairou entre o quarteto mais um instante.

Bruno quebrou novamente:

— Vocês queriam o quê? Somos crias do maldito Sétimo. É como se o sangue dele corresse em nossas veias. Nos corredores do covil diziam que ele tinha vivido com o capeta, com o tinhoso. Não é de estranhar que estejamos ficando ruins feito ele. Não estão chamando a gente de infecto na TV? Não estão? Pois é. Fomos infectados pela ruindade de Sétimo. Aquele corno, filho de uma vaca com asas!

— Estamos agindo como aqueles debilóides do covil de Sétimo. Estamos matando por mero prazer. — juntou a vampira.

— Somos filhos de Sétimo. — repetiu Bruno. — Ponto final. Ponto final.

O carro embicou em frente ao acesso à garagem do subsolo do prédio onde Patrícia mora. O portão começou a correr lateralmente. Os malditos do turno da noite submergiram nas sombras. Aos poucos suas personalidades transitórias começavam a se revelar. O que não sabiam antes de optar pelo sangue humano é que estariam compactuando com centenas de anos de assassinatos e maldade. Que estavam deslizando para as trevas, como herdeiros de Sétimo, o mais cruel vampiro do rio d'Ouro, agora adotados por um ancião nocivo e ardiloso que não deixava apenas palavras escapar de sua garganta secular. Ignácio era uma incógnita, uma naja que tinha escapulido da boca de uma esfinge e se arrastado pelo deserto. Decifrá-lo antes de serem devorados era o enigma já lançado e apenas captado por Patrícia, ainda assim num vislumbre, em poucas palavras num pedaço de papel.

O carro trafegou em baixa velocidade. A vaga que o Alfa-Romeo ocupava tinha agora uma imponente pick-up da Mercedes-Benz, os tão comentados *SUVs*. Parado ao lado do veículo estava o já conhecido Bert, o homem que trouxera os possantes para os vampiros dias atrás. Sua cabeça, negra e lustrosa, chegava a refletir a fraca luz da garagem.

— Ora, ora. Chegaram cedo. Pelo visto o patrãozinho tinha toda razão. Vocês são da pesada.

— Precisamos de mais sangue. — disse Patrícia, ao descer. — Temos um amigo que ainda está, vamos dizer, baqueado.

— Ignácio imaginava que haveria contratempos. Isso foi providenciado. Como de costume, a mesa está posta. — revelou Bert, tirando os óculos escuros e sorrindo. — E os meus presentes?

Alexandre abriu o porta-malas. Rapidamente ele e Bert passaram as caixas de madeira com as armas para o Mercedes-Benz. Bert era o único que precisava fazer força e arfar tendo os músculos exigidos. Alexandre conduzia a caixa com uma facilidade perturbadora. Bruno apanhou a bolsa com o dinheiro.

— Não. Não. O dinheiro fica para vocês. Ordem do patrãozinho. — disse Bert, aproximando-se de Bruno, abrindo o zíper e apanhando dois maços com notas de cem. Piscou para o garoto e colocou a bolada no bolso do terno. — É só rachar em quatro e aproveitar. Querem um conselho, abram uma poupancinha. Nunca se sabe o dia de amanhã. — complementou, apertando um botão e fazendo o porta-malas do *SUV* descer automaticamente. — Quem foi que disse que a gente não leva o dinheiro depois que morre, não é não?

Bert subiu sorrindo no veículo e deu partida.

— Aproveitem a noite, crianças. Deixem os telefones ligados, o turno da noite nunca pára. Sete dias na semana, do crepúsculo ao alvorecer. É o nosso lema.

O negro conduziu o imponente veículo para fora da garagem e o som do potente motor foi diminuindo gradativamente.

Alexandre estacionou o T-Spark e, junto com Bruno, carregou Raul até o elevador enquanto Patrícia encarregou-se do dinheiro. Subiriam e alimentariam Raul. O amigo tinha de estar recuperado e pronto o quanto antes. Como Bert dissera, o novo contato do turno do dia não deveria tardar.

CAPÍTULO 30

O microônibus adaptado a gaiola de vampiro percorria o interior rumando para Porto Alegre. A garoa incessante deixava a pista lisa. Depois do anúncio na TV acerca dos infectos serem mais ativos durante a noite, eram poucos os motoristas que se aventuravam nas ruas e nas estradas durante a madrugada, de forma que o tráfego já normalmente reduzido se tornara quase que inexistente.

Yuli, algemada ao soldado, mantinha a cabeça baixa. Orava. Pedia a Deus que não terminasse assim. Não queria ser executada pelo Exército. Sabia que era agora um bicho e não uma humana, mas mereceria misericórdia de alguém de algum lugar. Existiria um deus para os lobos e vampiros? O veículo possuía grades nas janelas que dificultavam a visão. A água escorrendo nos vidros dizia que a chuva continuava. Diego, o soldado captor da infecta, não conseguia descansar. Lutava contra o sono, com medo de numa vacilada ter a garganta cravada pelos dentes da garota. Sabia que ela não drenaria seu sangue até a morte. Os soldados do Grupo de Operações Especiais tomavam doses diárias de alho, uma forma simples e comprovada de incapacitar um vampiro por alguns momentos. Olhou em seu relógio de pulso. A hora da segunda dose já tinha passado. Assim que chegasse na nova base a primeira coisa que faria seria pedir mais um comprimido com o preparado à base de alho. A base não era do Grupo de Operações Especiais, mas trabalhava em conjunto com o Serviço de Contenção, deveriam ter doses de alho, com certeza. Na pior das hipóteses, nada que um bom dente de alho de verdade, *in natura*, não resolvesse. O sono era tanto que nem percebeu a placa na beira da estrada indicando a entrada para os municípios de Barraquinha e Amarração. Outra placa dizia "Limites do município de Barraquinha — Sejam bem-vindos".

O motorista militar mascava chiclete e conversava com o amigo ao lado para manter-se acordado. A estrada perigosa e cheia de curvas sinuosas naquele trecho de serra ajudava bastante a quebrar a monotonia que vitimava facilmente os sonolentos. A apreensão do condutor aumentava à medida que as rajadas de vento ganhavam intensidade e duração, transformando a chuva fina num filme d'água contra o pára-brisa turvando a visão de forma crítica.

— Não é melhor dar um tempo? — perguntou o soldado ao lado.

— Não vou parar por nada, tchê. Temos ordens de seguir direto até o quartel.

O soldado olhou para o compartimento traseiro. Dos quatro agentes paramentados para combater infectos, três dormiam, com as nucas encostadas nos bancos que ficavam de frente para a cativa. Seus fuzis de assalto estavam deitados de comprido no colo. O outro, no banco do fundo, brincava com um canivete, descascando um graveto e balançando a cabeça com um aparelho MP3 preso ao uniforme e com fones nos ouvidos. O soldado de São Paulo, que teimava em ficar algemado à vampira, estava cabeceando, lutando contra o sono. A garota de cabelos negros, lisos e longos tinha baixado a cabeça e não era possível ver seus olhos. Sávio sentiu um calafrio reparando na pele da garota. Como era pálida, Deus do céu!

— Guri besta este aí de Quitaúna. Tu não acha?

O motorista olhou para o amigo e deu de ombros. Olhou de relance para a beira da estrada, no meio de uma rajada de vento e garoa viu um altar com sete cruzes enfiadas no morro, cheias de flores molhadas e castigadas pelo mau tempo. Eram flores novas. Provavelmente uma família inteira tinha morrido naquela curva. O motorista benzeu-se rapidamente enquanto Sávio voltava a falar do guri de Osasco:

— Quis vir algemado com a bichinha. Vê se pode? Se ela é vampira mesmo pode mordê-lo. Transformá-lo em bicho também. — continuou o passageiro.

O motorista olhou para trás de novo.

— Bá, eu que não vinha de jeito nenhum pregado numa coisa dessas. Mas ela não vai tomar o sangue dele, não.

— Ué, como é que tu sabe?

— Esse pessoal de Osasco está tão agitado com essa história de vampiro que estão tomando doses de alho todo dia.

— Aqueles comprimidos que estão distribuindo para quem entra pra essa unidade? Deus o livre! Aquilo é ruim que nem o cão.

— É? Bem que hoje eu queria ter tomado uns dois. Achei que a gente não ia achar vampiro nenhum.

— Eu tomei. É ruim mesmo. Já que você tá lembrando disso, então acho que meu pescoço está garantido no caso de um problema.

— Por que a gente não enfia uma estaca no peito dela? Daí não tem mais problema.

Sávio sorriu ao ouvir a sugestão do motorista.

Yuli levantou a cabeça e olhou para os dois.

— Credo em cruz! Será que ela pode ouvir a gente? Tá me olhando de um jeito.

O motorista virou a cabeça e encarou o rosto da vampira. Branco como o de um fantasma. Os olhos eram negros e profundos. De repente tornaram-se duas bolas vermelhas e brilhantes. Voltou a olhar para a estrada com o coração disparado e um gelo na espinha. Outro sobressalto, uma rajada de vento bateu forte no pára-brisa. Os olhos vermelhos da garota surgiram no meio da estrada, como se estivessem pregados em sua retina. Tinha um obstáculo no asfalto! Sem tempo de pensar, esterçou o volante para a esquerda. Barro na pista. O microônibus derrapou quando o condutor enfiou o pé no freio. Puxou todo o volante para a direita, mas o veículo continuou indo para a esquerda e quando finalmente obedeceu o comando o resultado foi brusco e infeliz. A velocidade da derrapagem aumentou e a traseira do veículo foi praticamente arremessada para a esquerda à toda velocidade. A roda dianteira bateu contra uma pedra do acostamento e a frente entrou na mata. Os ocupantes foram jogados contra as janelas enquanto o microônibus inclinava, tombando e se arrastando no asfalto, deslizando em grande velocidade por conta da água. O fino muro de contenção que beirava o asfalto não suportou o impacto do teto do ônibus que avançou mais um pouco para a beirada do morro de serra.

Os soldados, aturdidos e lançados à sorte tentavam se agarrar aos bancos e salvar joelhos e cotovelos que esfolavam quando tocavam o asfalto que corria junto às janelas do veículo tombado. Vidros estilhaçados voavam para todos os lados batendo em seus olhos e ferindo as mãos dos que estavam sem luvas. Diego olhou para o parceiro que antes brincava com o canivete. A testa do homem sangrava enquanto gritava. Diego sentia o punho atado à vampira doer absurdamente. Yuli estava caída, de costas para uma janela estourada. A respiração de Diego era rápida e profunda, um nó no estômago aumentou quando ouviu barulho de ferro retorcido e o veículo pendeu para a frente mudando completamente sua sensação espacial e seu ponto de equilíbrio. Olhou para o motorista debruçado sobre o volante, além do pára-brisa viu um vão negro, escuridão. O microônibus pendeu mais para a frente enquanto ele começava a rezar um pai-nosso, mas antes de chegar ao "santificado seja o Vosso nome" o veículo rugiu como bicho vivo se torcendo sobre o próprio metal e então despencou da ponte, dragado pelas trevas.

Na pista molhada sobraram os estilhaços de vidro e o muro quebrado da contenção da pista como únicas testemunhas e provas daquela desgraça. Nenhum carro passaria por ali nas próximas horas.

Yuli apertou os olhos enquanto o microônibus enchia-se de vento. Depois o mundo virou barulho de ferro se retorcendo, mais vidro quebrando, gritos de desespero. Então o inebriante cheiro de sangue. Demorou um segundo para abrir os olhos. O braço algemado doía, a cabeça do lado esquerdo tinha batido forte contra a estrutura do veículo que se arrastava, abrindo uma vala no morro e levando arbustos e galhos de árvore para baixo. O inferno parecia que não ia acabar até que um baque mais duro e um impacto final e estranhamente surdo trouxe a imobilidade. O silêncio mórbido que ocorre logo após uma tragédia desse porte é de enlouquecer e perdurou alguns segundos. A vampira, tonta, alquebrada, sentou-se e examinou à sua volta. Experimentou por instantes aquele silêncio avassalador. Era coisa esquisita. A escuridão, absoluta. Tinham despencado da estrada, escorregado alguns metros pela vegetação que recobria a serra e então o microônibus tinha praticamente voado dezenas de metros após chegar à face negativa do morro até bater com tudo na beira de um rio. A garoa entrava pelo teto rasgado e pelas janelas. O barulho do vento e das folhas da mata balançando começaram pouco a pouco a encharcar e vencer aquele silêncio mórbido. A floresta falava com eles, com a vampira e com os corpos. A frente do veículo estava submersa no leito do rio. O som da água correndo. Aos poucos os sons do mundo foram voltando aos seus ouvidos. Yuli, trêmula, tentou se levantar. Tinha de sair dali. O carro poderia explodir. Um soldado tinha uma perna em cima de seu ombro pequeno, pesando e dificultando seus movimentos. Yuli tentou sair daquela posição e sentiu seu pé preso em alguma coisa. Ela puxou com força, gritando de dor. Perdeu o sapato e ganhou um rasgo no tornozelo. O cheiro de sangue aumentava. Os que não tinham morrido com a queda, certamente morreriam hemorrágicos. Ela mesma estava em apuros. Sua boca tinha se enchido de sangue negro, sendo obrigada a cuspir. Tinha ferido a parte interna da bochecha e a língua, um corte profundo na boca. Cuspiu seu sangue contaminado com a peste vampírica uma segunda vez. Limpou os lábios. Sentia cheiro de alho misturado ao sangue dos militares. Sentia repulsa. Aquilo só confirmava o que Leonardo tinha dito. Alho estraga o vampiro. O sangue daqueles inúteis não serviria para se reabastecer. Tirou a perna do rapaz de cima de seu ombro e conseguiu se sentar. A perna do soldado tinha quebrado formando uma curva repugnante. Pela imobilidade do rapaz era certo que estava morto. Quanto a Diego, o que a aprisionara no ônibus da Viação Esperança, esse estava encoberto por um banco solto. Levantou-se e puxou o braço trazendo consigo o corpo inerte do garoto. Tinha chegado ao teto rasgado do microônibus quando ouviu um soldado se remexendo no fundo. Ele tinha um ferimento na testa e os olhos arregalados.

— Meu Deus... — gemeu o homem.

Yuli continuou arrastando Diego até a abertura.

— Ei! — gritou o soldado. — Fique onde está! Ajude-me a sair daqui e pedir socorro!

Yuli acendeu seus olhos vermelhos e grunhiu para o soldado.

Ele tentou levantar-se e gritou de forma louca. Uma dor insuportável atravessou seu corpo.

— Cacete! Eu tô todo quebrado, guria! Me tira daqui! Me ajuda!

Yuli continuou calada. Não iria salvar um dos homens que a escoltava para a execução. Se fosse ela no fundo daquele ônibus ele faria o mesmo. Com os olhos vermelhos, brasis, Yuli enxergou a mata com clareza. Estavam num tipo de vale cortado pelo rio. Puxou novamente Diego. Tinha de sair do ônibus e se afastar dali. Logo alguém na estrada veria os sinais da tragédia ou alguém tentaria se comunicar com os soldados e perceberiam que tinha algo de errado com a missão.

O soldado enfiou a mão no colete. Yuli ouviu um *click*.

— Daqui você não escapa, guria. Nem que eu morra junto.

Yuli arregalou os olhos. O *click*. Ele tinha feito alguma coisa.

Simultaneamente ao pensamento da vampira o homem tirou uma granada de dentro do colete e arremessou-a de encontro a vampira. Arremesso seguido de um berro de dor. O braço do soldado estava ferido, uma ponta de osso tinha feito sua pele erguer de um jeito grotesco, resultando num lançamento fraco e imperfeito, a granada, praticamente, caiu aos seus pés.

Yuli conseguiu se arrastar para fora vencendo o teto rasgado e aberto do microônibus. O cheiro de gasolina infestou seu nariz. A joelhada, rastejou o mais rápido que pôde, com uma dor alucinante brotando do pé cortado, da bochecha lacerada e do punho preso à algema prateada. A explosão foi forte. Estremeceu o solo e ecoou poderosa na mata deixando um zumbido agudo em seus ouvidos. Yuli caiu de costas e apoiou-se nos cotovelos para olhar os destroços do veículo. A granada, além de matar o sobrevivente, tinha servido de ignição para o incêndio que se seguiu. A vampira olhou para o corpo de Diego e começou a vasculhar o bolso da calça *jeans* do rapaz em busca da chave da algema. Nada. Passou a mão pelos cabelos, aflita. Cuspiu sangue no chão. Além de não conseguir se alimentar, perdia o que tinha no corpo. O soldado que oferecera a chave para o idiota preso ao seu braço era o mesmo que tinha se auto-enviado para o inferno. E com o fogo ardendo dentro dos escombros do microônibus, não conseguiria encontrar uma cópia. Teria de fugir dali arrastando o pobre diabo. Baixou a cabeça vencida pelo desânimo quando ouviu alguma coisa. Um gemido fraco. Yuli encarou Diego. Desvirou o corpo do rapaz e olhou seu rosto. Seus olhos estavam baços e imóveis como os de um morto. Yuli pôs a mão fria no pescoço do jovem. Sentiu pulsação. Ele estava vivo.

— Vampira... — murmurou o rapaz agonizante.

Yuli levantou-se sobressaltada e levantou a mão livre até a cabeça.

Diego gemeu mais forte com o solavanco causado pelo puxão.

— Vampira... — murmurou novamente.

Yuli ficou olhando para o rapaz. Ele estava delirando, posto que os olhos continuavam imóveis. Estava morrendo em suas mãos, literalmente. Estava à sua mercê e a seus cuidados. Yuli inspirou fundo e evocou sua força vampírica. Vasculhou mais uma vez os bolsos do imbecil e encontrou um celular e nada de chave. Arremessou o aparelho ao rio. Viriam atrás dela, atrás do microônibus acidentado. Não poderia ficar ali parada. Ergueu Diego e jogou-o em seu ombro delicado. Fez força para mantê-lo equilibrado com a mão livre e a tarefa resultou numa posição desconfortável para sua mão algemada. Aquilo não ia ser nada fácil. Não bastasse ter de dar um jeito de sumir da vista dos militares, arrebentar aquela algema prateada e deixar o soldado onde pudesse ser encontrado, em poucas horas a luz do sol chegaria. Sorte do merdinha que vampiras lobas não entravam na TPM, do contrário, evocaria sua forma lupina e comeria o braço do infeliz para se livrar do lastro desconfortável.

✠✠✠✠✠✠

Yuli já tinha caminhado mais de cinco quilômetros, a natureza vampírica de seu corpo lhe dava velocidade e força para a tarefa. Contudo, nos últimos vinte minutos a garota sentia essa energia exaurida, fugindo por seu poros. Estava cada vez mais fraca e mais de uma vez Diego tinha escapado de seus ombros, caindo pesadamente ao chão e machucando ainda mais o pulso de ambos.

Ela havia decidido seguir rio abaixo, seguindo a margem de cascalhos que serpenteava entre as árvores da mata. Aves noturnas caçavam pequenos roedores que por sua vez também se arriscavam na noite atrás de seus petiscos. A vampira focou o fundo escuro da floresta. Seus olhos podiam ver bem mais longe do que os da velha e humana Yuli que fora até o fatídico dia do acampamento à beira da Lagoa dos Patos. Mesmo com seus bons olhos de vampira não via sinal de luz elétrica em parte alguma. Estava sendo desgastante salvar a própria pele e a do soldado, uma espécie de fardo que ia crescendo a cada passada. Grunhiu irritada, olhos vermelhos queimando. Droga! Em algum lugar deveria encontrar abrigo, uma toca, um jeito de se salvar. E o humano... e se ele acordasse durante seu sono vampírico? Era um soldado. Mesmo ferido como estava poderia de alguma forma arranjar forças para arrastá-la para fora e expô-la à fatal luz do sol. Prata maldita. A garoa fazia as copas das árvores balançarem docemente. Os longos, lisos e ensopados cabelos da oriental pendiam para baixo enquanto ela olhava perdida e divagante para o rosto do mortal inconsciente. Gotas grossas da água acumulada em suas madeixas escapavam e salpicavam o rosto cinza do rapaz. Yuli sabia que ele estava mal. Provavelmente sofrendo de hemorragia interna. Seu rosto ia ficando cada vez mais branco. Ele ia morrer e ela não agüentava mais arrastar os dois por aquela floresta. Yuli pensou nos pais. Caiu de joelhos e começou a chorar de puro desespero. Como era difícil decidir sozinha, sem o ombro de Marcos e o otimismo do namorado para fazê-la continuar. Se estava exausta e acabada o próximo passo dependeria dela, de sua própria fé e coragem. A casa dos pais em Roda Velha estava ficando cada vez mais distante. Uma visita apenas. Um último jantar sentados à mesa e uma música cantada com os sofríveis agudos do pai desafinado. Mesmo sendo péssimo cantor, todos adoravam ficar junto dele na hora em que seu Gilberto pegava a viola e se transformava numa espécie de Renato Russo de olhos rasgados, de Humberto Gessinger de cabelos pretos, grossos e espetados sem a costumeira barba. "Ana, seus olhos são labirintos, Ana, desperta os meus instintos mais sacanas", rememorou instantaneamente. Yuli inalou fundo o ar da noite e colocou-se de pé. O soldado nem gemia. O cheio de sangue que vinha do humano estava livre do cheiro de alho que sentira horas atrás, dentro do ônibus. Puxou-o para seu ombro vergando o mirrado corpo. Dois passos decididos em direção a lugar nenhum. Mais dois passos. No sexto os pés escorregaram nos seixos à beira do rio e o tombo, resultado dos músculos frementes e frouxos, veio em tom de "eu te disse sua estúpida". Yuli estava com a cabeça encostada na cabeça de Diego. O estômago queimando. A bochecha e os lábios cortados ardiam. O ferimento no pé não tinha se autocurado como sempre acontecia com aquelas coisas bobas. Seus olhos viam a noite num tom mais verde. Uma coruja passou voando acima de sua cabeça indo para o outro lado do rio. Os dentes brotaram sem que ela quisesse e ficaram pontiagudos. Infecta, vampira. A menina virou-se. O rapaz estava frio. Frio. Yuli baixou a boca e enterrou os caninos no pescoço de Diego. O sangue quente espirrou para dentro de sua boca. Yuli, entregue à sua condição de fera das trevas não raciocinava. Yuli era puro instinto. E o sangue era quente e bom. Bombardeou sua garganta com força nas primeiras pulsações, nas primeiras goladas. Encheu seus tímpanos de sons. Yuli quis engolir tudo. Quis ser Diego. Ele a tinha caçado. Ele a tinha espreitado. Ele daria fim em sua vida vazia com uma pistola carregada com balas de prata. Era isso que ele queria. Ela sentia nas golfadas de sangue entrando para dentro de sua boca. Ele a achava bonita. Ela a via indefesa presa dentro do ônibus. Ele ia levantar a arma para o soldado que estava na sua frente e ia gritar. Parem o ônibus! Ninguém vai levá-la! Ninguém vai encostar um dedo nela! Ele a via indefesa. Yuli retirou as presas fazendo o sangue respingar para cima ao erguer a cabeça com ímpeto e inalando profundamente o ar da noite. Gotas vermelhas voaram a mais de um metro de altura, em linha reta, e tornaram a cair, junto com a garoa, salpicando o rosto de Yuli com placas rubras. Yuli olhou para o corpo pálido e mortiço do soldado. Ela tremia dos pés à cabeça. Pôs seus dedos tapando as feridas abertas no pescoço de Diego. Pobre Diego. Adormecido, desmaiado no meio de árvores, à beira de um rio corrediço, de mãos dadas a um diabo em forma de menina, morrendo aos poucos. As nuvens não deixavam a luz das estrelas testemunharem o casal perdido. Yuli, comovida, debruçou-se novamente, seus dentes pontiagudos recolheram-se lentamente bem a tempo de seus lábios tocarem os lábios do soldado semimorto.

A vampira beijou-o com paixão, com fraternidade, com vontade. Ele não deixaria que a levassem para Quitaúna. Que soldado estranho era aquele ali? Um soldado que escondia no fundo de seus sentimentos, na corrente de seu sangue, o desejo de salvar a menina. Yuli tombou de costas e fitou as árvores balançando. Um morcego desprendeu-se de um galho e voou tortuosamente até sumir de vista. Um morcego de asas negras. Anjo negro. Yuli sentia o estômago quente. Levantou-se como se não tivesse peso. O corte no pé já não doía mais. Os troncos e galhos não tinham sombras e a escuridão desvaneceu, tingindo tudo o que ela via de um cinza profundo. Inspirou fundo o ar gelado e agarrou o corpo do soldado jogando-o sobre seu ombro. Não possuía cortes nos lábios nem na bochecha. Era novamente uma fera encantada. Tinha de descer o rio. Yuli disparou correndo, saltando obstáculos formados por pedras e raízes. Aquela desgraça de rio tinha de dar em algum lugar, Santo Deus!

CAPÍTULO 31

Bert conduzia a imponente Mercedes-Benz pela Marginal Tietê. Desta feita não estava sozinho. Era acompanhado por seu patrão, Ignácio e, como escolta para os dois, vinha a linda e impressionante Isabela, a vampira de olhos azuis e sardas nos ombros alvos. Em poucos minutos alcançou a pista da Rodovia Castelo Branco e avistou a placa que sinalizava "Osasco-Centro" à esquerda a menos de um quilômetro. Deu seta e começou a descer. O caminho era conhecido pelo trio. Em Osasco morava um dos melhores clientes de Ignácio. Sujeito interessante. Bert olhou para Ignácio. Sempre sentia aquele calafrio, mesmo depois de tantos anos de fiéis serviços. Dava medo saber que estava ao lado da morte. Um pensamento errado, um desvio do objetivo e em um segundo o vampiro poderia mandá-lo para o espaço.

— Conversei com Samuel. — disse a vampira com sua voz grave.

— O que o inconveniente quer? Deu alguma pista?

— Foi evasivo. Mas acho que você, novamente, está certo. Ele está tramando alguma coisa. Conheci bem Samuel. Aquele sorrisinho cínico é bem típico.

— Não bastasse essa sanha desarvorada do Exército, colocando matéria na TV de cinco em cinco minutos, aprontando um circo danado, ainda tenho de pensar em Samuel. Péssima escolha.

— Não se pode vencer todas, patrao. — interferiu Bert.

Ignácio nada respondeu. Buscou os olhos azuis da vampira no retrovisor.

— As coisas estão andando bem. Meu quarteto evolui a olhos vistos. Disseram que o estado dos cadáveres era de fazer inveja a qualquer Doc Hollyday. Eles têm mesmo os traços de Sétimo. Quanto mais sangue ingerirem daquelas bolsas, mais selvagens vão ficar. Serão os melhores cães de guarda que um vampiro poderia querer.

— Melhores do que eu? — perguntou a bela vampira, soerguendo uma das sobrancelhas.

Ignácio riu, esquivando-se da resposta. Bloqueou imediatamente seus pensamentos para não ser sondado pela pupila. Isabela era antiga e poderosa, mas a chama de ódio que o sangue de Sétimo colhera no meio do Inferno tornava qualquer filhote seu uma excelente parelha, mesmo que novato. Era uma questão de apertar os botões certos na hora certa.

Bert contornava agora o bairro de Presidente Altino e parou o veículo no estacionamento do Ginásio José Liberatti. O cliente sentia-se à vontade naquele lugar. Assim que o motorista desligou os faróis, um sedã prateado e novíssimo deslizou suavemente para dentro do estacionamento parando próximo ao veículo de Bert, enquanto uma ambulância rasgava a rua paralela com a sirene ligada, correndo com urgência para o Hospital Regional.

Ignácio desceu do carro, colocando um par de óculos de grau, imitando uma característica deficiência humana. Era assim que aparecia para seu corpulento cliente, um homem bem relacionado e respeitado no submundo osasquense.

Dois homens desceram. Do banco do motorista um homem de uns quarenta anos, terno cinza escuro bem cortado e gravata vermelha. Olhou para Bert e para o veículo dos vendedores e depois ao redor. Do banco do passageiro, um senhor obeso, em roupas finas e elegantes, levantou-se e caminhou em direção a Ignácio.

— Meu bom e estimado Sofia, obrigado por ter vindo pessoalmente para resolver um acordo tão mundano.

— É sempre um prazer revê-lo, Ignácio. Não é todo dia que trato com gente da sua estirpe. Em geral converso com um bando de ignorantes que nada conhecem do mundo, de negócios e de civilidade.

Os dois trocaram um rápido abraço.

— Recebi hoje um excelente material. Meus garotos conseguiram armamento de primeira. O equipamento é em tamanha quantidade e algumas peças de quilate tão superior que não tive outro nome a recorrer, senão ao seu, que reconhece o que é refinado.

— Vamos ver isso aí.

Ambos andaram até o porta-malas do SUV. Bert abriu o compartimento, enquanto o acompanhante de Sofia afastou-se três passos. Sem que o negro desse conta, o homem mantinha a mão às costas, segurando a coronha da pistola, pronto para sacá-la a qualquer segundo. Um jogo de gato e rato. Acontece que o rato achava que era o gato, só por conta da argúcia de ter a arma na ponta dos dedos, enquanto Isabela, a gata de verdade naquela brincadeira, seguia-o com a ponta do olhos, pronta a intervir ao menor sinal de deselegância daquele *body guard.*

Sofia lançou um olhar para seu acompanhante e depois para seu antigo fornecedor. Parou os olhos um instante na pele branca de Ignácio. O homem lhe sorriu e ajeitou os óculos com um movimento rápido dos dedos. Tinha sempre comentado com todo mundo como aquele negociador era esquisito, apesar de toda polidez e seu rígido ar aristocrático, o homem transpirava algo de estranho. Era pálido demais, tinha unhas um tanto compridas e era educado demais para um fornecedor de armas. Com o falatório maciço dos últimos dias era difícil não lembrar dos tão alardeados infectos que estavam espalhados pela sociedade. Mas longe das descrições de arroubos violentos, dentes pontiagudos e sede de sangue, Ignácio comportara-se sempre como um cavalheiro, um *gentleman* de primeira linha, cordial além da conta e sempre um bom pagador quando utilizava o serviço de limpeza do chefão de Osasco. Sofia olhou para as caixas com fuzis, pistolas automáticas, munição farta enquanto Ignácio lhe estendia uma folha de papel com a quantidade de cada item discriminado numa lista. Não havia valor escrito.

— Acho que pelo que meus funcionários fizeram por você, essa noite ficamos no empate, senhor Ignácio.

— Precisamente, Sofia. Fique com o equipamento em troca dos préstimos dos cavalheiros Ed e Fred. Conto com sua generosa discrição nesse assunto.

Ignácio estendeu a mão para o gângster da zona oeste e trocaram um aperto de mãos.

"Mão fria", pensou Sofia.

Ignácio espirrou e fungou fundo.

— Acho que já estou ficando velho para esses nossos encontros noturnos, senhor Sofia. Um resfriado se aproxima dessa velha carcaça.

— Deus te crie. — retrucou Sofia, afastando-se com um sorriso no rosto.

Ao sinal do vampiro, Bert chamou o acompanhante de Sofia para que fosse ajudado a deslocar a caixa de um carro para outro.

Enquanto o armamento era carregado para seu sedã, Sofia lançou um olhar para dentro do Mercedes-Benz do cliente. Aquela mulher ruiva novamente. Já a tinha visto umas três vezes. Linda como sempre, parecendo congelada no tempo. Sofia acenou discretamente para Isabela, que retribuiu o aceno de cabeça.

Em menos de um minuto o estacionamento do Ginásio Esportivo Professor Liberatti voltou a ficar deserto.

CAPÍTULO 32

Yuli tinha avistado a ponte a cerca de quinze minutos atrás. Tinha diminuído a corrida e agora caminhava. O soldado tinha gemido uma ou duas vezes dando sinal que ainda não estava morto. Parou ali um minuto examinando detidamente a geografia do lugar. O rio que tinha-se alargado, exibia agora pontos com corredeiras e pedras mais lisas à sua beira. Teria de descer coisa de quinze metros de rochas com Diego no ombro e depois andar mais duzentos metros em terreno escarpado até chegar à base da ponte onde inventaria um jeito de ambos vencerem aquele obstáculo. Calculou a altura das colunas que sustentavam a ponte. Coisa de cinqüenta metros. Dali donde estavam não parecia grande coisa, mas tinha certeza de que seria uma empreitada daquelas quando chegasse aos pés da construção. E era essa a melhor coisa a fazer, certamente haveria uma estrada lá em cima, onde a caminhada seria mais fácil. Yuli suspirou fundo. Diego não suportaria doar outra dose de combustível para a vampira, essa manobra estava fora de cogitação.

Decidida, Yuli seguiu em frente. Chegar à estrada seria a chance real de salvação.

Quando alcançou o pé da ponte ficou tentada a escalar as colunas de concreto, no entanto teria de decepar a mão do soldado para ter as suas livres. Uma das bases tinha a coluna resvalando na subida de rocha cheia de reentrâncias. Talvez por ali fosse menos difícil a subida. Não havia muito tempo para pensar. Agarrou firme o braço de Diego e começou a buscar espaço na pedra lisa e molhada com a mão livre. Os pés arrojaram-se contra o concreto da base e paulatinamente a garota avançou. Seus músculos estavam tensos, sua boca cerrada. Impossível não evocar toda sua energia vampírica para vencer a escalada. Tinha passado, a muito custo, de quinze metros de altura. Seu braço mais exigido fraquejava, o outro segurava firme o pulso do soldado. Yuli gemeu de dor em meio a novo esforço para subir. Encontrou raízes de um arbusto. Agarrou firme e deslizou os pés para cima, a barriga tocando a rocha fria. Não podia vacilar e muito menos desistir. A chave para a sobrevivência do soldado e dela atravessar mais uma noite para ter a chance de um dia vingar a morte de seu amado residia agora em vencer aquela dificuldade estrondosa e alcançar o asfalto da ponte. Lá de cima avistaria algum vilarejo onde largar o corpo do soldado caso uma alma caridosa serrasse a algema. A prata só era dificuldade para ela, uma vampira, não para os humanos. A garota fechou os olhos. A garoa começou a engrossar e virar chuva. A água em seus olhos prejudicava a visão. Seus ouvidos captaram o som com clareza. Yuli estremeceu e quase caiu. Não podia ser. Aquele zumbido cadenciado lembrando um zangão perto das orelhas, depois de tanto sacrifício tirou seu norte. Segurou-se o mais firme que pôde às raízes do vegetal. O zumbido que aumentava não era da chuva. Colou sua pélvis, seu peito, seu rosto contra a rocha escura e molhada. Fechou os olhos e começou a orar. Mesmo sendo filha da noite Deus não podia ser tão inclemente. O zumbido foi aumentando. O som do motor encheu seus tímpanos. Yuli olhou para baixo. Quinze ou vinte metros de queda? Os rotores se aproximavam. Então um portentoso facho de luz encheu o rio quando o helicóptero fez a curva. Era um bicho imenso. Dois canhões de luz, um de cada lado da nave. Reduziu a velocidade ao chegar ao alto das corredeiras que a minutos atrás a vampira tinha vencido. Eles estavam caçando-a. Involuntariamente Yuli começou a tremer. Se ficasse parada talvez não fosse vista. A chuva tinha aumentado. O céu escuro lhe daria proteção. Mesmo com aquelas lanternas gigantes seria difícil achá-la naquele ponto onde estava, entre rochas, arbustos e a coluna de concreto. Estava muito escuro. Muito escuro. Repetia-se tentando se acalmar. O corpo de Diego pendia e ela olhava para baixo. Milhares de gotas d'água batendo na base da ponte. A máquina voadora avançava, as luzes percorrendo o leito do rio e as rochas. A nave manobrou lateralmente. Embaixo da ponte, junto às bases de concreto, ali eram excelentes esconderijos para uma infecta fugitiva. Os holofotes foram jogados para debaixo da ponte, enquanto o som ensurdecedor dos motores penetravam cada célula nervosa de Yuli, e um vento avassalador provocado pelas pás das hélices a fazia gemer de medo, com seus cabelos pesados agitados para todos os lados, obrigando-a a recostar-se ainda mais na escarpa. Eles não a encontrariam, repetia-se num mantra incessante. Eles não a veriam. Não a veriam. Fez força. Lembrava-se de uma amiga católica com quem ia à igreja. Os pais devotos de São Jorge. Havia uma oração. Uma oração. A amiga dizia que sempre que precisasse de proteção era para repetir as palavras. A avó dizia que era batata. Os lábios de Yuli tremiam enquanto tentava lembrar. Via o rosto da vó, incenso e um altar oriental misturado a santos católicos romanos. A vó de cabeça baixa. Um cavaleiro segurando uma lança de cima de um alazão. O lampejo de lembrança era confuso. A igreja voltou à sua cabeça. O vento jogando água em seu rosto. O soldado gemeu e tentou levantar o braço como se pedisse socorro. Velas acesas num altar dentro da casa da amiga. Uma vela azul. O quadro do santo guerreiro dentro de uma moldura dourada. O cavalo empinando e a lança na direção de um dragão, de um demônio...

— São Jorge... — murmurou Yuli, as mãos escorregando das raízes, os pés perdendo a força e o apoio.

As luzes do helicóptero vindo em sua direção. O vento insuportável produzido pelas hélices empurrando seu corpo para baixo. O peso do soldado que só aumentava a cada segundo de aflição que enfrentava presa naquela parede de rochas.

Os lábios da menina se mexeram mais uma vez.

— Eu andarei vestida e armada com as armas de São Jorge para que meus inimigos, tendo olhos não me enxerguem....

O facho de luz que vinha em sua direção parou subitamente e mudou de direção passando milagrosamente cinco metros acima de sua cabeça. A vampira parou subitamente... não se lembrava, estava errado. Não era assim. Lágrimas desciam de seus olhos pela enésima vez. Via São Jorge em cima do cavalo. Uma lança penetrando uma fera, um lobo com olhos de sangue.

— Ela está aqui! — gritou uma voz acima de sua cabeça.

Yuli não entendia nada. O helicóptero tinha virado e as luzes iam em outra direção como se a reza, mesmo com as palavras trocadas, tivesse surtido o efeito esperado. Como se por um momento o santo guerreiro quisesse protegê-la, conceder-lhe uma graça, mas não hoje, não naquela madrugada dos infernos sem que ela recitasse a oração até o fim. Quem gritava logo acima era um soldado, alojado à beira da ponte, que apontava uma lanterna para baixo. Em um segundo duas dúzias deles surgiram no parapeito, jogando mais fachos de lanterna sobre a vampira. Os olhos de Yuli cegaram por um segundo. Seus pés dançaram e sua mão deslizou pela raiz. Seu último pensamento foi girar o corpo, o que conseguiu com eficácia.

Tiros irromperam do alto, esfarelando parte do paredão. Enquanto caía, Yuli conseguiu puxar o soldado para o lado e com o giro que tanto quis executar, fez com que o soldado ficasse por cima dela e que seu mirrado corpo arrebentasse contra as pedras à margem do rio e amortecesse a queda, poupando o resto de vida no corpo daquele moribundo.

Ao bater as costas contra as pedras duras e irregulares Yuli soltou todo o ar dos pulmões e um colossal grito de dor. Diego, de fato, caiu por cima dela. A menina sentiu as costelas estalarem e o barulho do osso do braço se partindo. Gritou seguidas vezes. Seus olhos brilharam vermelhos. Estava, mais uma vez, cercada pelas tropas do Exército, ferida e perigosamente exposta. A imagem de seu pai e o violão. De sua mãe e a irmã. A casa tão perto, ficando outra vez tão longe. Tiros vindo do helicóptero, levantando uma trilha reta de água enquanto os projéteis atravessavam o leito do rio e depois erguendo pedaços de pedra ao alcançarem a margem. Tiros vindo de cima. Uma ardência crescente nas costas quando um projétil acertou logo abaixo do seu ombro, transfixando seu tórax. Yuli gritou de dor mais uma vez. Os imbecis nem pensavam no pobre do soldado preso a ela. Yuli, num último esforço arrastou-se para debaixo da ponte. Tinha ido a seu extremo, aliás, tinha rompido muito mais que seus limites. Não resistiria. Não havia escapatória nem opções. Puxou Diego uma última vez protegendo-o entre suas pernas e recostando-se no canto mais escuro nas reentrâncias mescladas de concreto e rocha debaixo da ponte. Yuli viu o helicóptero baixar de altitude, ficando muito perto do leito do rio. Seus fachos luminosos buscavam seu esconderijo. A vampira também viu seis cordas surgindo daquele lado da ponte e mais três do outro lado. Rapel. Os soldados desceriam. Yuli fechou os olhos e abraçou o soldado. Suas costelas doíam absurdamente, tornando o menor movimento um martírio. O tiro tomado nas costas ardia e parecia ter-lhe arrancado um pedaço da pele.

— Eu tentei. Juro que eu tentei de tudo. Tentei de tudo... me perdoa. Eu não lembro a reza de São Jorge. Eu não queria morrer, não queria que você morresse por minha causa... eu tentei... — repetiu a voz fraca da vampira, agarrada ao peito largo do soldado de costas para ela, preso ao peito da garota por um abraço desesperado, encovados junto à base da ponte.

Yuli ouvi o som de carretilhas e as cordas se agitaram. A vampira fechou os olhos e tocou sua testa na nuca de Diego.

— Eu tentei te salvar. Juro.

— Carcará sete para unidades sobre a ponte, perdi a infecta de vista, câmbio. — alertou o piloto, que tinha baixado o helicóptero o máximo que pôde.

O céu escuro e chuvoso, mesmo com aqueles ventos de média intensidade contudo repentinos, tornava a pilotagem noturna um desafio que capacitava somente os aeronautas mais experientes.

O helicóptero subiu rapidamente. Piloto, co-piloto e a tripulação de mais quatro soldados que manuseavam os holofotes e armamento do aparato viram então os dois caminhões do Exército que tinham montado uma barricada em cima da ponte. O localizador inserido no relógio do soldado do Serviço de Contenção mandara durante todo o tempo um sinal para a base. Quando o posicionamento emitido pelo dispositivo mostrou uma parada não prevista seguida de perda total de contato com todos os membros da escolta da infecta, o grupo que os aguardava logo soube que a vampira havia aprontado algum truque e tentava escapar, mas não chegaram a imaginar tamanha crueldade. Quando a primeira viatura chegou até o local onde o sinal havia sido captado pela última vez encontrou o *guard-rail* da estrada destruído e o microônibus de contenção dezenas de metros para baixo, consumido pelas chamas. Inesperadamente, horas mais tarde, o aparelho voltou a funcionar, delatando a posição do soldado. Concluíram ou que ele fugia da fera, com ela em seu encalço ou que fora feito de cativo e, ferido pela inexplicável queda do transporte, estando dali em diante à mercê da infecta. Examinando os mapas da região e o sinal do dispositivo, o pelotão percebeu que o soldado margeava o rio, descendo sem parar, e que cedo ou tarde passaria por aquela ponte onde o soldado seria salvo e a fera seria liquidada. Após a morte de todos os soldados que fizeram a escolta, Yuli passara da categoria de infecta fugitiva a ser observada para infecta de alto-risco, tendo de ser interrompida a qualquer preço.

Os soldados na ponte receberam a mensagem do helicóptero. O tenente Cerpa, que coordenava o resgate de Diego, autorizou seus melhores homens a descer pelas cordas. Em sincronia, nove deles deslizaram o vão de cinqüenta metros e puseram suas lanternas e armas em busca do soldado e da infecta avistada no paredão a instantes atrás. Cerpa tinha agora quinze soldados em cima da ponte, com fuzis de munição comum. Já tinha avisado as unidades do Serviço de Contenção em Porto Alegre para deslocarem homens com armamento adequado o quanto antes para Barraquinha. Poderiam até mesmo localizar a infecta e eventualmente imobilizá-la, mas somente o pessoal do Serviço de Contenção tinha o equipamento e o treinamento ideal para capturá-la. O mais provável é que a infecta estivesse morta antes do novo pelotão sequer alcançar metade do caminho até Barraquinha.

Cerpa foi até a borda da ponte. Olhou para baixo. Escuridão absoluta. Via os fachos de lanterna de seus homens que acabavam de tocar o chão e começavam a vasculhar embaixo da ponte. Tinha certeza de que se não fosse o som avassalador do motor do helicóptero, poderia até mesmo escutar as ondas do mar que estava a menos de um quilômetro dali. Tinham ouvido toda a sorte de coisas a respeito daquelas criaturas e muitos dos homens que estavam em cima da ponte tinham vivido dias ruins quando os vampiros do Rio d'Ouro assombraram o sul do país. Todos estavam alertas e com as armas prontas para disparar.

O soldado Cléber soltava leves nuvens de vapor pela boca. A temperatura tinha caído bastante nas últimas horas, mas o frio parecia crescer a cada minuto que a madrugada avançava. Seus oito companheiros já estavam posicionados, cinco ao seu lado e outros três no lado oposto da ponte. Cléber levantou a lanterna. O motor cadente do helicóptero se afastava. Provavelmente o piloto ia dar uma volta e retornar em melhor posição com os holofotes, ajudando imensamente a busca. Não era possível que a infecta desse tanto trabalho. Tinham-na visto cair de altura considerável e arrastar-se bastante debilitada para debaixo da ponte, provavelmente já cravejada de balas. Cléber, líder da investida, fez um sinal com a lanterna. Os nove começaram a se mover. As luzes dançando nas pedras e no concreto. O som do rio passando entre as margens. Debaixo da ponte as gotas de chuva cessavam e facilitavam a visão. O breu dava medo. Sabiam que caçavam uma coisa que não era humana. Não era a menininha que tinham visto na foto apresentada pelo tenente Cerpa. Era uma infecta. Uma daquelas que podiam virar dois tipos de bicho. Vampira e loba.

Souzinha se adiantou. Parecia ter ouvido alguma coisa. Fuzil pronto para atirar, pediu que iluminassem em sua direção.

Lá em cima, o tenente Cerpa sacudiu os braços. Estava ensopado pela chuva, gotas grossas despencavam da frente de seu capacete. Olhou para seus garotos, parecendo frangos molhados. Mas estava esfriando. Esfriando demais e muito rápido. O tempo estava mudando e estava tirando a concentração de seu pelotão. Os garotos agitavam os braços tentando se esquentar. A chuva que tinha engrossado e o vento do helicóptero certamente acentuavam aquela sensação térmica.

— Mantenham as posições! Não dêem vacilo nenhum! O frio é por culpa do vento e da chuva e desse maldito helicóptero passando em cima da gente o tempo todo. Fiquem com os rádios ligados e atentos. Temos um homem lá embaixo. Um homem ferido que estava nas garras da infecta. Podia ser qualquer um de vocês. — bradou o tenente, tentando animar e aguçar seus soldados.

O helicóptero passou mais uma vez pela cabeça dos soldados fazendo a água que estava no chão se espalhar formando longos anéis animados pelo vento. Os soldados se abaixaram, intimidados com a fúria da ventania e do frio, mas logo tornavam a levantar e a meter a cara pela mureta da ponte, tentando ver onde estavam seus amigos.

— Eu encontrei! — berrou Souzinha, erguendo o fuzil com a lanterna presa na ponta da arma. — Venham aqui!

— Calma! — gritou Cléber. — Ninguém se mexe! Ninguém se mexe!

Cléber deu dois passos na direção de Souzinha. Não conseguia enxergar nada. O soldado apontava para um corredor formado por uma pedra e por parte da base da coluna da ponte. Olhou para o soldado Emílio e fez um sinal. O soldado avançou até Souzinha e juntou sua lanterna. Emílio começou a tremer, longas nuvens de vapor saindo de sua boca.

— Deus do céu! Chamem um médico! — gritou Souzinha, enchergando melhor agora com o reforço de Emílio.

Emílio aproximou-se. Era o soldado raptado. Ele estava caído naquele vão. Um ferimento em seu pescoço era evidente de onde estava, mas quando deu mais dois passos seu coração começou a bombear mais acelerado. Faltava uma mão. Faltava uma mão no braço do soldado!

— A infecta comeu a mão dele! Chamem um médico agora! — gritou.

Cléber ainda levava o rádio à boca quando ouviu aquele rosnado ecoando por todo o oco da ponte.

Seus soldados começaram a mover as armas e lanternas para as partes mais escuras enquanto Emílio tinha corrido até Diego.

— Acho que ele já morreu! Não sinto pulso! Está gelado!

— Calma! — gritou Cléber. — A gente tira ele daqui. A infecta está solta. Olhos abertos!

O rosnado sinistro se repetiu arrepiando até o último fio de cabelo dos soldados.

— Fechem aqui! — gritou Cléber.

Os soldados começaram a se mover vagarosamente, juntando-se a Emílio que tinha arrastado o corpo de Diego do corredor estreito para o meio do platô de rocha que beirava o rio. Ficaram um de costas para o outro, com as lanternas agitadas, procurando Yuli.

A fera, escondida nas sombras soltou um rugido feroz e ameaçador.

Em cima da ponte, Cerpa e os demais ouviram o rugido do monstro. Sabiam que era a infecta.

— Procurem-na! Procurem a menina! Ela virou lobo! Ela não pode escapar! — gritou para os soldados que puseram os fuzis por cima da ponte.

Os rapazes tremiam, de medo, de frio, do diabo a quatro. Estavam no meio da floresta, em cima de uma ponte, o reforço do Serviço de Contenção não tinha dado sinal de vida e um monstro rugia feito um cão do inferno. Sabiam que estavam perdidos.

Cléber não encontrou a origem do rugido. Parecia vir de todos os lados, reverberando como se estivessem sob uma concha acústica. Seus homens novamente se reorganizaram, postando-se uns de costas para os outros, vigiando cada posição. Cléber escrutava a margem e a água do rio, mirando a lanterna para a correnteza quando aconteceu. Um dos soldados gritou e os disparos começaram. Quando conseguiu se virar, um monstro de tamanho indisível trombou contra seu corpo e o arremessou para dentro d'água. Cléber soltou o fuzil e tentou agarrar-se à margem de pedra para não afundar na água gelada. Disparos espocavam a todo segundo e clarões encheram o negrume do bojo da ponte.

Quando os tiros pararam, Cléber tinha conseguido se agarrar a uma saliência. Estava de novo exposto à chuva que castigava a paisagem e tinha-se afastado mais de trinta metros da ponte. Tremia até os ossos, tamanho o frio que sentia causado pela água do rio e sensação térmica ao redor. Era inacreditável.

Embaixo da ponte faltavam agora três soldados. O tenente gritava que nem um louco pelo rádio. Emílio soltou a cabeça de Diego e procurou seu fuzil. Tinha visto a sombra do bicho. Um monstro peludo. Não era uma garota. Ela tinha jogado Cléber dentro d'água e tinha carregado Luciano pela boca, enquanto esmagava a perna de Souzinha com um pisão de sua pata. Souzinha rastejava para fora da proteção do fundo da ponte, chorando como criança, usando o rifle para se arrastar.

Emílio engoliu em seco. Seus cinco amigos dançavam desorganizados, frenéticos, com os olhos fixos no breu. Sabiam que a única chance de escapar seria verem a fera antes de serem vistos. Tinham de acertar para matar. E foi justamente Emílio quem a viu. O bicho, colado ao muro de pedras, ergueu-se em duas patas, cuspiu um braço que pertencera a Luciano e uivou para a noite. Era um lobisomem. Emílio puxou o gatilho e rajadas escaparam de seu FAL. Os cinco parceiros imitaram, buscando a fera que saltava com grande velocidade e, para desespero de todos, desviava e se aproximava, em vez de bater em retirada. A fera saltou sobre o grupo com a bocarra aberta, com os dentes brilhando de tão alvos. Emílio sentiu-se envolto por algo quente e seu coração parecia perto de um colapso. A dor foi insuportável. Dentes rasgaram seu peito. O soldado viu-se numa escuridão brutal e caiu no chão ouvindo o grito dos outros. O monstro estava entre eles.

Cléber, deitado à margem do rio, só pôde assistir incrédulo à devastação. Os cinco soldados restantes debaixo da ponte não duraram trinta segundos. O monstro, vitorioso, colocou-se de pé mais uma vez. Devia ter mais de dois metros de altura. Seus olhos vermelhos vieram de encontro aos seus. O sangue gelou nas veias de Cléber. Ele seria a próxima vítima. Cléber tombou de costas e pegou o rádio encharcado na cintura. Não chovia mais. Não sabia se o rádio molhado funcionaria direito. Começou a ouvir disparos de fuzil vindos de cima da ponte. Sabia o porquê. Apertou o botão para falar enquanto ouvia a respiração da fera lupina chegando perto de seu ouvido. Um disparo acertou sua canela transfixando a perna e repartindo seus ossos. Cléber engoliu o gemido e inspirou fundo antes de falar ao rádio. Fechou os olhos um instante, clamando por autocontrole e buscando colocar as idéias em ordem. Estava gravemente ferido, pois delirava quando abriu os olhos. Os globos oculares paralizados contra o céu negro não piscavam. Que coisa bonita era aquela? Seriam flocos de neve?

Cerpa ouviu um chiado no rádio enquanto os soldados em cima da ponte gritavam e disparavam. Quando chegou ao parapeito da ponte viu o corpo de um soldado caído iluminado pelo holofote do helicóptero que descia de encontro à fera.

— Parem de atirar! — gritou o tenente. — Vão acertar nosso homem.

Cerpa ouviu novamente o chiado no rádio. Ergueu o aparelho e colocou-o em seu ouvido.

— Tenente... — murmurou a voz fraca de seu soldado Cléber. — Tenente... salve esses garotos.

Cerpa afastou bruscamente o rádio do ouvido quando o grunhido do monstro chegou através do aparelho. Cléber estava morto. Todos lá embaixo estavam mortos. Cerpa cambaleou para trás. Levou o rádio à boca e falou com o piloto.

— Carcará, se não há sinal de vida em nosso homem, abra fogo imediatamente. Trucidem essa criatura.

Cerpa baixou o rádio e ficou olhando para o asfalto da ponte. Engoliu em seco. Aquilo não podia estar acontecendo. Um lobisomem matando seus soldados e um chão branco diante de seus olhos. O chão que estivera coberto de água e do negro piche tinha transmutado. Aquilo... branco e se acumulando suavemente... não fazia sentido.

Um dos soldados se aproximou do tenente, olhando para o céu.

— Tenente, está nevando.

— Eu sei, filho. Eu sei. — repetiu o homem, olhando para o fim da ponte, onde um dos caminhões bloqueava o caminho.

O som do helicóptero que disparava agora portentosas rajadas de fogo às margens do rio não fez Cerpa desviar o olhar. E essa agora? Que raios era aquilo? Em frente ao caminhão, caminhando calmamente pela ponte vinha um homem. Um homem com camiseta branca e calça *jeans*. Ele estava seco e não parecia ser perturbado pelo frio insuportável que fazia os soldados baterem os queixos e tiritarem a todo instante, era como se fosse imune àquele cenário incrível. O suspeito vinha, passo após passo, na direção dos soldados, altivo, olhar firme a lhe encarar. Cerpa ergueu a pistola e apontou para o sujeito. Os soldados ao seu lado percebendo a atitude, tremendo de frio, ergueram os fuzis.

— Parado! — gritou um deles.

Os olhos do homem brilharam vermelhos. Era um vampiro.

Os soldados abriram fogo, centenas de projéteis em direção à nova criatura. O homem nem se perturbou. Continuou caminhando como se fosse invisível, como se fosse um espectro, com se fosse um fantasma.

Os tiros pararam quando os magazines de munição esgotaram as balas. O helicóptero passou por cima da ponte buscando o outro lado ainda no encalço da fera que o havia ludibriado, tornando a se esconder em ponto escuro e fora da vista dos soldados.

O frio aumentou. Os flocos, outrora leves, começaram a cair em maior abundância, e uma ventania forte formava extensas e difusas colunas brancas atrapalhando a visão. Os soldados batiam os queixos enquanto trocavam os municiadores. O tenente inseriu uma nova rodada de balas em sua pistola, no entanto a mão não obedecia com precisão, tremendo, com os músculos sendo golpeados, os dedos enrijecidos e doloridos e seu desejo traído pelo frio intenso.

— Chega de mortandade. — bradou o vampiro com voz firme. — Vão embora e vivam o fim de suas vidas.

— Ninguém ordena a um pelotão do Exército Brasileiro que se retire! — bradou o tenente de volta.

— Eu ordeno. — retrucou Tiago, erguendo a mão e apontado para os homens em cima da ponte.

Alguns soldados conseguiram pressionar o gatilho e disparos sem mira e esparsos voaram de encontro ao vampiro.

Tiago evocou o poder ganho para enfrentar Sétimo. Os projéteis de chumbo atravessavam seu corpo sem causar o menor dano, como se seus tecidos não existissem.

O tenente Cerpa nem ao menos efetuou disparo. Sua mão ficou dura e o frio penetrou em seus ossos.

A nevasca aumentou de força e o frio se espalhou invadindo a garganta dos soldados. A ponte ficou inteiramente branca, bem como as pedras ao redor do rio, que teve seu leito congelado.

O piloto do helicóptero não mais tinha controle sobre a nave, tentou ganhar altitude, mas sem visibilidade por conta da nevasca que açoitava os vidros dianteiros acabou chocando as hélices contra as árvores e perdendo completamente o controle da aeronave. Não tardou a perder altura e colidir contra as rochas que cercavam o rio, afundando na selva.

Tiago ficou parado olhando para os dezesseis militares, congelados, imóveis, transformados em estátuas de gelo. Inverno teria se orgulhado daquilo. Certamente faria algum comentário zombeteiro, bem típico, dizendo que teria feito isso mais rápido. O vampiro parou entre os humanos congelados. Realmente teria deixado todos irem em paz. Tinha vindo até o rio por uma única razão, que nada tinha a ver com a vida ou morte deles. Olhou para o caminhão no fim da ponte. Eliana finalmente caminhava em sua direção. A esposa vampira de cabelos louros e ondulados debruçou-se sobre o parapeito da ponte. Eliana evocou suas habilidades e saltou para cima do parapeito e depois para o chão rochoso, caindo sem peso sobre as pedras. Seus olhos buscaram na direção do cutucar na testa. Avançou vagarosamente. Sabia que os vampiros transformados em feras eram arredios e perigosos em alguns casos. Ouviu um rosnado baixo. Caminhou em sua direção, seus olhos passando pelos humanos despedaçados no confronto com a besta de dentes aguçados.

— Sou eu, Eliana. Você deve ser da matilha de Leonardo.

O animal respirava rápido e mantinha-se imóvel.

Eliana viu a fera finalmente, entocada entre pedras, recostada próxima a um soldado que parecia morto.

— Vem. Deixa-me te ajudar. Temos de sair daqui.

A imensa loba passou por Eliana, seus dentes expostos e seus olhos vermelhos e enormes varreram a vampira de cima a baixo. A loba ficou sobre quatro patas e acabou tombando logo ao deixar a proteção das rochas.

Tiago aproximou-se da beira da ponte e viu Eliana alisando o pêlo do lobisomem. Sabiam que era uma das garotas do bando de Leonardo. A matilha que tanto tinha ajudado quando precisaram caçar Sétimo.

Eliana acariciava a criatura que rosnava baixinho. A vampira tirou a neve que se acumulava sobre a pelagem da loba. A fera tinha sido acertada por inúmeros disparos e precisaria de algum tempo para descansar.

Tiago pousou ao seu lado, olhando compadecido para a loba.

Tinham sentido o cutucar no meio da noite. Sabiam que um lobisomem estava por perto. Só não sabiam onde. Com os avisos do Serviço de Contenção de hora em hora na TV não foi difícil deduzir que era um lobo em apuros. Não sabiam qual dos lobos poderia ser porque praticamente tinham estado com eles metamorfoseados a maior parte do tempo. Sabiam que não era Leonardo, pois quando mentalizavam o rapaz o cutucar indicava uma direçao diferente. Mesmo assim se predispuseram a socorrer qualquer um deles sem importar quem fosse.

A loba tomou forma humana diante de seus olhos. Eliana tirou seu sobretudo negro e cobriu o corpo pequeno da garota nua.

Tiago apanhou Yuli no colo, enrolando-a no sobretudo, caminhava em direção a uma das colunas para começar a escalada quando ela balbuciou alguma coisa.

Eliana aproximou-se.

— Tragam ele... — murmurou sua voz fraca, e com o braço ferido apontando para o fundo da ponte.

Tiago e Eliana caminharam até o meio dos restos dos soldados devorados pela loba. Ela apontou para uma fenda. Um soldado estava caído à beira dela.

— É ele, guria? — perguntou Eliana. — O que tu protegia?

Yuli apenas aquiesceu com a cabeça.

Tiago estendeu Yuli para Eliana e apanhou o corpo do soldado, jogando-o em suas costas.

— Ali, naquela pedra. — tornou a voz fraca da vampira. — Por favor, moça, pegue. É dele.

Eliana caminhou com Yuli até a pedra apontada. Em cima da pedra uma mão decepada. Eliana olhou para Tiago que olhou para o corpo do rapaz. Ele estava mutilado no punho. O vampiro deu de ombros e ergueu as sobrancelhas.

Eliana apanhou a suposta mão do rapaz, a qual foi tomada de suas mãos por Yuli que a protegeu entre as suas, como se guardasse um tesouro.

— São Jorge não gosta de lobos. — disse Yuli antes de apagar completamente.

Tiago e Eliana conseguiram alcançar a ponte. As dezesseis estátuas de gelo continuavam empunhando suas armas para o vazio. Foi esse cenário que os vampiros deixaram para trás quando puseram a garota oriental e o soldado morto na traseira do jipe. Deram partida rumando para Amarração. Em menos de uma hora, no limiar do raiar do sol, alojaram os dois novos hóspedes do Luxor Hotel nos porões protegidos da claridade.

Tiago e Eliana estavam curiosos demais. Por que a loba estava sozinha no Rio Grande do Sul? Onde estava Leonardo e o restante da matilha? O que acontecia em São Paulo? Por que ela queria o cadáver do rapaz sem mão? Essas e outras perguntas teriam de esperar o final do transe vampírico e a chegada de um novo crepúsculo.

CAPÍTULO 33

O vampiro olhou pelo fosso do elevador inexistente. Viu que as luzes vinham em seu encalço. Os malditos tinham descoberto seu esconderijo. Sentiu um bolo no estômago. Primeiro tinha sido difícil aceitar o que era, uma cria das sombras, um bicho das trevas. Depois tinha entendido para que servia. Gritos na noite. Entradas furtivas. Espreitar nas sombras. Medo do sol. Tinha sido difícil a adaptação. Sorver a vida dos outros pela goela para que continuasse deambulando por aí. Ter corpos frios nas mãos depois de uma farta refeição. Os gritos e as súplicas retinindo nos ouvidos infinitamente. Não era bom ser vampiro. Era complexo e asqueroso. Agora sentia um gelo no estômago ao imaginar que poderia perder sua vida se fosse pego. Não podiam apanhá-lo agora. Tinha ouvido na rua, visto nas telas dos televisores na frente do Ponto Frio. Caso o pegassem seria preso e exterminado pelo Exército. Diziam que estavam todos sendo levados para Quitaúna.

A criatura ouviu o arrastar de pés. Correu para as escadas e subiu mais dois andares. Não tinha onde se esconder. Num dos velhos corredores do condomínio de prédios abandonados à beira do rio viu uma portinhola que lhe chamou a atenção. Parou ouvindo passos nas escadas. Os caçadores estavam perto. Seu esconderijo fora descoberto e ali não seria mais seguro ficar nem mais uma noite. Nunca mais. Abriu a portinhola. Sabia o que era aquilo. Nos velhos prédios colocavam aquelas escotilhas para que o lixo fosse arremessado para um compartimento, em geral, no subsolo. O vampiro esgueirou-se pela portinhola e fincou as unhas no estreito fosso em cimento cru, sem acabamento. Precisou empregar toda sua força para fazer a portinha voltar ao lugar. Estava velha, enferrujada. O rangido foi tão alto que teve medo de ser descoberto. O vampiro viu o caçador entrando no corredor. Sujeito estranho. Caminhava devagar, com uma escopeta na mão, trajando uma armadura de prata. O segundo que surgiu no quadro exibido pela fresta da portinhola era alto e forte, com uma toca de lã na cabeça. Também vinha armado. O vampiro soltou as mãos e despencou do oitavo andar. Caiu, sem estardalhaço, sobre uma pilha de entulho e mato rasteiro. Caminhou até o muro e saltou para a avenida. Andou ligeiro, olhando para trás de vez em quando. Não podia ficar parado nem dar mole. Todo mundo que batia os olhos em sua figura parava um instante, uns tiravam celulares do bolso ou da cintura, outros se benziam. O vampiro correu até alcançar a rodoviária e, num piscar de olhos, estava no meio do túnel escuro que ligava ao largo de Osasco. Parou resfolegando, respirando rápido. Não era falta de ar. Era excesso de medo. Paulo caiu de joelhos e começou a chorar. Estava perdido. Perdido.

Dimitri pediu silêncio e indicou a portinhola para Tobia.

— O sabichão fugiu por aqui, cara. Já deve estar na rua uma hora dessas.

— Vou continuar olhando por aqui. — redargüiu Tobia.

Dimitri enfiou a cabeça pela passagem. Vampiro esperto. Tinha ido direto para o subsolo, sem fazer barulho. Ainda mirava a lanterna para o fosso escuro quando o celular tocou. Colocou-se ereto e examinou a tela de cristal líquido. Sofia. O chefe tinha um serviço na manga. Não é porque tinha-se mancomunado com o milionário caçador de vampiros que ia deixar o velho trabalho para trás.

— Alô.

— Dimitri, apareça em meu escritório amanhã logo cedo. Tenho um serviço para você. Tem gente mexendo com gente minha. Gente que agora não vai mexer com mais ninguém.

— Deixa comigo, chefe. De manhã pego as coordenadas.

— Obrigado, Matador. Obrigado.

Dimitri desligou o aparelho e recolocou-o no bolso. Hoje suas pistolas terminaram o dia de bico calado, mas amanhã, depois de falar com o chefe, elas teriam onde piar.

CAPÍTULO 34

Muitas horas antes, quando Yuli ainda estava dentro do ônibus que rumava para o Rio Grande do Sul e não fazia nem sombra de idéia da aventura que a aguardava instantes à frente, outro personagem desse novelo de tragédias, buscas e danação principiava um novo episódio, uma nova aventura sem ter pista ou suspeita para aonde aqueles trilhos colocados à sua frente pelo Senhor do Destino acabariam conduzindo sua figura.

Brites estava compenetrado em páginas de relatórios e análises dos resultados das operações e capturas nos últimos dias e últimas horas. Sabia que a infecta dentro do ônibus que ia para o sul seria abordada pelo bloqueio a qualquer instante e já se preparava para dar um importante telefonema de aviso para o soldado infiltrado no veículo quando foi despertado de seus pensamentos por um chamado.

— Capitão?

Brites ergueu os olhos das páginas do relatório e encarou o soldado.

— O senhor pediu que informasse qualquer novidade com os infectos detidos.

— Prossiga, soldado.

— Aquela mulher, senhor.

— Qual delas?

— Aquela linda que foi detida no clube noturno, senhor, próximo à Brigadeiro Luiz Antônio.

— Eu sei qual é. O que tem ela?

— Achei melhor te contar... não sei se é importante para o senhor. Acho que ela tem um parafuso a menos...

Brites baixou os papéis novamente e ergueu as sobrancelhas.

— Quer ir direto ao ponto, soldado, por gentileza.

O soldado torcia as mãos. Estava visivelmente nervoso na presença do superior. Certamente um daqueles tipos que se borram todo para falar com o chefe ou fazer apresentação para platéias.

— Ela não está cooperando com o interrogatório padrão. Não está dizendo a verdade. O senhor sabe que a gente se esforça para deixar o relatório padrão totalmente completo, rigorosamente como nos instruiu.

— Sei.

— Ela nos disse que nasceu em 1830, senhor. Ela está mentindo. Como vou escrever isso no relatório?

Brites arqueou as sobrancelhas. Que diacho era aquilo agora?

— 1830?

— Sim, senhor. Ela nos disse que nasceu em Salvador. Em 1830.

Brites deitou os relatórios sobre a mesa. Levantou-se e andou de um lado para outro. Conhecia muito bem a lenda dos vampiros. Sabia que aqueles sete malditos encontrados em Amarração eram de Portugal e que tinham nascido antes de 1500. Mas era difícil de engolir esses dados, sentia-se desconfortável, pisando em terreno desconhecido. Se aquela negra vampira era realmente uma criatura tão antiga assim, podia tirar alguma vantagem no fim das contas.

Brites voltou para sua mesa e abriu a agenda. Riscou um número de celular e entregou para o soldado.

— Tragam esse homem aqui, o mais rápido possível, esteja ele onde estiver, queira ele ou não. Preciso dele.

Sabia que o homem ia colaborar. Brites precisava extrair informação dessas criaturas, mas antes de acreditar naquela vampira encarcerada, precisava ter certeza de que ela dizia a verdade. Com uma criatura tão antiga, poderia facilmente descobrir as origens desse mal. Talvez pudesse até compreender a razão de tamanha distorção do corpo. Compreender como meros mortais passavam a precisar de sangue, a canibalizar sua gente para continuar vivendo. Eram repugnantes e perigosos. Seriam detidos a qualquer preço. A imagem da mulher assaltou-lhe as lembranças. Brites lembrou da boca carnuda da vampira e do vestido colado em suas curvas. Apanhou seu quepe sobre a mesa e andou até a porta da sala em Quitaúna e acompanhou o soldado que desapareceu no fim do corredor.

Em menos de cinco minutos o capitão recém-promovido adentrava a detenção principal de Quitaúna. Seus ouvidos foram apanhados por um sussurro doce. Era voz de mulher. A mulher. A vampira de pele negra. Ela fazia as cordas vocais vibrarem e enchia o enorme salão com um som gostoso e atraente. Brites meneou a cabeça negativamente. Como um monstro podia fazer aquilo? Uma voz tão bela e poderosa no corpo de um demônio perdido. Seus olhos encheram-se de raiva ao perceber dois soldados parados na frente da cela da vampira. Eles estavam relaxados demais para quem deveria portar-se como um vigilante alerta e distante dos prisioneiros.

As jaulas separadas e enfileiradas geometricamente eram iluminadas vinte e quatro horas por dia. Dessa forma os soldados que deveriam estar rondando o galpão perceberam rapidamente a aproximação do capitão, mas, por alguma razão que Brites não entendeu de pronto, continuavam parados de frente à mulher, aumentando ainda mais sua irritação.

Brites parou ao lado dos soldados, batendo o solado do coturno contra o chão. Os rapazes viraram lentamente a cabeça para o capitão.

— Três dias de detenção para cada um! — berrou o capitão.

Os soldados continuaram parados até que um deles falou:

— Ela é tão linda, capitão. Canta tão bem.

— Linda?! Ela é uma vampira, soldado! Se abrir essa jaula ela pula no seu pescoço! O que tem de lindo nisso? — berrou, exasperado, cuspindo saliva na cara do indolente.

Brites olhou para a morena. Apesar de tantas horas na detenção, seus cabelos encaracolados continuavam alinhados, suas vestes impecáveis e o batom em seus lábios mantinha o brilho da hora da prisão. Os olhos castanhos-amarelados reluziam e abstraíam quem os encarasse, fazendo o observador esquecer de qualquer outra mulher ao redor, atraindo homens como a gravidade de um sol. Brites deu um passo para a frente e piscou os olhos. Respirou fundo e encarou novamente a vampira. Ela era diferente de tudo que tinha visto. Preferia estar frente a frente com o maldito Inverno, do que tê-la ali, como inimiga.

Brites ergueu algumas folhas que trazia. Fingiu examinar detidamente o papel. Nele estava escrito o número da jaula e o restante dos campos permaneciam em branco. O capitão tirou uma caneta de seu bolso da camisa e voltou a olhar para a vampira.

— Qual é o seu nome?

— Calíope.

Brites e os soldados estremeceram quando a voz aveludada da criatura penetrou seus ouvidos. Era sedutora, quente e provocante. A vampira, propositalmente, ampliava as sílabas, estendendo seu nome.

— Calíope de quê?

A vampira sorriu, exibindo as presas.

— Calíope apenas. Não existe outra, pode acreditar.

— Local e ano de nascimento.

— Soteropolitana. Nasci em Salvador, Bahia.

— Eu sei o que é soteropolitano, senhora.

Calíope sorriu novamente.

— Nasci no ano de 1830, no meio da deportação a que minha mãe era sumariamente submetida.

— Sua mãe... era negra?

— Minha mãe e meu pai eram nagô, africanos capturados e vendidos no Brasil.

Brites sentiu um arrepio subir por seus braços. Seria possível aquilo? Os vampiros eram conhecidos por sua eternidade. Se o que a mulher lhe dizia era verdade, estava de frente para alguém que, supostamente, vivia desde 1830, somando quase duzentos anos! Era incrível. Ela falava de pais escravos. Brites foi assaltado por uma atração crescente por aquela figura, mas seus instintos lutavam contra esse sentimento, posto que a cativa era nada mais nada menos que uma vampira. Se fosse verdade, era inegável que estava diante de uma peça viva da História. Se fosse verdade. Vampiros eram monstros feitos para mentir e iludir, para enredar-nos em teias e sentimentos e quando menos esperássemos, lá estavam eles, cravando dentes em nossas veias, drenando de nossos corpos nossas vidas e vontades. Brites poderia até engolir aquele papo no final, mas aquela vampira tinha de ser posta à toda sorte de provas. Olhou-a de cima a baixo repetidas vezes. Calíope tinha um corpo lindo, um rosto atraente e os olhos eram encantadores demais, perigosamente encantadores. Tinham uma cor diferente, pareciam duas amêndoas, por vezes dois pedaços de sol. Ela mentia. Ela iludia quem se aproximava. Era uma infecta, uma vampira. Como os outros, seu instinto seduzia as presas com palavras, com movimentos, meramente para ter entre as mãos, entre os dentes a caça objetivada.

— Eu não acredito em você. — soltou o capitão involuntariamente, de chofre, chegando a olhar para os soldados ao seu lado, constrangido com o rompante.

Enquanto isso a vampira enlarguecia ainda mais seu sorriso.

— Não acredita? Eu não ligo, capitão. Provoco essas reações nos homens. Sou uma criatura inacreditável, não é mesmo?

O capitão transpirava. Estava curioso para saber mais sobre aquela mulher fascinante, no entanto, começava a detestar aquela sensação. Calíope era Júpiter, exercendo uma gigantesca atração a qualquer corpo que ousasse gravitar ao seu redor. Brites não gostava do efeito que a voz dela causava em seu corpo e seu peito toda vez que abria a boca. A voz da vampira era cativante, perturbaria todos que a ouvisse.

— Você também foi escrava? — perguntou, afastando-se.

— Sim, capitão. Também fui escrava, igual a meus pais e meus irmãos.

Outros vampiros, que estavam próximos e interessaram-se por escutar Calíope, aproximaram-se das barras prateadas e prenderam os olhos na mulher. Dos treze detentos naquele galpão, apenas mais um era mais antigo que aquele apanhado de novatos, cria feita de outros sangues, um homem com aparência de quarenta e poucos anos, cabelos louros e fartos e olhos verdes que nada tinha a ver com os filhos de Sétimo. Esse vampiro conhecia Calíope, suas vidas tinham se cruzado seis vezes, sendo agora o sétimo encontro. No entanto nem ele sabia tantos detalhes sobre a interessante figura de pele negra, não sabia quão antiga era a vampira, não ficando, portanto, menos curioso que os demais.

— E então? — tornou o capitão arqueando as sobrancelhas.

A vampira fechou o sorriso e meneou a cabeça.

— O que quer, bom homem?

— Como era viver numa época daquelas? Como foi ver surgir todo o mundo moderno?

— Quer que lhe conte a história de minha vida, capitão de Exército?

Brites aquiesceu.

— Quer que lhe entregue um tesouro que nem imagina simplesmente por que estou aqui, presa?

— Você não tem alternativas, minha cara. Estou do lado de fora. Você está do lado de dentro. Você gosta de vampiros e eu detesto. Não são seus olhos cor-de-mel que farão minha cabeça mudar, nem sua voz de feiticeira que a salvará do quadrado amarelo.

— Não tenho alternativas? — Calíope riu baixinho, fechando os olhos um instante. — É engraçado ouvir um serzinho desses com tanta petulância dirigir-se a mim, com soberba arrogância. Viver tanto tempo amplia a latitude em que as alternativas são postas à nossa frente, senhor soldado.

— São barras de prata, cativa. Está presa, sob meu domínio e fará o que eu quiser. Se não fizer, você será castigada até a morte.

Calíope ficou imóvel por alguns segundos. Seus olhos perderam o brilho magnético e tornaram-se vermelhos, escuros e ameaçadores. A vampira arremessou-se em velocidade descomunal contra as grades e enfiou o braço inteiro para fora mirando a garganta do capitão que escapou por coisa de dois centímetros das unhas longas e pontiagudas que cravaria em sua pele. Brites caiu sentado no pavimento, enquanto os soldados empunharam os FALs e apontaram para a vampira.

— Não disparem! — ordenou o capitão, ficando de pé e recuperando seu quepe, ajeitou-o demoradamente olhando para a vampira. Brites andou até perto da grade. A criatura estava de joelhos e a jaula ainda chacoalhava e vibrava metalicamente em razão do golpe em sua estrutura. — Isso é prata, vampira. Aprendi um ou dois truques com seus amiguinhos do Rio d'Ouro. Não vai sair daqui com vida, isso eu garanto. Os dias de liberdade da tua raça estão contados.

Calíope ergueu os olhos para o capitão. Brites perdeu seu ar altivo instantaneamente. Fato estranho, os olhos da vampira... Brites olhou para os soldados e voltou a olhar para a prisioneira. Ela estava chorando. Brites não era homem de se importar com sentimentos humanos no cumprimento de seu dever, ainda mais espelhados pela face dum vampiro. Mas ela estava exalando uma espécie de tormenta, um arrasamento imenso.

— Há anos, capitão... há anos ninguém me trata assim. Como lixo humano!

Brites deu as costas para a prisioneira e olhou para os outros cativos detidos em celas. Sabia exatamente qual paralelo a mulher traçava. Para ela, se fosse verdade o que dizia, seria como voltar para uma senzala, para uma prisão. O capitão sorriu e balançou a cabeça. Não acreditava no que estava por fazer. Olhou para um dos soldados e deu a ordem:

— Abra o telhado do galpão, rapaz. Deixe o ar da noite entrar. Essa criatura vai se sentir melhor respirando um pouco da atmosfera noturna.

O garoto olhou para o amigo e, sem entender, foi até a alavanca que acionava a tração elétrica. O telhado do galpão dividiu-se lentamente até que a luz refletida pela lua em seu quarto minguante infestou o ambiente. A temperatura caiu rapidamente e a leveza da brisa noturna invadiu os quatro cantos do galpão. O soldado podia jurar que viu uma faísca de compaixão na face do capitão que nunca antes tinha concedido favores para aquelas crias.

Brites abaixou-se, aproximando-se de Calíope.

— É um gesto de boa vontade, vampira. Não foi minha... — Brites engoliu as palavras.

O capitão ergueu a coluna novamente voltando à sua posição imponente. Quase disse que não fora sua intenção magoá-la ou fazê-la lembrar-se dos tempos de escravidão, das prisões e das palavras duras dos feitores que deve ter enfrentado. Seria antagônico demais. Ficou comovido com a expressão tão forte e tão franca no rosto da criatura, mas não podia esquecer que Calíope há muito não era humana. Se o que ela dizia era verdade, há mais de cem anos aquele bicho encalacrado na sua frente era uma devoradora de vidas, uma caçadora da noite.

— Não lute contra seus sentimentos, capitão. — disse a vampira, levantando-se e também se recompondo, voltando a exercer seu magnetismo surreal. — Sei bem que não foi sua intenção magoar o coração seco de uma imortal.

Brites encarou Calíope por um instante. A vampira era mais perspicaz do que supunha.

A vampira inspirou fundo o cheiro da noite.

— Se quer que eu lhe conte minha história, capitão, é melhor mandar trazer uma poltrona. Ela é um tanto... — a vampira fez uma pausa ensaiada, como se escolhesse palavras. — Longa demais para se ouvir em pé.

Brites aquiesceu. Os olhos da mulher faziam aquele frio na barriga girar em suas entranhas. Brites desviou o olhar e caminhou até a escada metálica, abandonando o pavimento. Não queria admitir, mas Calíope mexia com ele. Ela era estupidamente atraente. Um perigo a qualquer um dos soldados. Teria de tomar medidas drásticas. Não deixaria simplesmente queimar ao raiar do sol, conduzindo sua cela para o meio do quadrado amarelo pintado no chão do galpão, posto que seria tremenda burrice. Burrice enquanto não extraísse o máximo de informações da criatura. Esperaria seu convidado. Só ele poderia validar aquele interrogatório. Só ele poderia dizer se Calíope era uma farsa ou um achado.

Brites foi acordado as duas da manhã. Seu "hóspede" acabava de aterrissar em Quitaúna num imponente helicóptero da Marinha. Dez minutos depois, Brites adentrava o átrio principal do quartel, onde o arrestado o aguardava. O homem estava encurvado e visivelmente intimidado pela urgência do chamado e insistência dos soldados. Tinha sido, praticamente, abduzido do bar onde conversava com seus colegas de trabalho após a jornada do dia. Tinha sido trazido da capital do Rio Grande do Sul, sem autorização para fazer malas ou tomar um banho relaxante após o expediente.

— Bom dia, professor Delvechio. Espero não ter causado nenhum transtorno trazendo-o de forma tão súbita. — cumprimentou Brites, aproximando-se.

— Tenente Brites! Pode me explicar que descabimento é esse? Estou me sentindo um criminoso, um agitador revolucionário dos tempos do colégio!

Brites gesticulou para os soldados que o secundavam. Os homens se afastaram.

— Fui promovido a capitão, doutor. E essa, infelizmente, não é a única novidade. Aposto que em menos de duas horas o senhor estará me agradecendo pelo chamado e por ter sido o primeiro civil a pisar nesse quartel e encontrar-se com ela. Vamos.

Brites apontou uma direção e, escoltados pelos soldados, tomaram rumo do galpão. A madrugada estava fria e o gramado que guarnecia os pátios do quartel refletiam a luz elétrica dos postes através de gotículas d'água que recobriam suas folhas. Os passos do grupo reverberavam enchendo os ouvidos com a cadência da caminhada.

Os olhos do professor encontraram com os olhos de jovens em guaritas, fazendo a vigília em seus postos. Viu mais dois em uma torre junto a dormentes de linha férrea. A malha fina não era suficiente para combater o gelo do vento e o professor de História da Universidade Soares de Porto Alegre não se vexou ao agitar os braços repetidamente tentando criar calor.

Pararam em frente a um galpão onde o capitão aproximou-se de enormes portas e passou um cartão de segurança num leitor. Digitou uma senha e com isso fez que as portas fossem tracionadas lateralmente.

— Meu Deus... — balbuciou o professor ao entrever uma dúzia de gaiolas no interior. Jaulas altas, de ferro prateado, com pessoas presas no interior.

O sangue do docente gelou nas veias. Aquilo suscitava lembranças que ele preferia esquecer. Tinha visto os pronunciamentos na TV, no entanto, durante todo o trajeto e enquanto o helicóptero descia, os soldados negavam a informar o destino. Delvechio agora sabia que estava em Quitaúna, a maior contenção de infectos do Brasil.

— Brites... essas pessoas... eles são...

— Vampiros, professor. Vampiros.

— Por que me trouxe aqui? O que faz sua mente doentia achar que eu tenho alguma coisa a ver com isso?

— Ora, ora, professor. Quando você nos solicitou ajuda para proteger aquele galpãozinho no ancoradouro de Amarração, não criamos empecilho algum. Quando o senhor resolveu abrir aquela caixa de pandora, não criamos empecilho algum. Agora que precisamos de uma mãozinha... — Brites parou e olhou duro nos olhos do professor. — ... agora que o Exército Brasileiro precisa do senhor, para ajudar a remover parte da merda que você espalhou, não aceitaremos um *não* como resposta.

Delvechio engoliu em seco.

— E respondendo sua pergunta, professor, sim, essas criaturas são vampiros. — informou o capitão, estressando mais a palavra "criaturas" ao falar. — Não são mais pessoas. São sanguessugas, são monstros. Venha. Há uma em particular que merece precisamente ser submetida a seus conhecimentos de doutor em História do Brasil.

O professor da USPA foi conduzido até a frente de uma mulher, de vestido vermelho colado ao corpo, cabelos encaracolados que batiam nos ombros. Os olhos da negra prenderam a atenção do professor.

— Meu Deus do Céu!

Brites sorriu para o professor.

— Impressiona, não é?

Delvechio apenas balançou a cabeça em resposta.

— Levem a cativa para a sala de interrogatório. Esse vai ser um dos longos. Todo cuidado é pouco com Calíope. Não dêem ouvidos a esta criatura.

— Calíope... — murmurou Delvechio, sendo conduzido, quase empurrado, até as escadarias metálicas a uma extremidade do galpão.

— Essa vampira, doutor, diz ter nascido em 1830. Dá pra acreditar? É exatamente por isso que o senhor está aqui. Se ela está mentindo, só você poderá nos dizer.

Antes de subir a escada o professor de História olhou mais uma vez para trás e repetiu o nome da mulher.

— Calíope...

— Está tudo pronto, senhor. — disse o soldado.

Brites viu a luz vermelha de alerta acesa na filmadora digital. O rosto de Calíope enchia o imenso monitor de plasma que ia ligado a um computador que arquivava *on-line* as imagens que captava.

A vampira não parecia exatamente confortável. Estava presa a uma chapa metálica, pendendo a oitenta graus, quase completamente de pé e de frente para a bancada de inquisidores. Dessa chapa, cordões prateados saíam e enrodilhavam seu pescoço, seus punhos, cintura e tornozelos, mantendo a criatura presa e controlada. Os fios possuíam certa extensão que permitia, mesmo que pequena, certa mobilidade à cativa. O aparato, desenvolvido pelo Serviço de Contenção, também era dotado de uma chave de emergência que, quando comutada, arrojaria a cativa contra a chapa metálica impedindo qualquer chance de ataque ou movimento perigoso.

Calíope encarou os ocupantes da longa mesa de mogno à sua frente. Os brasões da República e das Forças Armadas em alto relevo. Os séculos se passavam e a tecnologia galopava dando saltos de década a outra, mas as faces e a ignorância dos ocupantes do poder no Brasil pareciam continuar exatamente as mesmas do outro lado da mesa; com seus ares conservadores, sua truculência habitual e a corrupção disseminada de forma irreversível e nefasta.

— Senhora Calíope, estamos gravando este depoimento para análise futura e para verificar a compatibilidade com a verdade. — disse um sargento, sem se levantar da mesa. — A senhora alega ter nascido em 1830. Isso é verdade?

A sala ficou em silêncio. Calíope apenas olhava para os presentes.

O sargento tornou a inquirir

— Se é verdade que nasceu em 1830, como pode estar viva até hoje? Tem alguma coisa a ver com a infecção, com a doença do vampirismo?

O monitor exibia a face de uma mulher calada. Seu rosto, ao contrário da boca, mostrava indignação e contrariedade.

— Para que vou gastar palavras com vocês? Tomam-me por mentirosa antes mesmo de meu depoimento começar a ser proferido. Qual valor terão minhas palavras quando eu me prestar a abrir a boca?

Delvechio sentiu os pêlos do corpo eriçarem. Sentiu um embrulho no estômago. A mulher tinha uma voz esplendorosa. Era a primeira vez que ela falava em sua presença. Vê-la presa daquele jeito, mesmo sabendo que ela deveria ser do mesmo quilate que Inverno e Acordador e todos os outros vampiros do Rio d'Ouro parecia um ato de covardia. Aquela mulher deveria ser tratada com a maior cordialidade, deveria estar numa poltrona mais confortável e mais agradável que a sua.

Os pensamentos do professor foram cortados quando o capitão Brites interveio.

— Não sairemos daqui, infecta, até que nos tenha contado quem você é, quando de fato nasceu e tudo o que você sabe sobre os da tua raça.

— Ficarão aqui até que eu fale. Ah! Ah! Ah! — riu a vampira, sonoramente e depois encarou o líder militar com ar de superioridade e com a voz mais séria. — Tomei você por homem inteligente, capitão do Exército. Vejo que é mais um tolo dentre tolos. Posso ficar calada o tempo que eu quiser. Eu tenho a eternidade ao meu lado. Enquanto fico calada e vocês esperam verei vocês envelhecerem. Verei vocês enrugarem. Verei vocês adoecerem e no fim terei um punhado de ossos secos e caídos na minha frente. Eu mal posso esperar. Ah! Ah! Ah!

Brites engoliu a risada da vampira como ácido, mas não redargüiu. Estava com os olhos inflamados e pronto para descer a mão até a coronha e explodir a cabeça daquela maldita. Essa raça de filhos duma mãe tinha matado seus soldados, estava espalhando o pânico pelas cidades e ainda aquela criatura tinha a pachorra de rir em sua cara. Tinha de fazer a vampira abrir a boca, de um jeito ou de outro. Respirava fundo quando foi a vez de Delvechio entrar na conversa.

— É Calíope o seu nome, não é?

A vampira virou seus olhos castanhos profundos para o professor. Sorriu ao perceber a expressão que vira milhares de vezes nos olhos dos homens a quem encarava. Confusão, atração e desejo.

— Sim. É assim que quero que me chamem. É assim que me apresento.

Delvechio pigarreou antes de continuar.

— Uma das nove musas da mitologia grega. — o professor pigarreou novamente. — A de bela voz, filha de Zeus e de Mnemósine. Sem dúvida alguma, uma excelente escolha de nome, senhora, cabe-lhe muito bem.

Calíope sorriu. Não era todo dia que se encontrava com pessoas que conheciam as origens de seu nome.

Brites mudou a expressão. Delvechio, inacreditavelmente, tinha feito a vampira sorrir de forma espontânea.

— Eu acredito em você, Calíope. Acredito. — repetiu o professor, batendo com o fundo de sua caneta prateada no tampo da mesa escura. — E, juro, além de surpreso com sua beleza e derretido com a sua voz, tenho de confessar que estou encantado em conhecer alguém que diz ter nascido em 1830. Não é de hoje que sei que vampiros existem e que têm vida eterna.

Confesso que sinto uma coisa única... perdoe-me se sou indelicado na comparação, mas seria como sentar no colo da vovó e poder ouvir coisas que só os olhos dela viram.

O sorriso da vampira manteve-se em seu rosto. Sua face captada pelas lentes da filmadora preenchia completamente o monitor.

— Sim, professor, está sendo galante e indelicado ao mesmo tempo. Duvido muito que sua vovó manteve as curvas atraentes como as minhas até seu último dia na terra. Sou uma vovó e tanto, não acha?

Delvechio pigarreou mais uma vez e insistiu:

— Poderia me dizer precisamente onde morava quando nasceu, Calíope? Qual era o nome de sua mãe e teu pai? Eram criados de uma fazenda, empregados na Corte, como viviam?

— Sua estratégia é muito clara e pouco sutil, professor de História. Mas como mostrou educação e sinceridade vou contemplar seu esforço com alguma cordialidade. Espero que estejam alimentados e dispostos. Essa narrativa vai ser um tanto quanto longa. — novamente o sorriso largo da vampira estampou sua face.

— Diz minha mãe que sou filha do mar. Nasci num navio destinado a deportar para a África cinqüenta e tantos negros forros, mais um grupo indesejado de sete revolucionários, defensores do fim da escravidão de meu povo. No meio desse grupo estavam meu pai e minha mãe que já me carregava no ventre há oito meses. Mesmo tendo as dores, minha mãe teve os documentos assinados pelo chefe de polícia de Salvador, expulsando ela e meu pai de volta à África. Não sei se o destino me deu um presente ou uma desgraça ao fazer que o navio ancorasse antes de ganhar mar-aberto e precisasse de urgentes reparos. Como os negros no bojo da nau eram indesejados e temidos por esquentar ainda mais o barril de pólvora que eram as senzalas e a Corte, promovendo e propagando o medo virulento de rebeliões sangrentas que se havia instaurado na sociedade desde os fatos ocorridos no Haiti, foi terminantemente proibido o regresso do navio ao porto. Lá ficaram dois dias e duas noites até serem todos transferidos para outro navio, que rumaria ao sul, passando pela nova cidade de Santos, depois Rio de Janeiro e então para a África, com toda documentação e formalidades necessárias para o transporte de negros, posto que desde 1815 a armada naval inglesa caçava implacavelmente os navios negreiros que ousassem cruzar o Atlântico. Bem sabemos que a Inglaterra não é um berço de homens de bom coração e não foi a nobreza de espírito que deflagrou esse gesto humanitário lutando contra a devastação desumana que o Império Português promovia, sabemos que defendiam sobretudo seus próprios interesses econômicos, mas esta já é outra história, caros senhores.

Calíope fez uma pausa e fechou os olhos, inspirou fundo.

— Acho que agora é a vez da história de Calíope, a negra nascida no dia dezessete de outubro de 1830. Minha mãe, que a bordo do navio acabara de dar à luz e gemia de febres e dores, foi a única negra a ter autorização para regressar a Salvador... — Calíope baixou a voz nesse instante. — Talvez seja a marca de minha perdição esse regresso. Diz minha mãe que voltamos num barco a remo, impulsionadas por quatorze braços fortes de escravos e que meus olhinhos ficaram no céu azul-escuro salpicado de estrelas que anunciavam a chegada da noite de minha natalidade. Sou filha do mar, do balanço das águas do murmúrio da brisa do crepúsculo. Minha mãe disse que olhei tanto para as estrelas enquanto fazíamos a travessia para o porto que meus olhos ficaram assim, aguados e cheios de luz. — a vampira fez nova pausa, escutando a voz da mãe em sua cabeça, repetindo tantas vezes a sentença quanto durou sua efêmera vida. — O nome brasileiro de minha mamãe era Ana Maria e o nome brasileiro de meu pai era Francisco. Quando fui apartada daquele homem, injustamente deportado e separado da mulher e da filha recém-nascida, dizia minha mãe que segurei o dedo grosso e calejado de meu pai Francisco por coisa de uma hora, enquanto o homem forte e valente que nunca fora de choro derramava muitas lágrimas em silêncio acariciando meu rostinho pequeno e frágil, com medo de ferir a pele da filha com dedos tão grosseiros. Quando toda essa desventura se deu, éramos escravos da Fazenda Diamantina, que ficava a coisa de vinte e cinco quilômetros da cidade. Regressada ao continente, minha mãe foi levada aos cuidados do doutor Rodrigo, médico da família do comendador Queiroz, proprietário da fazenda e um homem foi destacado pelo capitão do porto para que avisassem na fazenda que a negra deles estava de volta. Não sei quantos anos ainda viverei, meus senhores, mas desde que estive vagando nesse mundo feio e sombrio, é certo que meus olhos aguados testemunharam muito mais vilezas do que decências do espírito humano, não obstante o amor irradiado em grandes ou pequenos atos de figuras notórias, mas na grande maioria das vezes, por simples anônimos, tem o dom de ofuscar a maldade e o egoísmo que cingem a alma humana, particularmente o egoísmo, meus senhores, parece aos olhos dessa observadora atemporal algo tão indefectível ao espírito dos seus semelhantes quanto tua necessidade de respirar.

A vampira fez uma pequena pausa na narrativa, como se um trilhão de lembranças varressem seus pensamentos.

— Um desses sóis brilhantes com certeza foi um tal doutor Rodrigo. O médico destrancou o portão assustado com a gritaria dos homenzarrões do porto, pego de surpresa com a noite já entrada, e por ver minha mãe naquele estado lastimável, comigo enrolada em panos de navio, sujos de sangue e outras impropriedades, não criou embaraço algum para que Ana Maria fosse alojada sem demora em um dos aposentos de seu casarão. Minha mãe lhe era conhecida e estimada posto que sempre acompanhava a senhora da fazenda, dona Gracinha, esposa do comendador Queiroz. Com o avançar da noite, o céu estrelado e limpo se encheu de nuvens e um frio forte banhado de garoa passaram a açoitar a capital e as janelas do casarão do doutor. O médico passou tantas horas quantas foram precisas ao pé do leito, limpando minha mãe e suas partes para que uma infecção fosse evitada. Quanta sorte minha mãe teve por sempre acompanhar dona Gracinha até Salvador quando esta passava no médico ou ia fazer companhia ao marido, que corria até a capital para lidar com o transporte e venda do café colhido. Mais de uma vez mamãe conversou com esse médico, explicando sintomas que uma ou outra negra da senzala tinha, pedindo conselhos para tratamentos. Não era raro que, como a mais pura coincidência o doutor Rodrigo surgisse em Diamantina e desse uma escapada até a senzala quando o feitor não estava por perto para tratar dos enfermos indicados por minha mãe. Esse homem foi muito amigo de minha família até perder o direito de clinicar por causa da bebida e sumir da Bahia. Com uma filha nova nos braços, minha mãe, que sempre me tratava por "minha Ondinha", não teve outro remédio a não ser voltar para a Fazenda Diamantina, tornando de forma bruta a velha condição de escrava. Tudo isso ela me disse. O que lembro de meus próprios olhos é pouca coisa. Lembro das papas de fubá, dos cheiros da cidade nas minhas raras escapulidas no cangote do meu tio Anastácio. Vivi pouco na Bahia. Minhas melhores lembranças se formam quando tenho três anos e vão se firmando e minha memória já é viva em 1835, quando já entendo parte do clima tenso entre brancos e negros, que em janeiro daquele ano chegou ao extremo, obrigando minha mãe a dar outra guinada em nosso destino.

— O levante malê! — exclamou Delvechio, quase automaticamente ao lembrar-se da data.

— Os negros muçulmanos engendraram uma revolução que, de fato, entrou para a História do Brasil. Estavam fartos do jugo, dos maus-tratos, humilhação e desrespeito perpetrado pelos senhores de escravos nos canaviais e cafezais. Muitos dos cativos sabiam ler e escrever em árabe. Quando os portugueses caçavam negros para raptá-los e trazê-los ao Brasil para o comércio de escravos, transformavam aquela gente culta e religiosa em bicho, esquecendo que nem todos eram ignorantes e desprovidos de qualquer cultura ou apego a bons tratos. Os negros mais instruídos e inconformados traçaram planos e os preparativos, minuciosos, levaram meses a se aprontar. Os documentos trocados nas senzalas eram grafados na língua dos mouros e caindo nas mãos de brancos pareciam códigos indecifráveis. O sistema de escravidão, como já disse, era um barril de pólvora àquela altura. A Corte sabia que a insurreição generalizada não tardaria e por conta disso agentes de segurança buscavam a verdade acerca de boatos de ações organizadas por nossa gente das fazendas e senzalas. Os malês e os negros que concordaram com o levante estipulado para os dias vinte e quatro e vinte e cinco daquele mês de janeiro, dias que marcavam, não por coincidência, o fim do ramadã aos muçulmanos naquele ano. Organizados, iriam espalhar a vingança matando cada homem branco que fosse encontrado na rua. E de fato teriam tomado controle de toda a capital não fosse a traição. Uma das escravas da Fazenda Diamantina, muito amiga de minha mãe, não deu ouvidos aos apelos de Ana Maria. A traidora da causa malê soube através de seu filho que a revolução começaria, que a insurreição tinha data e hora para explodir. A maldita, decidida, juntou papéis em árabe e deu com a língua nos dentes, avisando ao padre, daí não é difícil imaginar que as autoridades tiveram tempo de recorrer ao Exército e a província conseguiu estancar a sangria e conter a onda de vingança abafando o levante antes que suas proporções engolfassem o país inteiro, transformando o Brasil num novo Haiti, o que não seria difícil, senhores. Naquela época esse país já possuía mais escravos em fazendas do que colonos e gente liberta. Nós, os negros, éramos maioria. Eu nem tinha completado cinco anos quando essa nova tempestade ocorreu. Lembro do desespero na voz de minha mãe e a urgência nas conversas. Enrolou nossos trapos numa trouxa e durante a madrugada, aproveitando a confusão ainda instaurada, ela e um grupo de mais sete negros da fazenda driblaram a vigilância do feitor e puseram o pé na estrada. Caminharam a pé até o raiar do dia, quando avistaram a carroça do Tião Capoeira esperando no caminho. Eu, pequena, sabia que deixávamos para trás um lugar onde o sofrimento ficava, sabia que aquilo era fuga e que algumas vezes as fugas levavam à liberdade. Meu coraçãozinho batia depressa imaginando o capitão-do-mato. Naqueles tempos criança de senzala não tinha medo de bicho debaixo da cama, de saci, da cuca nem homem do saco. Criança de senzala tinha os pesadelos recheados com açoite e sal grosso, capitão-do-mato, feitor, ferro nos punhos e tornozelos e o tronco. Minhas mãos, calejadas de carregar balaios com fubá, apertaram as mãos de minha mãezinha. O sorriso não cabia em minha boca e meus dentes brancos denunciavam a felicidade suplantando o medo e minhas mãos agora só queriam encontrar brinquedos e os dedos de Ana Maria.

A carroça seguiu pela estrada até guinar para o mato e depois de duas horas numa estradinha menor, chegamos a uma clareira após os animais vencerem com certa dificuldade a lama do caminho. A garoa tinha voltado e o céu com nuvens carregadas luzia com relâmpagos repetidos que me assustavam e me faziam estreitar no colo de minha mãe. Sentia frio e os primeiros roncos da fome no meu estômago, capitão. Fome de pão.

Lá, outros cavalos, mais carroças e negros tinham-se unido. Segundo o negro Tião, todos juntos no seu grupo e em um bom número poderíamos nos safar. Nas conversas dos mais velhos, de meu tio Anastácio e outros, o bom número que Tião falava era coisa de trinta negros, o que não era muito e nem pouco em caso de termos de enfrentar tropas da Corte ou os farejadores de escravos. Com um tanto de gente assim era possível se esconder ou atacar dependendo da situação. E seria nesse clima de insegurança e esperança que empreenderíamos fuga para o sul do país. Não quero aqui remontar dias de viagem apreciando as esplendorosas paisagens da caatinga e do serrado. Ainda estávamos aflitos e com medo. Sabíamos que seríamos caçados feito bichos. Negro escravo era artigo caro demais para os senhores de fazendas deixarem qualquer fuga à toa, que dizer de um bando de sete adultos e de uma criança que começava a ajudar na lida diária? Se os capitães-de-mato nos achassem, o feitor de Diamantina rasgaria o couro de cada um dos meus irmãos e marcaria em nossos peitos e testas com ferro quente a humilhante letra F, que marcava e identificava para sempre um negro fujão. Nossos corações bombeavam acelerados, ignorando sede e fome, loucos para dar seqüência à escapada. Para reforçar seu time, Tião Capoeira tinha pagado uma família de ciganos que conhecia os caminhos menos vigiados da Bahia. Aquele bando de adivinhos e feiticeiras nos daria proteção até chegarmos ao interior de São Paulo, onde quilombos de negros fugidos e as primeiras e incipientes comunidades de negros alforriados e independentes se formavam para acolher e se reforçar com gente como a gente. Nosso bando de sete pessoas, mais meus braços quando crescessem, floresceriam como o espírito da resistência. Na segunda noite de nossa viagem o céu estava claro e salpicado de tantas estrelas que dois terços delas hoje não vemos mais. Uma coisa me marcou numa das noites em companhia dos ciganos, gente divertida e festeira, que sem motivo nem hora marcada começava uma cantoria alegre que acalentava a alma. Enquanto os adultos tocavam violas e as mulheres cantavam para alegrar os negros fugidos, Daiana, a filha adolescente de uma cigana, me tomou pela mão e me afastou do bando e da fogueira principal. Afastamo-nos do acampamento e caminhamos num declive gramado onde havia seixos brancos e marrons formando um círculo, com tocos de galhos ardendo formando uma segunda e pequena fogueira.

— Isso vai nos manter quentes para conversar. — disse a ciganinha.

Calíope, infante, sentou-se ao lado da menina maior.

Daiana, com um vestido simples, de tecido fino e grossas rendas deitou-se e se espichou na grama verde e úmida sendo logo imitada pela criança ao seu lado.

— O Kaku estava triste hoje. — disse Daiana.

Eu sabia que Kaku era o líder dos ciganos e que orientava a todos o tempo todo, mostrando a Tião o melhor caminho quando surgiam as divisões no percurso.

— Por quê? — perguntei.

— Porque teu chefe Tião Capoeira não queria que fizéssemos fogueira nem dança no fim da noite.

— Ah.

— Disse que a alegria e o fogo chamariam o capitão-do-mato. Mas o Kaku conhece essas ribanceiras. Sabe que capitão nenhum tocaia por aqui.

Diana deitou-se de lado e ficou examinando a criança negra por longo tempo. A luz fraca das brasas na fogueirinha clareavam as feições da menina.

— Como é ser uma escrava?

Como poderia eu, na beira dos meus cinco anos de idade responder aquilo? Simplesmente balancei meus ombros.

— Deve ser muito ruim. O Kaku não está feliz com esse trabalho. Está muito triste. Nunca o vi assim. — falou a ciganinha. — Ele disse que andar junto aos negros estraga nosso coração liberto. Não porque nossa gente não goste de vocês, muito pelo contrário, a minha bibi e Kaku dizem que os negros nos enchem de pena.

Meus olhos brilhavam ouvindo a ciganinha.

— Parte de meu povo já foi escravo também, negrinha. Kaku diz que a Romênia não era terra boa para nossa gente sem chão. Mas aqui nesse país somos livres e festeiros e mantemo-nos como nossos ancestrais, viajando em carroças coloridas e livres de qualquer patrão. Fazemos nosso destino. Meu pai e minha mãe dizem que temos de nos bastar para nós mesmos.

Calíope sorriu ao fim da frase. Não sabia o que a ciganinha queria dizer, só foi tomar entendimento das últimas palavras anos mais tarde.

— Que ver o que eu estou aprendendo a fazer para bastar para mim mesma?

Os olhos da negra brilharam de curiosidade e juntas se sentaram à beira da fogueira.

Daiana pegou um lenço dobrado e ao abri-lo revelou um anel dourado em meio a pequenas pepitas que luziam com o menor toque da claridade provocada pelo fogo.

— É um anel de ouro do mais puro, minha mãe disse que Santa Sara chorou e quando olhou de novo suas lágrimas viraram pequenos pedacinhos de ouro.

— Como é lindo esse anel!

— Gostaste?

— Ai, Daiana, é uma formosura de tão lindo.

— Não é comum os pais ensinarem às meninas os ofícios de ourives, mas sou tão curiosa, menina. Não deixei meu pai em paz enquanto não me ensinou parte de seu ofício. Minha mãe me ensina as artes da magia e meu pai as artes do ferro.

— Posso ver?

Daiana estendeu o anel que refletia intensamente o fogo para as mãos pequenas da criança.

A menina ficou com os olhos grudados e encantada. Nunca tinha visto jóia mais bonita. Tentou em todos os dedos, mas eram finos demais para portar um anel de adulto. Daiana ria da felicidade da menina.

— Gostaste tanto assim, menina?

— Gostei, gostei! Ele é tão bonito!

Contagiada com minha euforia de criança, Daiana pendeu a cabeça e olhou fundo nos meus olhos. Apanhou a palma de minha mão e colocou o anel no centro. Fechou minha mão mantendo as suas sobre a minha. Ficou assim um minuto.

— É tradição da minha família dar de presente a primeira jóia feita pelo aprendiz de ourives para alguém que ele cative e tenha prazer em fazer sorrir. Eu tenho prazer em ver teu sorriso e ouvir tua voz. Voz tão linda. Certamente Santa Sara choraria mais pedrinhas como essa se te ouvisse rezar.

Eu sorri um sorriso bem aberto. Não acreditava no que minha amiga ciganinha estava dizendo. Estava me dando um presente. O primeiro presente de uma amiga nessa vida. Não é à toa que a imagem de Diana me persegue até os dias de hoje.

— Te dou esse anel de presente e te dou um nome cigano de presente também. O anel não vais usar agora porque não cabe em nenhum dos teus dedos, mas sempre que nos encontrarmos, de agora em diante, teu nome será Calíope.

Ouviu-se um burburinho entre os homens que acompanhavam a narrativa. Todos até aqui aceitavam que o nome "Calíope" tivesse vindo do berço da criatura que narrava a história e não sido atribuído a ela por conta de sua voz, da cultura interessante de uma adolescente cigana.

Calíope sorriu para os homens da bancada. As surpresas não parariam aí. Decidiu prosseguir com a narrativa antes que perguntas inúteis interrompessem o fluxo de revelações.

— Daiana ainda disse coisas admiráveis que agradariam qualquer negrinha de minha idade. Revelou-me que seu povo era conhecido como o povo das estrelas.

Daiana tirou uma agulha e linha de uma bolsinha presa em seu vestido e pediu que eu ficasse de pé. Tomou o anel da minha mão, me causando calafrio. Ela podia ter zombado de minha ingenuidade até aquele momento.

— Não te assustes, criança. Só preciso do anel para marcar uma coisa aqui. Tire tua blusa.

Minha vestimenta de criança de senzala não passava de um tecido grosseiro que originalmente era usado para ensacar as arrobas de café que eram transportadas de carroça até o porto. A cigana virou a blusa do avesso e no encontro do ombro com a manga da blusa cerziu um bolsinho embolado de algodão. Apanhou o anel e o prendeu ali.

— Pronto, amiga Calíope, agora tens um esconderijo para o teu anel de ouro, feito da lágrima da Santa Sara Kali. Meu presente para ti. — e apertou minha bochecha ao final.

Eu, pequenina, enrodilhei Daiana pela cintura e a abracei com tanta força que não queria mais soltar. Mais do que o anel, eu tinha um outro tesouro. Eu tinha uma amiga.

Deitamos novamente, uma de cada lado da fogueira, sob o sereno da noite que avançava. Eu queimando de alegria e meus ouvidos todos entregues àquela que eu jamais esqueceria, pelas alegrias e pelas agruras que a vida me traria.

— Tu sabias que a venerada Santa Sara Kali era igual a ti, de pele negra como a tábua do ébano?

— É?

— Sim. E nós ciganos? Vês, não somos tão distintos assim. Nossa tez é mais cinzenta, mais negra do que os portugueses. Vês?

Eu concordei. Realmente os ciganos eram morenos e animados. Diferentes dos carrancudos senhores que circulavam na capital com seus rostos pálidos ou avermelhados demais, machucados pelo sol.

— E aposto tudo o que eu tenho, minha pequena Calíope, que os olhos de Santa Sara Kali, a mãe do povo das estrelas, eram iguais aos teus, cheios de sol e de brilhos de vida. Dizem que a escravidão vai acabar, amiga, não te aflijas com teu destino. Sei que meu Kaku está triste à toa com essa tua gente que viaja para o sul. Senta. Deixa me ler a tua mão. Minha bibi já me ensinou. O povo das estrelas encontra nos traços das mãos dos amigos os fios do destino e podemos predizer a sorte.

Abri meus olhos tomada de espanto. Quantas vezes na missa do Faustino, que ia vez ou outra batizar e dar sermão na capela de Diamantina sobre os cuidados para com o povo cigano que rondava a capital. Dizia que eles tinham pacto com o demônio e não devíamos nunca deixar que tomassem nossas mãos, pois poderiam tomar nossa alma e nos fazer arder no inferno.

Estendi minha mão de menina, tremendo, mas entregue cegamente à minha amiga.

— Calíope! Estás nervosa, menina? Não vou roubar tua alma nem teus pensamentos, amiga. Só quero saber de teu destino.

Fiquei séria, mas valente. Daiana tomou meu pulso e o segurou com a palma de minha mão estendida. Eu mesma podia sentir meu coração batendo acelerado e os dedos da cigana sentindo o pulsar de minhas veias quando apertava suavemente a minha pele. Ela então olhou fundo nos meus olhos, como se penetrasse em minha íris. Senti meu peito queimar e engoli a saliva presa na garganta. A amiga cigana leria meu futuro e me diria as maravilhas que me aguardavam após a travessia das novas terras e a chegada à prometida comunidade livre.

Daiana leu os olhos castanhos de Calíope e então sentiu vibrar a energia do corpo da garotinha. Abriu um sorriso para a negrinha. Vibração boa. Desceu os olhos para as linhas de suas mãos e ficou com eles encravados no destino de Calíope. Parecia mergulhar num mundo sendo alvejada por todo tipo de sentimento.

Foi então, capitão de Exército, que eu percebi que quem estava com medo não era mais eu e sim minha amiga. Daiana tremia e não largava meu punho. Ela tinha arregalado os olhos e não os desgrudava de minha mão, comecei a chorar, medo e angústia, puxava minha mão e ela não soltava. Daiana tinha lágrimas descendo pelos olhos e, mesmo sendo eu pequena e suscetível a ser impressionada com uma facilidade absurda, sabia que minha amiga quiromante não via coisas boas para minha vida. Comecei a gritar desvairada de tanto medo e tão alto que meus gritos agudos naquele instante chegaram ao acampamento. A jovem cigana tremia e, olhando-me, deixou os lábios trêmulos balbuciarem algo que não compreendi.

— A Lilith chau! — escapou de sua boca, finalmente soltando a minha mão.

Ana Maria, que já me procurava e ouvindo meus gritos de horror, correu para me socorrer, afastando-me de Daiana, aos prantos e tremendo.

Daiana ficou sentada na grama, olhando para mim, com os olhos cheios d'água e parecendo envolta num saco de tristeza e afastamento.

Do colo de minha mãe saltei e corri de volta até Daiana dando-lhe um abraço apertado.

— Não chora, Daiana. Não chora. Vida de escravo é triste mesmo.

Daiana enxugou as lágrimas e acariciou muitas vezes meus cabelos crespos e ondulados

— Não te impressiones com essa bobeira. — disse ela, enquanto minha mãe com cara enfezada voltava para me apanhar. — Eu ainda não sei ler mão direito, é por isso que estou triste.

— O que é Lilith?

Daiana passou a mão no meu cabelo mais uma vez.

— Perdoa meu pai Cinzano, perdoa meu povo, pequena Calíope. Fica com teu presente para sempre, pois você merece todas as jóias do mundo. Dei-te de coração. Sou tua amiga para sempre.

A adolescente, tão carinhosa, me deu um abraço terno e um beijo estalado na bochecha enquanto minha mãe apanhava novamente minha mão.

— Vem, Ondinha. Vamos deitar perto do fogo que está esfriando demais. Amanhã o dia será comprido, filhinha.

Com o raiar do sol retomamos a jornada. O balanço monótono da carroça e as conversas repetidas não me distraíam o suficiente para esquecer da conversa com Daiana e nosso curioso encontro. Passei a mão não sei quantas vezes na minha jóia, escondida na minha blusa de pano cru. A monotonia só acabava quando as conversas esquentavam nas horas de descanso. Mesmo pequena eu farejava as coisas no ar. Os homens estavam com carrancas e as mulheres com gestos rápidos. Discutiam a todo instante até que alguém ralhava mais alto e dava um basta. Nas conversas de mamãe eu pescava a insegurança que se infiltrava em meu sangue e gelava meu coração. Não eram todos eles que queriam ir para o quilombo. Tinham medo de ser pegos no meio do caminho. De voltar aos grilhões numa senzala. Os homens ora achavam que Tião Capoeira não era tão bom guia, ora discutiam a presença dos ciganos no bando. Não gostavam dos ciganos. Achavam aquele povo traiçoeiro e perigoso. Davam mais valor a um pedaço de ouro do que à vida de um pobre coitado. O anel preso na minha blusa dizia que eles estavam errados. Mais de uma vez quis mostrar para minha mãe, mas o medo de perder minha jóia fazia-me calar e procurar silenciosa os olhares e sorrisos de minha parceira. Daiana, quando a pé, caminhava ligeira, descalça, com um cajado para auxiliar na andança. Exalava autoconfiança. Era uma criança branca diferente de todas as outras.

No fim da primeira semana de fuga, quando acordava de um pesadelo muito vívido que tive durante um cochilo, minha mãe tapou minha boca para abafar meu grito. Sonhava que meu pai sorria para mim. Sorria com dentes brancos de marfim e me estendia uma boneca nova que tinha feito. Então um homem com peito de ferro e capacete acobreado arremessava uma pedra grande pela amurada do navio. Uma corda longa se desenrolava e espichava enquanto o sorriso de meu pai diminuía e ele olhava sereno nos meus olhos. Num instante, só a boneca sobrava no convés do navio enquanto o sorriso de marfim de Francisco sumia na espuma do mar, perdendo-se na escuridão das profundezas. Meu peito subia e descia rápido. A mão da minha mãe apertava minha boca mais forte. Revirei os olhos procurando o motivo. Éramos três na carroça, as mulheres deitadas, escondidas. Meus olhos encontraram meus companheiros de fuga deitados no mato à beira da estrada. Alguém reclamava e maldizia meu grito estridente.

— Tão vindo pra cá. — disse Tião Capoeira, levantando do gramado. — Cinzano, leva as carroças pra baixo das árvores. Eu trato com eles.

— Eles vão levar a gente, Tião. — retrucou Joaquim, um dos foragidos da fazenda Diamantina, deitado no mato.

— Vão nada, homem. — redargüiu o líder da escapada. — Temos quatro fuzis aqui. Eles tão vindo em cinco. Não vão arriscar morrer no meio desse rincão que só tem Deus.

Mendes acompanhou o cigano Cinzano na puxada das carroças. A esposa de Cinzano, carregando um fuzil, foi para trás de uma touceira ficar acobertada e pronta para passar fogo caso fosse preciso. Mais dois ciganos se afastaram devagarzinho procurando uma posição privilegiada, enquanto as carroças com os negros fugidos iam se afastando para as árvores. Minha mãe pediu que eu me abaixasse junto com ela e ficamos quietas.

A última coisa que vi foi Claudino, outro foragido da senzala de Diamantina, abaixando-se e rastejando silenciosamente para perto de Tião Capoeira. Fomos para longe. Dava para ouvir o cavalo do capitão-do-mato e seu bando chegando, as vozes exacerbadas. Minha mãe tapou meu ouvido e a única coisa que passei a escutar foi o coração dela, batendo forte dentro do peito, fazendo tum-tum, tum-tum. Fechei meus olhos e, quando os abri, olhava para um gafanhoto marrom-claro parado na beira da carroça. De repente uma mão bateu na madeira fazendo o inseto saltar assustado e meu corpo infante estremecer. Era Tião Capoeira, sorrindo.

— Ele já foi. Não vão incomodar a gente.

O pessoal dentro da carroça trocou olhares. Os ciganos gritaram e puseram a caravana em movimento. Claudino chamou Joaquim na estrada e ficaram conversando no caminho, afastados do grupo maior. Claudino tinha os olhos injetados de raiva e gesticulava nervoso enquanto Joaquim colocava as mãos em seus ombros tentando apaziguar o agitado negro fugido.

No almoço do dia seguinte minha mãe e seus parceiros de fuga conversavam novamente com os olhos. Aquele tipo de conversa que deixa criança assustada. Com pretexto de se refrescar, os homens desceram uma encosta de pedra até um rio. Minha mãe foi junto dizendo que precisava tirar o macuco dos meus pés e cotovelos. Descemos ao dito riacho que tinha coisa de metro e meio de largura. Enquanto os adultos começavam a conversa levantando a voz, eu me soltei dos braços de mamãe e andei pela beira cheia de seixos luzentes. Passei a mão no meu ombro, tateando com os dedos meu querido anel de ouro, garantindo que ele ainda estava no devido esconderijo. A luz do sol batia na água e estrelinhas escapavam no marolar. Sentei à beira do regato. Água é coisa que me fascina até hoje. Ignorava a discussão acalorada dos adultos e escutava o canto dos pássaros e o cricrilar dos insetos. Na água, mil peixinhos passando, ao alcance de minha mão. Era tão divertido tentar apanhá-los.

A narração da vampira foi interrompida, ela fechou os olhos como se entrasse num transe. O sorriso da mulher tornou a encher o monitor e durou segundos. O silêncio continuou até que a voz forte e envolvente da vampira voltasse a soar.

— As frases foram ficando mais ríspidas e os olhares mais demorados. Mais tarde, uma conversa de minha mãe com Naná dentro da carroça ilustrou minha mente com idéias e aos poucos pude entender um tanto melhor. Elas acreditavam que eu dormia, porque eu estava quieta a um bocado de tempo. Uma criança de cinco anos pode guardar conversas incríveis na memória. Ainda mais uma criança escrava de cinco anos completos. A palavra escravo era dita simples de boca em boca, mas chamava muito a atenção nos meus ouvidos, posto que remetia a dias e noites tristes a lamentos de castigo de irmãos morrendo no fundo das senzalas. A brutalidade atroz que nos mantinha cativos fazia com que a cabeça das crianças amadurecesse mais cedo, querendo a gente ou não. Minha mãe e Naná falavam da fuga. Falavam que os homens não confiavam mais no Tião Capoeira. Que o irmão Claudino tinha visto Tião Capoeira pagar moedas para o capitão-do-mato. Por que ele faria isso? Por que entrariam num acordo? Discutiam sem chegar a uma resposta, sem entender como um capitão-de-mato poderia fazer negócio com um sujeito feito o Tião. As coisas não cheiravam bem.

Não tínhamos opção melhor que continuar a peregrinação. Tínhamos de nos afastar mais e mais da Bahia. Deixar para trás a terra de gente que nos conhecia e que nos reclamaria posse. Fugir dos castigos e do ferro que marcaria nosso couro.

Os dias aos poucos se foram passando e as desconfianças acerca de nosso libertador e seus acompanhantes ciganos foram amainando. Lembro ainda do semblante feliz de minha mãe quando Tião Capoeira anunciou que faltavam só dois dias de viagem e que chegaríamos enfim a uma terra livre, onde poderíamos plantar para comer, os homens poderiam caçar para viver e teríamos a chance de ter um teto para chamarmos de lar e começar a construir a vida de gente liberta. Minha mãe e Naná se empolgavam e riam dizendo que poderiam fazer farinha para trocar no povoado. Que não teriam hora para dormir nem de acordar e que estavam ansiosas, pensando se encontrariam ou não gente de sua terra natal.

Quando o sol acordava o dia fui a primeira a despertar. A primeira dentre os negros fugitivos. A noite anterior tinha sido cansativa. Muitos obstáculos na estrada obrigaram homens e mulheres a ajudar os carroceiros ciganos a liberar passagem para os veículos de tração animal. Varamos madrugada adentro buscando uma clareira para o repouso, longe da estrada, longe de problemas e patrulhas. Tião Capoeira não conhecia bem aquela região e seus guias ciganos pareciam não saber mais para onde seguir quando acabou a luz no céu. A noite era escura e de céu sem estrelas. Nada ajudava. O resultado do cansaço coletivo era aquele. Eu zanzando entre os irmãos adormecidos. Não encontrei Daiana com os olhos. Os ciganos sempre dormiam afastados, mas era possível ver a linha de fumaça subindo de sua fogueira. Contudo, naquela manhã não havia fogueira alguma. Tomei uma picada estreita achando ter ouvido murmúrios. Queria Daiana. Minha amiga de viagem. Meus pés descalços percorriam o barro frio e umedecido com a geada. Comecei a correr pela picada. Alguma coisa me dizia que Daiana estava por ali. Lembrei das palavras da minha amiga, da repetição da tristeza não só dela, mas como a do Kaku. Cheguei numa beirada de barranco. As carroças pintadas de Cinzano e seu bando iam longe, pareciam pontinhos perdidos no breu que ia aos poucos se desfazendo com a alvorada. Meus olhos encheram-se de lágrimas. Ela tinha fugido! Ela tinha-me deixado e ido embora! Ela não queria ser amiga de uma negra fugida. De uma negra escrava. Escorreguei num trecho inclinado e deslizei na lama. Bati a cabeça e comecei a chorar. Tudo doía. Sobretudo meu coração de menina. Tinha levantado meu peito, apoiando o corpo leve e infante nos cotovelos. Passei a mão na dobra da costura onde deixava sempre minha jóia preciosa. O anel estava lá. Preso comigo. Meu pequeno tesouro cativo. Tentava levantar quando ouvi o disparo vindo de longe. De trás. Tinha sido lá no acampamento onde todo mundo dormia. O capitão-do-mato! Só podia ser ele! O capitão-do-mato tinha achado a gente de novo! Ou era o exército. Os agentes da Corte que viravam as matas, tentando abafar os centros de revolucionários. Voltei devagarzinho, quase rastejando no chão enlameado. O sol subia rápido e a luz do dia ia ganhando força. O manto da noite se desfazia e as poucas estrelas que por encanto brindaram aquela aurora desapareciam conforme a algazarra dos pássaros aumentava. Eu tinha medo naquele instante. Outra vez meu peito de criança pulava. Era a violência que tinha chegado. Era o senhor da fazenda. Era uma mão pesada para me bater na orelha e mandar-me apanhar água quando teimava em brincar no terreiro com os menores. Respirando depressa e tremendo fui chegando pela picada até conseguir ver. Tião Capoeira em cima do cavalo branco, com cara fechada e carranca formada, brandindo fuzil e gritando com os irmãos. Um bando de brancos e mulatos que eu nunca tinha visto ajudavam Tião a prender em correntes os irmãos que até então auxiliava na fuga. Eu não entendia o que era aquilo. Eu não entendia o que estavam fazendo. Por que o Capoeira estava ajudando? Só quando cheguei na nova fazenda na divisa de São Paulo minha mãe me contou. Tião Capoeira tinha traído a gente. Tião Capoeira tinha roubado a gente para vender-nos para outro dono. Tinha-nos iludido. Foi a primeira vez que a palavra ilusão entrou na minha vida. E se contei com tantos detalhes esse evento, acreditem, essa traição marcou demais o meu espírito. Nunca esqueci desse traidor, desse maldito animal que vendeu o próprio sangue para os homens do poder. Em mim gravou-se a lição de que o semelhante, por mais belo e interessado, pode, num piscar de olhos, num aceno de ouro, virar nosso carrasco.

Um silêncio desconfortável tomou conta da sala. Era informação demais para uma hora e meia de prosa. Ainda mais que o testemunho vinha da boca de quem supostamente tinha assistido aquilo. Mais que assistir, Calíope tinha vivido aquela situação, vivido aqueles dias. Vivido um drama ocorrido com um bom tanto de negros africanos. Ela tinha estado lá naqueles dias. Estivera viva depois, quando chegou a Lei do Ventre Livre, meio século mais tarde, a Lei Áurea. Calíope tinha assistido a libertação do escravos. Tinha vivido a miséria das primeiras décadas, a segregação, a discriminação. Calíope era uma jóia rara, Calíope era um tesouro de valor Histórico incomensurável.

Delvechio engoliu a seco. Certos detalhes da narrativa eram ricos demais para terem sido meramente inventados, assim, num estalo. Ela poderia ser uma falsificação, claro. Era mesmo uma vampira, mas podia estar mentindo a respeito de sua idade, essa biografia brilhante e cativante, vampiros eram seres que ludibriavam as presas, ela podia estar justamente fazendo isso, encantando a todos do outro lado do balcão. Mas o fato dos ciganos já presentes no Brasil, pouca gente conhecia esse pormenor. A revolução malê e a história de que uma mulher, uma traidora tinha dado com a língua nos dentes antes da hora, os negros mina, o episódio do navio com deportados considerados perigosos para a Corte, tudo isso batia. Só um estudioso de História conheceria tudo aquilo. Delvechio poderia até opor-se aqui ou ali, mas ele mesmo tinha visto Inverno voltando à vida. Inverno, o vampiro que tinha mais de quinhentos anos e tinha tanto conhecimento tal e qual Calíope. Pela primeira vez Delvechio teve pena daquele vampiro. Quantas histórias Inverno não teria para contar? Quantas coisas o demônio de gelo não teria visto? Delvechio começava a lamentar a perda de preciosidades como aquela. Eram monstros, sim, mas presos como a vampira negra à sua frente, acorrentados, seriam inofensivos e de infinita valia.

— Prossiga, Calíope. — ordenou Brites, sério e de olhos concentrados na vampira. — O que aconteceu então?

Calíope respirou fundo.

— Fomos levados para a Fazenda São Jorge, vendidos a um novo senhor e um novo feitor, um mulato, ironicamente, de nome Clemente, cuidou em nos instruir nos sistemas de castigos aos escravos da fazenda. Acredito que não seja necessário detalhar a violência e a perversidade desses métodos. A adaptação do grupo de Diamantina com os cativos de São Jorge não foi das mais fáceis. Os machos são sempre machos, independente da raça e do credo querem mostrar quem é o dono do território, sempre. Diante da nova realidade e da frieza do dia-a-dia os ânimos foram aos poucos se amainando e o choro foi espaçando. Os anos passaram e minha mãe caiu doente. O vislumbre da liberdade tinha queimado seu peito duas vezes. Na manhã em que embarcara para a deportação, tendo de abandonar o navio para ter cuidados e me trazer ao mundo e essa tristeza atassalhou mais fortemente quando abandonamos a fazenda Diamantina em companhia do traiçoeiro Tião Capoeira. Minha mãe estava tão certa que viveria liberta e que me daria um futuro um tanto menos amargo quanto à vida que teve, que ficou praticamente cega por conta da esperança e surda às intrigas levantadas pelos outros fugitivos. Só interessava afastar-se de Diamantina, afastar-se das correntes da escravidão e do tronco do feitor. Clemente não entendia de tristeza e naqueles tempos não se falava em depressão nem em distúrbios da alma. A devastação mental de minha mãe foi tamanha que nem seu senso de autopreservação funcionava. Não acudia aos meus pedidos para que se levantasse, que trabalhasse para não sofrer torturas. Ah, senhores, e que torturas aquele satanás mulato perpetrava. Arrastava Ana Maria pelos cabelos até o terreiro. Atava os punhos da minha mamãe ao tronco e descia o chicote uma vez atrás da outra esbravejando, babando, vociferando e exigindo que a negra voltasse ao trabalho. Chamando-a de imprestável de inútil. Eram sessões sórdidas, assistidas em silêncio por todos os irmãos. Se tinha uma hora que o velho Clemente não se incomodava com a imobilidade dos escravos era quando estava dando um dos seus corretivos, seus espetáculos de selvageria. Terminava pingando de suor. E aturdido. Sim, eu via que o filho de uma égua estava pasmo e besta por esgotar suas forças nas costas de minha mãe sem que uma lágrima caísse, sem que um lamento fosse pronunciado sem que um berro de misericórdia retumbasse. Foi no meio de um desses espetáculos de terror, assistido pelo coronel Galdino, senhor de todo o cafezal da fazenda São Jorge, e alguns convidados que tinham chegado ao entardecer para comprar escravos, que vi a primeira vez dom Braga. Ele se destacava dos demais por sua roupa alinhada no seu corpo magro e alto. Era o mais alto entre os senhores. A pele branca, européia, luzia o clarão da fogueira que iluminava o terreiro, as lentes de seus óculos redondos tinham ficado vermelhas amareladas, imitando as chamas da fogueira. Este homem não me marcou por sua aparência. Marcou-me por seu ato de clemência. O feitor estava em outro festival de espancamento, não bastando chicotear minha mãe, ele agora chutava as costas da negra caída, desmaiada, sangrando. Eu gritava ensandecida. Mesmo sendo tão nova, contando naquele dia com nove anos, se eu tivesse uma faca teria enfiado no peito do maldito. Então, como um bom anjo intercessor, dom Braga destacou-se dos homens e agarrou Clemente pelos ombros. O mulato virou-se irritado e com os olhos injetados.

— O que é isso, senhor? — gritou, colérico.

Dom Braga olhou para minha mãe caída. Vendo as mãos da negra castigada tremendo, suas pernas movendo-se em espasmos, ele aproximou-se do tronco e puxou as tiras de couro que a prendiam ao castigo.

O feitor procurou os olhos do patrão Galdino. Clemente não entendia nada.

— Não toque na negra! — bradou o carrasco. — Não terminei a correção! Ela tem de servir de exemplo para essa cambada preguiçosa!

— Chega! — gritou dom Braga, movendo-se na direção do bandido. — Chega!

O português foi parco com as palavras, mas transbordava energia e significado.

Clemente, assustado com a poderosa ordem, recuou dois passos.

— Essa mulher sofreu demais!

— Ela é uma preguiçosa, imprestável que não quer mais sair da cama! É mau exemplo pra minha negrada.

Aproveitando a rápida confusão, Naná e outros amigos arrastaram o corpo desfalecido de minha mãe. Eu tardei um pouco no terreiro. Primeiro, gravando na minha memória o rosto daquele bom anjo e, depois, olhando duro para o feitor Clemente e jurando vingança contra o carrasco.

As semanas seguintes se passaram sem que o feitor molestasse mais minha mãe. A pobrezinha, cada vez mais magra e cadavérica, recusava comida e incentivos para caminhar nas horas de sol. Quantas noites não passei acordada, chorando e assistindo minha mãezinha definhar. Quantos panos não ensopei nos suores que brotavam da têmpora de Ana Maria, acompanhando suas madrugadas de calafrios? Perdi as contas. Não havia remédio para aquele mal. Se existisse algum, por mais caro que fosse, eu teria dado um jeito. Quantas vezes não pensei em vender meu único tesouro material, o meu anelzinho de ouro dado por Daiana. Se uma boa alma pagasse um bom valor, poderia comprar a alforria de minha mamãe e se o senhor Galdino tivesse clemência e fé me deixaria tentar alcançar mais uma vez Salvador em busca do santo Doutor Rodrigo. Não tive tempo. Certa noite minha mãe levantou o braço esquelético e me acenou, chamando-me para seu colchão de palha.

— Oh minha Ondinha, princesinha das ondas, reza para Iemanjá te salvar porque tua mãe Ana não te salvou. — disse, passando a mão no meu rosto. — Mariana, Mariana, minha doce ondinha que canta com voz de anjo. Canta pra mamãe agora, canta. Vosmecê vai fazer meu caminho muito mais gostoso. Minhas lembranças nunca vão esquecer de seus olhinhos, não importa quão longo seja o caminho do lado de lá. Vou sempre te amar, minha ondinha.

Estávamos as duas num cômodo grande e escuro, com cheiro azedo, por culpa do suor que empapava as roupas da doente, suor vindo com a febre que não ia embora de jeito nenhum. A senzala desprovida de janelas não deixava o cheiro da morte fugir do nosso redor.

A cativa ficou calada novamente, com os olhos brilhando e marejados. Ela lutava para não derrubar as lágrimas.

— Ah! Se estivéssemos em Salvador, eu correria até o doutor Rodrigo. Mesmo que ele estivesse caindo de bêbado numa das vendas. Mesmo que ele dissesse não. Eu teria levado doutor Rodrigo até minha mãezinha e ele teria protelado o inevitável. Eu tinha nove anos quando minha mamãe partiu de nosso mundo para o outro lado do manto. E estou certa que foi melhor não ter encontrado doutor Rodrigo nenhum, foi melhor não ter protelado nada, porque é certo que do lado de lá foi bem melhor para minha mãezinha do que o lado de cá jamais seria. É impossível existir dois infernos, não acham?

A pergunta da vampira ecoou sem resposta. Calíope tinha o rosto pesado e um fio vermelho riscou seu rosto mostrando uma lágrima genuína. Ela tentou mover a mão para secar a lágrima, mas os fios prateados que prendiam seus membros detiveram o movimento automático.

Inesperadamente foi o capitão Brites quem se levantou e, tirando um lenço do bolso da calça, caminhou até perto da vampira e limpou seu rosto. Brites ficou calado na frente da vampira contemplando seus olhos castanhos iluminados. Dois sóis quentes, que convidavam a vítima para a perdição certa e, mesmo que quem encarasse aqueles olhos hipnóticos e sensuais soubesse que cairia dentro de um poço sem fundo nos próximos segundos, era capaz de dar os passos certeiros e se atirar sem vacilo à danação.

— Eu lamento por te fazer lembrar essas coisas, vampira. — murmurou Brites, finalmente conseguindo piscar e afastar-se da perigosa cativa.

O capitão ainda caminhava de volta ao assento quando a voz morna e envolvente da vampira o deteve.

— Não lamente, capitão de Exército. Eu ainda não terminei de contar minha história.

Brites virou-se para a vampira e viu um sorriso na face da mulher. Ela tinha vingado a morte da mãe. Só podia querer dizer isso com seu último pedido seguido daquele movimento dos lábios. Brites baixou a cabeça um instante e voltou até sua poltrona.

— Aquela tarde o feitor avisou o senhor da São Jorge que minha mãe estava morta. Os mais próximos foram liberados para preparar o sepultamento de minha progenitora. Meus amigos de senzala juntaram o pouco que tinham, um porco do seu Toninho, dois sacos de milho da dona Cezinha, negro Claudino e tio Anastácio trouxeram todo o feijão que tinham colhido e dona Naná que, de domingo, vendia os cestos que fazia nas vendas do povoado me deu quatro moedas. Pus tudo isso na carroça com o corpo da minha mãe e juntos partimos para o vilarejo ter com o vigário. Era preciso pagar para que ele encomendasse a alma de uma negra escrava, mesmo que batizada. Também era preciso pagar na prefeitura para velar e colocar o corpo de minha mãezinha no cemitério dos cristãos.

— Você disse que eram ainda escravos, como seus amigos de senzala tinham bens para ajudar a custear as exéquias? — interveio o capitão.

Delvechio remexeu-se na cadeira, posto que sabia a resposta. Ia falar quando a vampira retomou a palavra.

— Éramos escravos, sim. Mas como já disse, capitão, aqueles eram tempos difíceis dentro e fora da senzala. Com o contrabando de negros escravos proibido, os oceanos vigiados por forças da Inglaterra, era cada dia mais caro e complicado conseguir escravos novos. As fugas em massa não eram novidade e os senhores do café acabaram forçados a pequenas concessões na busca inútil de manter os negros cativos em suas fazendas. Algumas concessões eram justamente dar um pedaço de terra para cada escravo dentro de suas fazendas e fornecer sementes e insumos para que os escravos tivessem suas próprias e modestas plantações. As mulheres podiam tecer e produzir todo tipo de artesanato até onde suas habilidades alcançassem. Para alguns eram dados porcos e galinhas para se ocuparem com suas criações.

— Dessa forma — emendou o professor Delvechio. — Os cafeicultores imbuíam os escravos com uma sensação de perda caso quisessem fugir ou abandonar a fazenda. Tinham porcos, podiam vender a carne, podiam melhorar a comida, ocupar-se com suas parcas posses. Tinham plantação própria e não só a plantação do senhor. Sentiam-se prosperando, melhorando de vida.

— Curioso. — tartamudeou Brites.

— Dessa forma, com a ajuda de meus amigos, consegui cobrir as despesas fúnebres de minha mãe. As exéquias foram cumpridas e ao voltarmos na tarde seguinte a casa-grande encontrava-se em festa. O coronel Galdino, proprietário da São Jorge, mandara chamar quase toda a cidade para celebrar o ingresso de seu filho Mariano na faculdade de agronomia do Estado de São Paulo. Enquanto a senzala dormia de luto, há poucos metros a alegria embriagava boa parte dos senhores dos arrabaldes de Belo Verde. Mergulhada em profunda tristeza e desespero pela falta de minha mãe ao meu lado naquela primeira noite em nossa acomodação, fui pega por uma tremedeira incontida que me deixou insone. Já passava de uma hora da manhã quando me dei conta que estava vagando pela estrada de terra que levava à cidade. Estava tão atordoada. Só sabia que não queria estar longe de minha mãe, não queria estar perto de festejos. Caminhei, a princípio achando que estava sem rumo, mas quando dobrei a quadra atrás da igreja, cercada por ruas desertas e o silêncio do povoado, me dei conta que com mais alguns passos meus pés de menina de nove anos chegariam ao cemitério.

O portão sem correntes não foi obstáculo para meus braços magros. Vaguei com lágrimas caindo dos olhos até encontrar o túmulo de minha mãe. Apenas um ramalhete de cravos enfeitava a cruz de madeira, pintada de cor de rosa. Na cruz o nome da mulher que me pôs no mundo, dentro de um navio, balançando no mar, que me chamava de Ondinha, que me chamava de Iemanjá. Ajoelhei na terra fria e comecei a prantear minha mãezinha. Não sei quanto tempo chorei, não sei se dormi ou se sonhei. Sei que voltei à consciência, ao estado de alerta quando ouvi passos a minhas costas. Fiquei dura como pedra e fria como o gelo. Passos no cemitério! Seria um fantasma? Tive medo de me virar e me deparar com uma alma penada. Choramingava por minha mãe, pedindo proteção.

— Calíope? — chamou a voz a minhas costas.

Tremendo e muito assustada sentei-me e me virei. Fiquei toda arrepiada. No meio do corredor formado por cruzes e sepulturas ele veio caminhando. Minha visão ficou turva e a respiração difícil por causa do terror crescente. Ele era um fantasma de pele pálida e de olhos cor-de-mel. A luz vinda da lua era a segunda reflexão do sol até chegar a mim. Era pálido, alto e magro. Um fantasma em trajes nobres me estendeu a mão. Eu amoleci e voltei à terra, caindo morta. Era o que eu pensava. Não sei quanto tempo durou meu desmaio, mas acordei afastada da cidade. Quando lembrei do encontro com o fantasma, sentei-me rapidamente e abracei minhas pernas. Eu estava debaixo de uma árvore. Ainda era noite. E o homem fantasma continuava ali perto. Ele estava a coisa de dez metros de distância, de costas, olhando para o céu. Tive vontade de levantar e correr. Mas não tive coragem o suficiente. Ele se virou e sorriu para mim. Um sorriso franco e paterno.

— Que bom que acordou, Calíope.

Agora, um tanto menos atordoada e tensa, menos impressionada e sem tonturas, reconheci sua face e enrubesci por tê-lo tomado por um fantasma.

A vampira sorriu novamente enchendo o monitor com sua bela expressão. Ela inspirou e novamente voltou à narrativa.

— Era dom Braga, freqüentador de muitas casas de senhores de cafezais, o defensor que tomara o chicote da mão de Clemente e interrompera o castigo de minha mãe. O fidalgo ia muito à fazenda São Jorge para os saraus e encontros noturnos. Era um português cordial com todos e inclusive com os criados e escravos. Falavam tantas coisas de dom Braga que ele nem parecia ser um homem só. Era pacífico, mas de um olhar profundo e avassalador. Diziam que era bem relacionado na Corte, nos clubes de Comércio e um ótimo auxiliar nos assuntos de exportação. Havia rumores de que ajudava muitas escravas e alguns escravos, diziam que todo ano, no mês de outubro, esse homem comprava e alforriava dez negros. Não bastasse dar a liberdade, conseguia-lhes emprego e moradia e um pedaço de terra. Como pude eu confundir tão boa alma com um fantasma? Talvez fosse a falta dos óculos redondos que sempre vinham pendurados sobre o nariz, velando seus olhos.

Ele se achegou e pousou um joelho no chão, ao meu lado. Passou a mão no meu cabelo crespo sujo pelo contato com a terra da sepultura.

— Calíope... Calíope... tão pequena. Tão bonita. Não chore, minha filha. Não chore.

Sua mão fria tocou minha testa e depois meus ombros. Ele me abraçou.

— És uma criança. Não hás de ficar desamparada. Vamos combinar uma coisa?

Ergui meus olhos para o homem sentindo-me menos angustiada.

— Tomar-te-ei como minha afilhada. Quando precisares de mim, cá estarei para te ajudar. Combinado?

Eu balancei a cabeça concordando. Dom Braga levantou-se e caminhou até a estrada e olhou para o horizonte.

— Logo amanhece. — eu lhe disse.

Ele se virou para mim e sorriu e estendeu a mão.

— Vem, anda ao meu lado, afilhada.

Começamos a caminhar. Fazia anos que não andava de mãos dadas com um homem. Uma menina que cresce sem a figura do pai por perto sonha sempre em encontrar um alguém que possa preencher esse vazio, mesmo que esse alguém tenha a mão fria como o gelo.

— Eu já te vi um dia. — disse o senhor.

— Eu me lembro, senhor Braga. E agradeço sua bondade.

— Não agradeça, menina. Não fui o bastante para salvar tua mãe do feitor. Mas não te desesperes, pequena negrinha. Não te desesperes. Um dia te ensinarei um truque ou outro com os quais hás de aborrecer um bocado esse bandido.

Ergui a cabeça e não sabia se sorria, se chorava nem mesmo o que dizer ao estranho dom Braga.

Ele parou e sorriu novamente.

— Se meu bom amigo dom Fernando estivesse aqui e tivesse visto a cena que aquele estúpido de má índole perpetrou, ah! menina, aposto que tu estarias rindo até hoje do infeliz destino do feitor. Dom Fernando não suporta abuso contra os negros. É um bravo defensor da tua gente. Teria arrancado o couro do mulato até que os ossos brancos e brilhantes ficassem expostos, um a um, no meio daquele terreiro.

— Você pode escrever para ele. Dizer o que o Clemente fez com a minha mãe? — interpelou a menina, chorosa.

O alto e esguio sujeito parou mais uma vez a caminhada e postou cortesmente um joelho à frente da menina ficando quase de sua altura.

— Doninha Calíope, bem eu queria poder mandar uma carta ao meu bom amigo Fernando. Mas nem ele nem seus irmãos do Rio d'Ouro podem ouvir nossos apelos agora. Estamos por nossa conta, sabe? Mas estamos bem, doninha Calíope, acredite em mim. No dia em que os ouvidos desses demônios voltarem a nos ouvir será um dia antes do juízo final. É melhor deixarmos como está. — o português de pouco sotaque caminhou mais um tanto em silêncio e passou a mão na cabeça da jovem negrinha. — Já te disse que tua voz é encantadora?

Diante a pergunta balancei a cabeça negativamente. Nunca nenhum homem tinha dito que minha voz era bela.

— Ela ficará mais linda ainda, Calíope. Ficará mais linda ainda.

Dom Braga me fez companhia até a vila quando, num piscar de olhos, o perdi de vista. Procurei pelos quarteirões que começavam a acordar para a vida, com janelas sendo abertas e o cheiro dos fornos assando o pão do começo do dia iam infestando o ar. Galos cantando, cachorros ladrando atrás das poucas traquitanas que começavam a circular para o trabalho matutino. Na fonte da praça central lavei meus cabelos, braços e pernas e pus-me a caminho da fazenda. Se o feitor Clemente não me encontrasse para carregar o fubá para a casa-grande eu estaria em apuros. Com a chegada da luz do sol e as palavras de dom Braga ressoando em meus ouvidos um tiquinho da tristeza foi removida. Minha mãe estava morta e não havia mais nada que eu pudesse fazer a respeito. Só de uma coisa eu sabia, não morreria escrava dentro de uma fazenda de café. Não morreria esquecida numa senzala.

Os anos passaram-se e a figura bondosa e imutável do amigo dom Braga era tão rara quanto os dias de alegria na fazenda São Jorge. Os comentários acerca de suas excentricidades aumentavam a cada visita. Havia até quem se benzesse à passagem do abastado português. Quanto a mim, algo tinha mudado. O olhar dos homens da senzala percorriam minha passagem. Eu provocava o inverso do português. A mim os olhos queriam. Eu, uma menina ainda, mal chegada aos meus quatorze anos, ainda não interpretava direito toda aproximação cheia de sorrisos e gentilezas dos rapazolas da senzala. Alguns eram velhos amigos da fazenda, que passaram a dar mais atenção para a menininha órfã. Outros eram os rapazotes que cessaram as brincadeiras pueris e ficavam às vezes engasgados quando queriam me dizer coisas. Falavam de namorar, de beijos escondidos e de andar juntos, com mãos dadas. Foi Naná e tio Anastácio que começaram a ralhar. A velha amiga me instruiu de alguns fatos e passei a tomar mais cuidado com minhas vestimentas e meus modos de criança que virava moça. — Calíope cessou um instante abrindo um sorriso ainda mais largo. — E para minha surpresa foi seu Mariano, doutorzinho, que tinha abandonado a faculdade de agronomia para vir socorrer os negócios do pai, mais um dos que deixaram os seus olhos verdes mais de um instante em cima de mim. Uma vez, o rapazote de pele clara, cabelo escorrido e escuro e nariz pontudo me acompanhou com as janelas da alma por mais tempo do que devia e tropeçou numas cabaças esparramadas no terreiro. Eu continuei carregando o latão de água na cabeça em direção à cozinha da casa-grande enquanto ele se levantava sem jeito, cercado por escravos que riam desbragadamente, e um mais sem-vergonha e impetuoso fazia comentários ácidos acerca da distração do terreiro.

Mais dois anos passaram-se e coincidiu com a chegada à fazenda São Jorge uma tal velha negra Pagô, que era também chamada de negra benzedeira, o interesse do doutorzinho aumentar de um tanto, que deve ter sido difícil a ele suportar sem nada fazer, posto que foi nessa época a primeira vez que o doutorzinho me dirigiu a palavra em particular. Ele foi me procurar na beira do rio, quando eu levava uma trouxa de roupas da senzala para a Naná dar conta com sobras de sabão de gordura da fazenda. Esperou até que eu estivesse sozinha no caminho, o que não é coisa fácil. E chegou calado, primeiro começou a andar do meu lado.

— Tá pesado?

— Tá não, senhorzinho. Eu agüento.

Andamos mais vinte metros e ele calado.

— Eu levo para você, Calíope. Posso ajudar.

Espantei-me por dois motivos. O primeiro e mais importante: jamais os brancos faziam gentilezas para as escravas sem que quisessem algo em troca. Mesmo sabendo que o interesse do filho do coronel era em minha formosura, no meu viço, o comum naquelas épocas e paragens é que chegassem brutos e me obrigassem a agradá-los de qualquer maneira. Mas, não. Mariano não tinha sido bruto, não tinha empostado a voz para dar uma ordem ou uma bronca. Mariano tinha sido gentil e cavalheiro ao se oferecer a carregar meu fardo. E o segundo e mais surpreendente, o que fez meu coração adolescente bater acelerado, foi que ele me chamou pelo nome, ele conhecia meu apelido. Tinha dito Calíope.

— Não carece não, doutorzinho. Não precisa se sujeitar a carregar as roupas da senzala, roupa suja de crioulo.

— Eu mando outro negro levar pra você.

— Já disse que eu agüento. — insisti, virando o rosto com um sorriso.

Mariano parou imediatamente, como se tivesse sofrido um ataque. Virou uma estátua por uns instantes. Fiquei assustada e meu sorriso foi murchando enquanto eu olhava fundo nos belos olhos verdes do rapaz. Ele tentou dizer alguma coisa e a voz ficou fina e entalada na garganta. Um calor repentino explodiu no meu estômago e subiu queimando minhas faces. Ele estava parado, me admirando! Ele me achava linda! Só podia ser isso.

— Ca... Calíope... meu Deus! Nunca tinha visto... como seus olhos são lindos. São tão, tão diferentes dos olhos das outras negras.

Meu sorriso voltou, mais largo ainda. Eu não sabia o que dizer. Meu rosto queimava, minha barriga queimava, minhas mãos começaram a tremer.

— Minha mãezinha Ana Maria, Deus a tenha, dizia, senhorzinho, que tenho os olhos assim de tanto olhar para as estrelas enquanto atravessava o mar na noite em que eu nasci.

Continuamos andando. Agora quem sorria era ele.

— Você nasceu no mar? Quer dizer, no mar aberto?

— Sim, senhorzinho.

— Aposto que num navio negreiro, não foi?

— Oxê, homem estudado feito tu deveria saber fazer aritmética melhor que qualquer um aqui.

Ele parou de repente e ficou com cara de sem graça. Não tinha entendido minha resposta maldosa.

— Quando nasci, senhorzinho, em 1830, os ingleses já tinham proibido os portugueses de irem caçar mais gente preta do outro lado do mar. O senhor sabia, não sabia?

Ele sorriu feito bobo.

— É que quando fico perto de você, Calíope, eu perco a inteligência e o juízo. Fico pateta.

Ri gostoso com a declaração do garoto. Eu, bobinha da idade, tinha sido desarmada pela docilidade do filho de um dos homens que eu mais odiava. Quando a imagem do senhor Galdino veio à minha mente, logo veio também a imagem do feitor Clemente e depois a assombração dos braços esqueléticos de minha mãe agonizando na senzala. Meus olhos marejaram e arderam de um jeito insuportável. Eu não queria, mas comecei a chorar um instante depois de ter dado risada, voltando a andar rápido na direção do rio. Estava perto de Naná, posto que já ouvia o bater repetido do pilão movido à queda d'água. Ele agarrou meu braço e eu desequilibrei a trouxa que foi ao chão.

— O quê?

— Me larga, doutorzinho! Me larga!

Ele obedeceu e se afastou alguns passos voltando a me encarar.

— O senhorzinho não pode achar meus olhos bonitos. Sou escrava. Sua gente não gosta de minha gente. Teu pai e o feitor desse inferno só nos faz esfolar. E um dia será o senhorzinho o dono disso tudo e dono da chibata que arranca o meu couro e o couro dos outros irmãos.

Notei que os olhos dele também estavam vermelhos.

— Sei como meu pai trata o seu povo, Calíope. Mas queria que com você fosse diferente. Não posso tirar todos dessa vida ruim que levam, vida de presos... de maltratados, mas posso ser bom para você.

— Não! — gritei, juntando a roupa dos negros mais uma vez e tornando a equilibrar na cabeça.

Ele ficou parado na estrada me olhando ir.

O capitão Brites pigarreou, interrompendo a mulher.

— Senhora, por favor, pule esses comentários românticos. Quero saber como você se tornou o que é? Em que ano foi isso? Quais as condições dessa infecção. Se puder saltar suas estripulias amorosas e românticas, seria um favor que prestaria a essa mesa.

Calíope, novamente com lágrimas vermelhas descendo a face encarou o capitão do Exército, seu rosto transmudou-se do ar de quem rememorava para uma carranca fechada.

Delvechio prendeu o ar notando a mudança no olhar da vampira. Ela tomara aquele comentário de Brites com uma ofensa profunda. Ela emanava um sentimento tão forte pelos olhos que Delvechio juraria ser capaz de tocar a luz que irradiava de sua íris bem como o ódio que preencheu o espaço daquela sala de interrogatórios.

— Desculpe, capitão, mas devo discordar. — interferiu o professor. — Rogo-lhe, Calíope, não nos poupe de nenhum detalhe. Sua história é rica demais para ser desconhecida. Cada momento, cada batida de seu coração que será para nós como colher uma pepita de ouro, uma lágrima da Santa Sara, como mesmo você nos brindou ainda há pouco.

Brites fuzilou o professor com um olhar e começou a se arrepender de ter chamado o especialista para aquele interrogatório. Delvechio estava virando uma pedra no sapato.

— Se quer saber quem eu sou e como tudo se deu, capitão, terá de escutar a história de Calíope e Mariano. Está tudo interligado.

— Tenente Brites... eu suplico que a deixe falar, está sendo tudo gravado. Não existe dinheiro que pague esse testemunho que a cada segundo se torna mais e mais verídico e digno de toda a consideração.

— Não sou mais tenente, professor, sou agora capitão. Suas considerações como especialista extra-oficialmente convidado pelo Grupo de Operações Especiais deverão ser elaboradas e levadas em conta ao final do depoimento da suspeita, professor. Por ora limite-se a ouvi-la e a me obedecer.

— Desculpe. Não sou homem dado a patentes e procedimentos militares, mas, por favor, perceba o tesouro que temos à nossa frente. Rogo que ouça cada palavra, cada minúcia. Essa mulher, essa vampira....

— Infecta, professor, infecta.

— Como queira... — o professor estava exaltado, passou um lenço em sua testa e fitou Calíope apontando-lhe o dedo. — Ela viveu e viu tanta coisa. Pode jogar luz em tantos fatos que eu nem sei por onde começar. Se ela...

— Se ela fala a verdade. — completou Brites.

Calíope arregalou os olhos e fitou Brites com raiva. Deixou seus dentes mais longos ainda e grunhiu, fazendo os homens afastarem-se da mesa.

— Ela fala a verdade, capitão! Ela fala! — berrou Delvechio. — O levante malê, a convivência dos ciganos nos campos, até a história da entrega dos planos de uma negra de senzala para um padre, tudo isso bate, capitão. Tudo isso bate com os poucos e fracos escritos que temos em nossas bibliotecas e museus... os modos, os nomes, não vejo como não enxergar verdade nas palavras de Calíope! — gritava o professor, ficando de pé e aumentando a voz a cada palavra proferida.

— Meu bom professor, esses homens irão me incinerar no primeiro raio de sol. — disse Calíope em tom de súplica, lançando sua voz sedutora aos ouvidos do homem. — Vão me jogar ao fim como feitores de senzala. Meu bom professor, nos dias de hoje não existem cavaleiros montados em cavalos que queiram proteger donzelas.

Delvechio parou de se debater contra o soldado que o empurrava em direção à sua cadeira e olhou-a fixamente. Seus olhos mergulharam nos poços castanhos e luzidios que enfeitavam o rosto da mulher mais linda que ele já tinha visto.

— Não! — gritou Delvechio, com tanta ira que espantou a todos. — Não podem queimá-la! Não vão queimá-la!

— Ela é um demônio, professor. — disse Brites, levantando-se calmamente. — Uma infecta que, se liberta, transmitirá esse mal sei lá para mais quantos pobres seres humanos.

Inesperadamente, Delvechio pulou a bancada que separava a entrevistada dos entrevistadores e correu para o aparato que prendia a vampira. Enfiava seus dedos nos elos e nas catracas de prata que prendiam as mãos da vampira.

— Fuja, Calíope! Fuja, meu anjo! — berrava o professor ensandecido.

Calíope cantava baixinho, enchendo a sala com sua voz. As mãos de Delvechio tentavam soltar as travas das algemas de prata, mas ele não conhecia o equipamento. Calíope, quase imóvel, começou a sussurrar no ouvido do professor.

— Eles irão me matar, professor. Irão me matar como matavam as negras das senzalas.

Delvechio começou a dar puxões com toda sua força nas correntes, chegando mais perto de Calíope. Os dedos do professor começaram a sangrar em resultado de afoitos e desesperados golpes contra as garras.

O cheiro inebriante do alimento rubro subia pelas narinas de Calíope. Seus olhos cor de sol foram para vermelho mais intenso, enchendo a sala de um espectro escarlate. A vampira abriu a boca, separou os lábios carnudos e grunhiu baixinho quando o pescoço do professor chegou ao seu alcance. O movimento com a cabeça foi rápido e impossível de ser detido pelos homens que chegavam para conter o homem insano.

Brites levantou a pistola prateada na direção da cabeça de Calíope. Seu dedo roçou o gatilho. Os olhos em brasa e os lábios vermelhos da vampira sussurravam uma canção que entrava em seus ouvidos. Brites sentiu o estômago queimando de novo. Não conseguia olhar para a vampira sem sentir uma coisa no peito. Que mulher linda! Que mulher fantástica! Brites desviou a pistola de Calíope.

Um soldado empurrou Delvechio que tinha levado a mão ao pescoço.

Calíope calou-se. Nenhum sussurro. A luz vermelha que emanava de seus olhos voltou para o brilho castanho intenso de seus olhos cor de sol para finalmente apagarem-se deixando as íris frias e cinzentas. Sua pele pálida parecia a de uma estátua negra desbotada. Calíope ficou imóvel e fechou os olhos. Aquele corpo era frio e não tinha vida. Os presentes estavam diante de um cadáver encantado que agora sucumbia à imobilidade total.

O sargento que acompanhava o depoimento estava espantado, olhando para Brites que segurava a pistola, erguida na direção da própria cabeça, como se estivesse pronto para o suicídio.

— Capitão! — murmurou, em tom preocupado.

Brites baixou a arma e devolveu-a ao coldre. Apanhou o quepe em sua mesa e colocou-o na cabeça. Saiu da sala batendo a porta com tanta força e raiva que uma nuvem de poeira caiu do teto.

Delvechio, deitado no chão, tirou a mão do pescoço e sentou-se. Tremia dos pés à cabeça. A vampira não tinha lhe mordido a pele. Ainda tremia ao lembrar do contato erótico da língua fria e molhada da vampira roçando sua jugular. Calíope tinha apenas lambido seu pescoço, grudado seus lábios de forma intensa e chupado seu pescoço como uma namorada quente faz em seu namorado e arrematado com um suave beijo. A mancha vermelha que a princípio parecia uma ferida era um misto de batom com uma chupada de fêmea no cio. O professor levantou-se trêmulo e afastou-se, ficando o mais longe que pôde da vampira que continuava imóvel.

Delvechio se recostou na bancada e foi caminhando lateralmente até sair da sala. Ainda tremia quando chegou ao corredor, onde foi vítima de um novo susto. O imponente capitão dono de expressões severas e carrancudas levou a mão à sua garganta e comprimiu sua traquéia até que o professor sentisse falta de ar. Delvechio bateu a cabeça contra a parede e ficou imóvel, trêmulo e paralisado de medo. Os olhos injetados de Brites e as veias estufadas em suas têmporas atemorizavam mais do que o ataque recém-sofrido pela vampira.

— Nunca mais faça isso, professor Delvechio! Nunca mais se aproxime da infecta. — disse, entredentes. — Ela é uma vampira, é uma bruxa, igual ou pior do que aqueles sete infelizes que você tirou da caixa de prata.

Delvechio engoliu em seco.

O capitão soltou a garganta do professor, endireitou seus ombros e recompôs seu uniforme militar.

— O senhor é meu convidado e tem um trabalho a fazer, é só por isso que não o toco imediatamente daqui feito um cão sarnento e imprestável. Não vou pedir desculpas por minha aspereza, tenho de colocar ordem nesse caos todo. Esses infectos estão se espalhando, senhor Delvechio. Eles são uma doença. E sei muito bem que o senhor não vai ficar ressentido nem humilhado e enfiar o rabo entre as pernas e sumir daqui. Eu sei. O senhor é um professor de História e encontrou um tesouro vivo, sabe o quanto isso vale. Faça bom proveito. Dou-lhe mais uma noite com ela. Ao raiar do sol na próxima manhã ela vai para o pátio de incineração. Calíope é perigosa demais. Viu o que ela fez lá dentro? Colocou todos nós doidos com sua voz e com sua beleza. Sabe o que as sereias fazem, professor?

— Afundam navios e afogam marujos... — tartamudeou Delvechio.

— Exatamente, professor. Exatamente.

Brites apanhou o rádio da cintura.

— Levem a cativa para a cela. Esta prestes a amanhecer e ela caíra no sono dos infectos, não será mais útil por hoje.

Brites foi até sua sala de despachos. Sentou-se. Estava cansado, com sono e no fim de suas forças. Estava irritado, intrigado. Calíope era diferente de todos os outros vampiros que tinha visto. Ela era dona de um poder que nunca tinha experimentado ao deparar-se com outra cria. Ela conseguira cativá-lo, conseguira atravessar seu coração de pedra e tinha feito crescer nele certo apreço, compaixão por sua figura. Calíope, antes de ter-se tornado um monstro sanguinário e tomador de sangue, tinha sido uma menina que fugira de uma senzala nos braços da mãe, saltando do fogo para a frigideira. Dona de uma beleza incomum, tinha sofrido com os homens, tinha sofrido com os senhores e todas as agruras que os negros cativos puderam experimentar. Além de tudo, ela era magnética. Ela era linda. Brites comprimiu os olhos com os polegares, tirou o quepe e baixou a cabeça. A boca da vampira tomava sua imaginação. Os seios cheios e perfeitos despertavam sua volúpia. Ele sentia-se atraído pelo corpo da mulher. Ele queria abraçar aquela cintura fina e beijar a nuca longa e esguia e os lábios carnudos da mulher de pele negro-acinzentada. Era dona de uma morenice mórbida e magnética. Calíope era uma vampira. Brites esticou-se em sua poltrona de couro e abriu a gaveta de sua escrivaninha tirando uma garrafa de uísque e um copo. Serviu uma dose mirando a janela por onde os primeiros raios do amanhecer iam dando cor à sua sala privativa. Brites tomou um grande gole que desceu queimando sua garganta desacostumada com a bebida. Fazia tempo que não recorria ao seu cachorro engarrafado para lhe fazer companhia. Estendeu os pés sobre a mesa e cabeceou para a frente, quando os olhos fecharam. Estava exausto. Exausto. Sua luta para conter os infectos parecia não ter fim, seus dias não eram mais contados em horas. Precisava estar sempre disponível para o Serviço de Contenção até que todos os vampiros remanescentes de Sétimo e os novos encontrados fossem encalacrados. Não podia determinar quantos eram, uma vez que a vampira Calíope nada tinha a ver com Os Sete do Rio d'Ouro. O fato era que os vampiros existiam a centenas de anos e, com espetacular discrição, conseguiam zanzar entre os mortais, mantendo-se apenas como lenda, como criaturas que habitavam o inconsciente coletivo e as páginas de livros de terror. Mas agora seus olhos tinham-se abertos para aquela inquietante verdade. Quantos deles existiriam? Quantos mais teriam de torrar ao sol para impedir que o perigo de Sétimo se repetisse? O capitão levantou-se e foi até a janela. A manhã despontava no horizonte. Lançou um olhar para o galpão de contenção. Pegou o rádio no tampo da mesa. Ordenaria que a cela de Calíope fosse posta no quadrado amarelo pintado no chão e que o telhado fosse aberto. Ela era perigosa demais para continuar vivendo. Perigosa demais. Linda demais. Brites baixou o rádio. Suspirou fundo. Estava muito cansado e com muito sono para tomar qualquer decisão pensada. A cabeça doía horrivelmente. Talvez fosse melhor se recolher e dormir um par de horas para recompor seu vigor físico e mental. Era isso que deveria fazer. Não queria Calíope incinerada sem antes saber o fim de sua história. Sem antes admirar em segurança aqueles olhos castanhos cor de sol por mais algumas horas. Talvez, se ela estivesse bem presa, talvez pudesse, ao menos uma vez, beijar sua boca. Brites chacoalhou a cabeça e arremessou o copo contra a parede. Estava perdendo o juízo! Beijar uma infecta? Jamais! Quando perdia os sentidos afundando no gelo e na água podre do rio Pinheiros tinha recusado a ajuda de alguém que supunha ser um vampiro, só pelo fato de não admitir ser salvo por algum bicho daquela raça! Como agora podia sonhar, vislumbrar usar de seu poder para beijar algo repugnante? Uma infecta! Mataria Calíope, com sua própria pistola... mas não hoje, mas não agora.

Teria de escutar a voz sedosa da vampira uma vez mais. Queria conhecer a história de Calíope, saber como ela se tornara o que era. Com a compreensão absoluta da metamorfose, talvez houvesse uma chance mínima de trazer esses monstros de volta à humanidade. Talvez Calíope pudesse voltar a ser uma mulher apenas. Brites suspirou. Estava perdido. O capitão cruzou o escritório e fechou as persianas deixando-o escuro para um cochilo reparador. Deitou em um confortável sofá de couro e fechou os olhos. Ainda no meio de seu primeiro suspiro de relaxamento alguém bateu na porta.

— Pode entrar! — berrou, enervado.

A porta abriu com um rangido e um sargento adentrou. O sargento olhou o escritório escuro e viu a figura cansada do capitão deitada no sofá. Sabia que o capitão passara a madrugada toda colhendo depoimento de uma infecta. Andou até a frente de Brites. O capitão não ia gostar nada, nada do que tinha para ouvir.

— Prossiga, sargento Vieira. O que é agora?

— Problemas, senhor. — respondeu o homem, movendo a cabeça para o lado e vendo um copo de vidro estilhaçado e sentindo o cheiro de bebida no ar.

— Essa é a palavra que mais ouço nos últimos dias.

Vieira foi até a mesa do capitão e apanhou a garrafa.

— O senhor tem mais copos?

Brites sentou-se e endireitou a farda. Não era homem de grandes intimidades com os soldados de Quitaúna que o conheciam há pouco por conta de sua transferência do Rio Grande do Sul para Osasco, mesmo assim apontou um móvel do lado da mesa, mais precisamente um armário de arquivos.

Vieira abriu a porta e encontrou um jogo de três copos. Apanhou dois e colocou no tampo da escrivaninha do capitão.

— Acho que o senhor vai querer mais uma dose antes de sair dessa sala.

— Acho que eu vou dormir, isso sim. Não estou mais raciocinando direito. Estou exausto.

— A vampira que o senhor liberou no Terminal Rodoviário Tietê.

— Liguei para Diego de madrugada quando se aproximavam da barreira. O soldado conduziu a cativa aos soldados designados para transferi-la para Porto Alegre. Ela está com um time treinado do Serviço de Contenção. A uma hora dessas ela já está numa cela de prata, aguardando o embarque para cá.

Vieira encheu os dois copos e estendeu um ao capitão. Puxou uma cadeira e sentou de frente àquele homem que parecia ter envelhecido cinco anos nos últimos dois dias. Seu rosto reto e sisudo parecia ainda mais encovado, ainda mais duro.

— O curioso nessa história é que permiti que a infecta se evadisse da cidade meramente para entender seu *modus operandi*. Queria saber para onde e por que ela ia. Numa parada num posto de estrada ela ligou para os pais. A infecta queria retornar para casa... perda de tempo e de dinheiro. Quando ela chegar faça o interrogatório padrão e a coloque na fila de incineração, por gentileza. — pediu o capitão, recostando-se no sofá e fechando os olhos involuntariamente.

— Estava chovendo no Rio Grande, senhor. O microônibus deslizou na pista e caiu numa ribanceira.

Brites abriu os olhos e encarou o sargento. A voz do homem parecia vir de um pesadelo. O capitão ergueu o copo e parou no meio do gole. Baixou o copo e ficou olhando para o homem a sua frente.

— Eu... eu não estou entendendo, sargento. Estou cansado demais, acho que estou sonhando acordado... o senhor disse o quê?

— A situação estava controlada porque Diego levava o localizador dos soldados de Operações Especiais.

— A cativa fugiu?

— Segundo relatos de quem assistiu a partida do microônibus, o soldado se manteve algemado à infecta, para garantir sua custódia, mesmo dentro do veículo. Os demais soldados não sobreviveram e a vampira loba levou Diego com ela.

— Santo Deus! Diga que ela foi recapturada, por Deus!

— Com dados do terreno da equipe mais próxima de Barraquinha...

— Cerpa. Vocês mandaram o Cerpa, ele é o mais indicado, não tem o treinamento do Serviço de Contenção, ainda não tive tempo de treiná-lo e nem equipar sua unidade...

— Cerpa organizou uma emboscada numa ponte onde um desfiladeiro rochoso se formava e criava um terreno propício para a detenção da criatura, também tomou o cuidado de pedir reforços, um deslocamento do Serviço de Contenção estava a caminho.

— Graças a Deus...

— Calma, não é tudo senhor. — falou o sargento, tomando um gole do destilado antes de continuar.

CAPÍTULO 35

Horas atrás dois furgões verde-oliva, de vidros negros e cintilantes, corriam pelas estradas do interior do Rio Grande do Sul. O tempo tinha virado de uma hora para outra e não puderam seguir de helicóptero, contudo, o chamado do grupo de Barraquinha, informando que tinham localizado a provável rota de fuga da infecta Yuli não poderia ficar à mercê da melhora climática.

Os furgões jogavam a cada curva, deslizando na água da chuva. Os soldados do Serviço de Contenção, devidamente paramentados e trazendo armamento pesado e especial, seguravam-se nas alças dos furgões. Dois deles tinham terços nas mãos e rezavam, pedindo para que o espírito estivesse preparado na hora do combate. O local da barricada e do confronto com a fera que matara todos os amigos no microônibus estava chegando.

O motorista desviou abruptamente de um jipe civil que vinha na direção contrária. Xingou e gritou, virando o volante suavemente para retomar o controle sem girar no asfalto escorregadio. Ao que tinham dito fora assim que começara a derrocada do microônibus de escolta. Passado o susto, o motorista voltou a pisar fundo no acelerador, devolvendo o furgão aos perigosos cento e trinta quilômetros por hora.

O motorista tirou o pé da aceleração quando chegou uma nova curva. A pista estava estranha. Não era água ali adiante. Soltou o pé. Freou com cuidado. Os soldados no compartimento de passageiros ficaram alertas. Estavam próximos do ponto de descida. O motorista reduziu mais. Aquilo no chão era gelo! O furgão perdeu a tração e ao tentar manter o controle à frente guinou para a esquerda. Puxou automaticamente para a direita. O furgão se alinhou, mas deslizava para o lado.

— Cuidado! — gritou o motorista prevendo que não conseguiria parar suavemente.

Não ousou enfiar o pé no freio. Sabia que perderia totalmente a estabilidade. Manteve a mão firme no volante, fazendo movimentos milimétricos. O furgão reduzia a velocidade. Chegavam à boca da ponte, o destino. O caminhão do Exército atravessado, fazendo uma barreira. O motorista tentou puxar para a esquerda e então teve de frear. O furgão da dianteira rodou e o controle da direção foi para o quiabo. Bravamente e seguro, o motorista aguardou o momento propício e esterçou todo o volante fazendo o carro continuar de bico para a frente. Quando bateu no caminhão a velocidade já tinha reduzido o suficiente para não se transformar numa catástrofe.

O segundo furgão não teve tanta sorte. O motorista menos habilidoso bateu na lateral do caminhão, com mais violência que o primeiro e tombou de lado, parando no *guard-rail* da ponte. Para sorte dos soldados, o impacto não abalara a estrutura e o incidente acabou ali. O jovem tenente Tardelli desceu do primeiro furgão, ajeitou toda sua roupa e proteção e olhou para os homens dentro do veículo.

— Estão todos bem?

O motorista sangrava na testa, com um filete vermelho descendo pelo capacete. O restante deixou o veículo com facilidade.

— Estamos, senhor. Tudo em ordem.

— Que merda aconteceu aqui? — perguntou o soldado Pedrosa, ao pisar no chão coberto de neve.

— Tá parecendo coisa daquele capeta que gelava tudo. — rebateu outro.

— Fiquem atentos! — gritou o tenente, correndo para o segundo furgão, no qual um soldado lutava para abrir a porta que ficara para cima, de borco.

— Ajudem aqui! — clamou o tenente.

Os homens rodearam o furgão e foram auxiliando a saída do motorista e dos demais colegas.

Tardelli separou-se do grupo, fuzil com munição revestida em prata, olhou ao longo da ponte. O céu estava limpo e agora, misteriosamente, sem nuvens. As estrelas brilhavam forte e um vento temperado com um frio intenso varria aquela garganta rochosa. Longas nuvens de vapor escapavam de sua boca enquanto avançava. A lua minguante no céu era um fino fio de luz. Via os soldados do tenente Cerpa que tinham pedido ajuda pelo rádio. Mas estava tudo silencioso demais. Parado demais. Eles estavam com as lanternas ligadas, apontadas em sua direção, ofuscando sua visão, contudo, imóveis, imóveis como estátuas. Uma das lanternas, talvez com a bateria mais fraca, alternava a potência do facho de luz, ora piscando, ora ficando mais forte e depois ficando pálida e amarelada.

— Ei! — gritou Tardelli. — Abaixem as armas! Somos do Serviço de Contenção. A estrada estava escorregadia, nos acidentamos.

Nenhuma resposta.

O sargento Moura, homem negro de coisa de quarenta anos, chegou ao lado do jovem tenente.

— Senhor, o que eles estão fazendo?

Tardelli mudo, nada respondeu. Manteve seu fuzil erguido e continuou caminhando em frente. Nenhum ruído. Tudo como num cenário fantasmagórico, imóvel, silêncio. De repente outra rajada de vento frio. Flocos de neve revolveram-se no chão da ponte. Tardelli engoliu em seco. Aproximou-se dos homens de Cerpa. Uma suspeita que ia crescendo a cada passo e fazendo seu coração bombear cada vez mais acelerado à medida que se confirmava metro a metro o temor macabro que tomara sua mente. Estavam parados. Cerpa e seus soldados estavam todos mortos.

— Credo em cruz, senhor! — balbuciou Moura às costas do tenente.

Tardelli avançou. Parou no meio dos soldados. Alguns ajoelhados, outros de pé, todos com as armas erguidas e prontas para disparar. O tenente Cerpa, com quem tinha tomado café da manhã dois dias antes em Barreirinha estava ali, na sua frente. Olhos abertos, boca aberta e o braço estendido, apontando a pistola para o nada, para um fantasma. Todos recobertos por uma fina camada de gelo. Todos congelados. Transformados em funestas estátuas frias.

— Dezesseis. — disse Moura.

— O quê?

— Dezesseis homens, senhor. Dezesseis cadáveres congelados.

— Ah! — murmurou Tardelli, sem emoção, afastando-se alguns passos e examinando a paisagem. As árvores ao redor e as que desciam incrustadas nas paredes rochosas que beiravam o rio lá embaixo estavam com suas folhagens recobertas de neve. A ponte tinha virado um tapete branco e os caminhões do Exército pareciam dois blocos alvos, perdidos no tempo e no espaço.

— Eles vieram em vinte e cinco soldados, senhor. Tá faltando gente aqui.

O tenente parecia nem mais ouvir o sargento. Foi até a beira da ponte e lançou um olhar para baixo. O rio parecia congelado. A neve também tinha marcado as margens do rio. Um fenômeno que muito lembrava o falado vampiro Inverno, mas em proporções bem menores das que aquele demônio costumava desencadear. Tardelli engoliu a seco. Destacou Moura e mais alguns soldados para descerem e buscarem sobreviventes. O capitão Brites tinha de ser avisado imediatamente.

CAPÍTULO 36

— E o soldado Diego?

— Ainda estão vasculhando a área, senhor. Difícil dizer. A criatura lobo dilacerou oito homens, sinceramente, no meio daquela carnificina... — o sargento fez uma pausa e tomou outra dose de uísque.

Brites também bebeu outro gole.

— Contando a tripulação do helicóptero, só dois sobreviveram. São aproximadamente vinte e oito baixas.

— Exatamente, senhor.

— O que me intriga agora é essa história do gelo. Por todos os diabos. Nós bombardeamos aquela caravela infernal. Todos eles deveriam estar destruídos. Esses vampiros parecem saídos direto da boca do inferno. Não importa o que façamos, eles continuam perambulando por aí. O maldito Inverno congelou o Rio Pinheiros, mas depois da batalha com Sétimo, os miseráveis simplesmente desapareceram.

— Um dos homens presentes levantou um dado interessante sobre o gelo.

— O que, sargento?

— A área submetida a descesso de temperatura e neve é uma área bem menor do que as registradas em Amarração e nos eventos de Osasco e do Shopping Eldorado. Acreditamos que não se trate da mesma criatura.

— É possível. Como vimos nos depoimentos e experimentos com os lobos, os infectos criam filhos e esses filhos parecem mais fracos que os pais. Temos de arranjar um jeito de detectá-los mais rapidamente, contê-los imediatamente. Mais algumas semanas serão como ratos num enorme galpão, reproduzindo-se sem parar e tomando conta de tudo.

— Conte comigo, senhor. Para o que der e vier.

Brites arrematou seu copo de bebida e acenou para o sargento.

— Obrigado, sargento. Há certas horas que é muito bom ouvir esse tipo de camaradagem. Dispensado.

— Obrigado, senhor. — retornou o sargento, prestando continência e deixando a sala.

Brites, exausto e com mais um problema pisoteando seus pensamentos, deitou-se no sofá de couro. Duas horas de sono. Era só isso que precisava. Duas horas de sono.

CAPÍTULO 37

Brites acordou pontualmente duas horas após ter caído em sono profundo. As persianas fechadas mantinham uma penumbra agradável. O capitão sabia que ao primeiro toque da luz do sol seus olhos ficariam doloridos e boa parte do cansaço voltaria de uma vez só. Por conta disso manteve-se imóvel por mais alguns minutos, saboreando a sensação de relaxamento por mais tempo. Um fio de suor descia de sua testa deixando claro que a manhã no quartel seria quente e de ar abafado. As palavras do sargento voltaram para sua mente e toda a cadeia dos últimos problemas e responsabilidades vergaram seus ombros sem ao menos ter-se levantado. Pela primeira vez em toda essa epopéia Brites sentia-se enfraquecido e sobrecarregado. Contudo, longe estava o dia de jogar a toalha. Pensou nos homens do tenente Cerpa congelados na ponte. Aquele relatório era perturbador. Apesar da magnitude do evento registrado ter sido inúmeras vezes inferior aos eventos causados pelo vampiro Inverno, não podia descartar sumariamente a hipótese do vampiro estar rondando o Rio Grande. Desde o memorável confronto no quartel de Quitaúna, onde o vampiro Sétimo fora finalmente batido por um anônimo em armadura de prata, parecia que os vampiros portugueses tinham simplesmente evaporado. Dom Afonso fora morto por seus semelhantes dias antes do conflito que lhe vinha à memória. As caçadas tinham sido intensificadas e apenas vampiros fracos e novatos eram encontrados por conta das denúncias feitas ao Serviço de Contenção. Vampiros mais antigos ao evento de Amarração eram raros, a saber, tinha detido apenas Calíope e um outro, com aparência de quarenta e poucos anos de idade, cabelos loiros e calado. Todos na fila de incineração. Em todos os depoimentos dos novos vampiros as informações convergiam para pontos comuns. Sétimo tinha morrido e não se ouvia palavra sobre o paradeiro dos demais. Brites sentou-se no sofá. O copo vazio estava próximo. A boca estava amarga, mas não apelaria para outro gole. Não era um beberrão. Só estava cansado demais, sentindo-se ainda perdido quando tentava imaginar o quanto aquela praga de vampiros estava espalhada e quanto dano ainda poderia trazer à comunidade. Era seu dever, até o último fio de suas fibras, lutar para rastrear e condenar essas criaturas evitando que se esparramassem pelo país e pelo mundo, feito metástases nocivas, assassinas e anônimas. Esse sentimento crescia mais agora que o pântano lamacento de circunstâncias e novidades ficava ainda mais movediço e profundo. A vampira negra. Ela era algo novo. Uma vampira que dizia existir desde 1830. Como permanecera incógnita por tanto tempo? Como? Só podia ser mentira.

Brites levantou-se e foi até o lavabo de seu escritório. Tirou a farda suja e cheirando a suor e jogou-a a um canto, apanhando dentro de um saco plástico um jogo novo e limpo. Em poucos minutos envergava novamente seu uniforme distinto e tão bem ajeitado em seu corpo que lhe dava um garbo atraente aos olhos femininos. Seu rosto reto e sulcado foi lavado pela água gelada da pia. Sentia-se melhor. Arrematou colocando o quepe sobre os cabelos e dirigiu-se à porta de seu escritório. Olhou para o corredor silencioso e deserto lembrando da cena idiota que vivera ali. Sorriu imaginando que o professor poderia ter perfeitamente mijado nas calças. O sorriso sumiu rápido. Tudo culpa do descontrole despertado por aquela mulher infernal. Calíope tinha um corpo e uma voz que tirava qualquer um dos trilhos. Brites apertou os dentes e respirou fundo. Quantas vezes durante o depoimento ele mesmo não tinha parado de escutar a narrativa morna e macia da vampira que entrava pelos ouvidos como se massageasse sua cabeça e ficara apenas observando o movimentar dos lábios lascivos da cativa? Quantas vezes não teve vontade de interromper tudo e mandar todos embora e ficar a sós com Calíope, presa nas algemas de prata? Inúmeras. O corpo da vampira emanava um cheiro estonteante de mulher. O capitão constrangeu-se só de lembrar em quantas ereções tinha tido só por fitar o movimento das pernas da cativa por baixo do longo e grosso vestido vermelho, imaginando que a mulher teria coxas grossas e firmes e o quão delicioso não seria enchê-la de carinhos eróticos e infinitos. Olhava para os volumosos seios da vampira, rijos e achocolatados e sentia desejo de ele ser o monstro vampiro e cravar nela seus dentes famintos. O sangue pulsava quente nas veias do capitão lembrando-se dos olhos da vampira. Quem poderia resistir a uma mulher daquelas? Ela era uma Iara, uma sereia nascida nas águas, no mar da Bahia em 1830. Brites suspirou fundo afastando esses pensamentos. Não podia permitir de forma alguma que sua sexualidade, que sua masculinidade atrapalhasse o julgamento e tratamento que deveria dispensar a prisioneira. Tão logo ela terminasse de contar sua história e todos os dados relevantes fossem processados e resguardados, Calíope teria de ser destruída. Ela era a personificação mais nefasta do perigo que aqueles seres representavam. Uma vampira como Calíope poderia corromper qualquer homem e, se assim era, certamente haveria um párea, um vampiro que poderia seduzir qualquer mulher.

Quando se deu conta, Brites estava parado na frente da porta da sala de interrogatórios. Enquanto fantasiava eroticamente a respeito do voluptuoso corpo feminino por baixo da máscara da vampira, passos involuntários o levaram até ali. O capitão olhou para o corredor deserto e respirou fundo. O cheiro dela estava em todo lugar. E bastou o cheiro adocicado que escapava da pele da vampira para que ele novamente experimentasse aquele desejo ardente de tê-la sob seu jugo, tê-la como mulher e imagens de dois corpos entrelaçados sem-fim, homem e mulher se experimentando e se encontrando com fogo e ansiedade, as mãos dançando sobre a pele branca e sobre a pele acinzentada, encontrando os caminhos da paixão disparada pelos olhos e o incontrolável desejo de ter entre os braços o outro, saborear o outro, estar no outro. O capitão fechou os olhos e suspirou. Impossível! Como uma bruxa aquela vampira estava assaltando sua cabeça e fazendo-o perder-se de inexplicável paixão e desejo. Brites girou a maçaneta abrindo a sala de interrogatórios. Seus olhos ficaram parados um momento, perdidos no tempo. Sua boca se abriu tamanha incredulidade. Aquilo não podia ser. As persianas cerradas garantiam que nenhum fio de luz entrasse, protegendo dessa forma a vampira que mantinha o mesmo rosto e expressão da última vez que a viu, próximo ao amanhecer após a sucessão de fatos inexplicáveis, a começar pelo descontrole emocional do professor Delvechio e terminando com sua própria incapacidade de puxar o gatilho e exterminar a vampira Calíope, que agora passava pelo sono dos noturnos, jazendo como uma estátua de mármore numa prisão de algemas, correntes e catracas de prata que a mantinham de pé contra uma prancha metálica, bem ali, na sua frente.

O capitão do Exército entrou silenciosamente e fechou a porta atrás de si. Engoliu seco olhando para a vampira. As imagens eróticas que tinha acabado de vivenciar em seus pensamentos ressurgiram em *flashes* e de forma natural. Brites engoliu seco novamente ao aproximar-se do corpo morto da cativa. Foi até a bancada onde os ouvintes tinham permanecido por horas escutando a história da negra e levou a mão ao telefone. Queria saber por que cargas d'água a vampira não tinha sido removida para sua cela. Era certo que ao anoitecer ela voltaria para a sala de depoimentos, mas deveria ser mantida como todos, em jaulas. A mão que transpirava um suor frio soltou o telefone. Algo tinha acontecido, essa era a resposta, não precisa telefonar para ninguém para saber. Talvez os soldados tivessem se deparado com algum problema técnico e para não colocar o espécime em risco a mantiveram ali. O militar olhou para as câmeras que usavam para o depoimento. Estavam desligadas, bem como os monitores. Nenhum técnico na sala adjacente. Passou a mão rapidamente sobre o rosto sem acreditar no que estava a ponto de fazer. Lutar contra sua disciplina de caserna tão perto dela era como remar correnteza acima. Um Davi diante de um Golias.

Brites ficou de frente para Calíope. Ela era uma vampira, mas olhando-a como uma mulher era a imagem da perfeição. O rosto tinha traços suaves e olhos bem desenhados. A boca era um capítulo à parte, um ímã para os olhos dos homens. Seu pescoço longo tornava toda sua silhueta ainda mais sensual. Calíope era um mulherão. Deveria ter quase um metro e oitenta de altura, ombros largos e o colo atraente.

Brites aproximou outro passo. Sabia que ela estava adormecida e que estava presa sob ajuda da mística prata, mas todo cuidado era pouco. Levantou sua mão direita e passou sobre os olhos da vampira, a pouca distância. Nenhum movimento. Tirou o quepe e colocou-o sobre a madeira da mesa dos ouvintes. Voltou até a vampira e passou a mão delicadamente sobre o rosto cinza. Retraiu o toque de forma reflexa. A pele fria era extremamente desagradável e o trouxe imediatamente à realidade. Era uma morta-viva. Uma defunta que perambulava pelo mundo às custas do sangue alheio. A mão esquerda tocou o outro lado da face de Calíope. Dessa vez Brites demorou mais, alisando-a suavemente, com ternura.

— Você é uma diaba danada de linda, Calíope! — disse em voz alta, olhando o rosto da mulher fixamente.

Brites aproximou seu rosto do rosto da mulher, sua respiração não era mais compassada. Sentia o coração acelerado. Queria beijá-la. Beijá-la uma única vez. Poderia? O capitão do Serviço de Contenção aproximou ainda mais seus lábios da boca da sedutora vampira. Experimentou os lábios carnudos da mulher. Demorou um segundo. Afastou-se. Um beijo frio. Era como beijar um cadáver. Passou a mão pelo rosto novamente tentando trazer lucidez para aquela situação. Estava ficando louco. Só podia ser isso. Louco! Era um necrófilo! Beijando uma boca morta! A pele da vampira não se moveu. A boca não abriu permitindo um beijo humano, um beijo decente. Brites respirou fundo e insistiu. Mesmo estando beijando uma morta sentiu prazer. A boca de Calíope era extremamente macia. Sua língua encontrou com os dentes imóveis e inofensivos da cativa. Por conta do equipamento a que estava atada, Calíope ficava coisa de dois dedos mais alta que o capitão, obrigando-o a olhar ligeiramente para cima toda vez que afastava a face por alguns centímetros. No terceiro beijo Brites agarrou a cintura de Calíope com as duas mãos. Desceu para as ancas firmes e largas que se destacavam na silhueta feminina. O vestido grosso e aveludado não era gelado como a pele da vampira. Brites ergueu o vestido de Calíope sem parar de beijá-la. Estava submerso num êxtase absoluto, como nunca tinha experimentado com outra mulher. Mesmo ela estando imóvel e não correspondendo a seus afoitos movimentos apaixonados, Brites sentia-se inebriado, excitado a ponto de explodir. Suas mãos alcançaram as coxas da vampira. Era como sonhava. Uma mulher de pernas longas e bem torneadas. As pernas de uma amante perfeita. Brites enroscou os dedos na trama delicada de mil rendas que formavam a *sexy* e vermelha *lingerie* da prisioneira. Seu coração bombeava tão rápido e forte que o suor infestou todo seu corpo. Brites arrancou com urgência a camisa de botões do uniforme e, para um expectador que acharia toda aquela situação extremamente patética, continuou agarrando-se e beijando o corpo da mulher morta-viva. Agora suas mãos deslizavam suavemente pelos seios de Calíope. Os dois montes macios que o fizeram tanto sonhar. Brites sentia-se um adolescente, como se fizesse aquilo pela primeira vez. Estava completamente e irreversivelmente entregue a seus instintos básicos de macho devorando sem permissão a fêmea a sua frente. E o calor de seu corpo aumentou quando as pernas lascivas de Calíope enrodilharam seu quadril. Tremeu de tesão quando as mãos frias da criatura da noite acariciaram suas costas, arranhando sua pele e, em vez de repeli-lo como um invasor ousado e pervertido, comprimiam a traziam seu tórax de encontro a seus peitos. Quando a mão da vampira afundou em sua nuca agarrando seus cabelos, Brites pareceu despertar de sua falta e loucura. Calíope o encarava com os olhos cor de sol e um rosto quase sem expressão, apenas os olhos dela imóveis fitando os olhos seus. Brites empurrou-se para trás, mas foi inútil. A vampira era mais forte do que ele e seus braços sequer cederam um centímetro. Ainda com a mão na nuca do capitão a vampira puxou a cabeça do homem de encontro à sua. Agora o beijo tão querido pelo militar foi correspondido com ardor, uma língua selvagem e premiado de delícias. Brites relutou no primeiro instante e no segundo seguinte estava novamente engolfado àquele estado de irreversível luxúria e entrega. Estava beijando e amando Calíope. Estava junto da mulher que mais desejara na vida e estava sendo louca e deliciosamente correspondido pelo objeto de paixão. Seus braços passaram pelas costas da vampira e a apertaram num abraço forte. A boca de Calíope não abandonava a sua e quando já lhe faltava ar, Brites recuou a cabeça e arfou desesperado. Calíope riu, finalmente soltando seu amante. Brites, respirando rápido, enchendo e esvaziando seus pulmões fazendo os contornos de seus músculos e costelas se agitarem na frente da vampira não cria no que via. Calíope estava livre das algemas e catracas de prata.

— O que te espanta tanto, capitão de Exército? — perguntou Calíope, com os olhos dourados e um sorriso encantador acompanhando sua voz de sereia.

Brites recuou até a madeira da bancada.

Calíope soltou uma fita de seda de sua nuca e o vestido desgarrou-lhe do corpo indo ao chão exibindo todo o vigor e sensualidade de seu corpo de mulher. Os seios nus agiram como ímãs sobre os olhos do capitão.

— Acha que vivendo tanto tempo num mundo de trevas eu não aprenderia um ou dois truques, como por exemplo driblar essa bobeira que é a prata?

Calíope desceu as mão de unhas afiadas até a *lingerie* que cobria seu sexo e num toque suave cortou as laterais da delicada peça rendada ficando completamente nua.

— Agora, capitão de Exército, você é meu prisioneiro.

Brites não conseguia reagir. A mão não procurou a pistola no coldre. Seus olhos estavam enfeitiçados e seus ouvidos querendo ouvir.

Calíope envolveu novamente num abraço e passou a beijá-lo seguidas vezes. Suas línguas se encontraram e as mãos da vampira livraram o homem do resto das roupas. Com sua força superior arremessou o capitão sobre a mesa e subiu em seu corpo, comprimindo Brites contra a madeira e entre suas pernas morenas e sensuais. Quando se deitou para beijá-lo mais uma vez seus seios comprimiram-se e presentearam com uma sensação de incrível prazer o tórax do homem. Calíope movimentou-se de forma gentil e voluptuosa, deixando as mãos do capitão presas entre as suas, enlaçando seus dedos e não permitindo que ele saísse debaixo dela. Ele estava a ponto de explodir e ela lhe lançava sorrisos e cantava baixinho em seu ouvido.

Após minutos que pareceram durar uma vida Brites sentiu todos seus músculos enrijecerem e um relaxamento regado a suor e contentamento ensopou seu corpo.

Calíope curvou-se uma vez mais. Beijou a boca do capitão primeiro com uma docilidade comovente.

— Eu adorei. — disse ela ao pé do ouvido do capitão. — Adoro atrair os homens mais difíceis.

Nesse momento os olhos castanhos cor de sol tornaram-se rubros e iluminados. Imediatamente os caninos da vampira cresceram e ela grunhiu feito bicho.

Brites puxou as mãos. Queria ela fora daquela posição que o mantinha preso. Após o banho de prazer, uma sensação de urgência se instalara em seu peito. Ela deveria estar presa nas algemas de prata! Solta, ela era um perigo. Contudo suas mãos fortes mão conseguiam deixar as mãos delicadas e macias da cativa.

Calíope apertou ainda mais os dedos de Brites até que o capitão exprimisse um gemido de dor. Deitou-se sobre seu corpo uma vez mais e os beijos agora eram ferinos e afoitos. Brites não correspondia mais com paixão, tentando manter a boca fechada, sentindo a pele perigosamente arranhada pelas pontas dos dentes da vampira. Os olhos arregalados do homem de Exército procuravam uma maneira de se livrar do corpo nu e soberbo da criatura montada em cima dele. Então todos seus músculos se travaram mais uma vez. Um frio subiu-lhe pelo espinhaço enquanto uma de suas mãos ficava livre para que a mão da vampira segurasse firme seu pescoço. Calíope tinha cravado os dentes em seu pescoço e sugava seu sangue. Brites gemeu de dor e para desespero de sua mente conturbada o segundo gemido foi carregado do maior e mais absoluto prazer. Calíope sugou com mais energia e mordeu com mais força. Levantou a cabeça com rapidez fazendo seus cabelos de três tons negros voarem para trás e fitou os olhos da vítima.

— Eu quero todo o seu sangue, capitão! Quero te dar o que não tem. A paz de espírito que precisa. Serei teu porto seguro e teu cão perdigueiro. Não vai mais se preocupar com nada! — bradou a vampira, com as gotas do sangue do homem escorrendo do canto de seus lábios e da ponta das suas presas mais arrojadas. O sangue de Brites se esvaía pela ferida enchendo a bancada do líquido grosso. Quando a vampira baixou mais uma vez em direção ao pescoço do militar, Brites deu um grito sonoro e altíssimo girando o corpo para o lado, retirando as presas da vampira de seu pescoço e empapando o cabelo no próprio sangue, derrubando Calíope de seu colo e indo ao chão.

Nesse instante, por culpa do grito de horror exprimido pelo capitão, um soldado entrou na sala e correu para acudir o superior.

Brites repeliu-o, parte envergonhado com a situação de ser pego nu, parte por ainda estar infestado de uma agonia imensurável. Buscou a vampira com os olhos. Ela tinha desaparecido como uma sombra. O coração do capitão só faltava sair pela garganta.

— Está tudo bem, senhor? — perguntou o soldado, mantendo os braços erguidos, prestes a segurar o superior caso cambaleasse novamente.

Os olhos de Brites estavam vidrados e sua mão tapava a ferida em seu pescoço para que o sangue não se espalhasse pela sala inteira. Não encontrou Calíope em canto algum. Seu peito subia e descia atormentado. Não soube precisar quanto tempo se passou até tomar tino de que não estava na sala de interrogatórios e que, inutilmente procurava a vampira ali, em sua própria sala. Olhando para baixo viu que estava fardado e que não tinha sofrido o embaraço de literalmente ser pego de calças arriadas. Girou sobre os próprios pés ainda incrédulo. Tudo tão real. Tão real que ao olhar para sua calça percebeu que havia uma mancha extensa e desconcertante. Virou-se rapidamente em direção ao banheiro que guarnecia seu escritório e, ainda cambaleando, foi para a frente do espelho e só nesse momento tirou a mão do pescoço. Nada de furos. Só um vergão vermelho muito provavelmente provocado por sua própria mão no meio daquela alucinação. Brites fechou a porta enquanto o soldado perguntava pela décima vez se estava tudo bem, se precisava que chamasse o médico.

— Não, soldado. Está tudo bem. Foi só um pesadelo. Só isso. Um pesadelo horrível. — gritou lá de dentro. — Deixe-me recompor-me, com sua licença.

O soldado entendeu o pedido para se retirar. Prestou continência mesmo sem o capitão estar ali para conferir e observou por uns segundos o escritório do capitão. A garrafa de uísque na mesa, dois copos no tampo, um outro copo estilhaçado jazendo no chão. Provavelmente o capitão que mal dormia nas últimas semanas estava de porre.

Em frente ao espelho, enquanto se desfazia da roupa suja e agora da calça empapada, Brites rasgava o saco e pegava o uniforme novo. Daria tudo por um banho. Mas não havia tempo. Voltou a mirar o espelho.

— Sonho desgraçado. Parecia verdade, tchê. Essa vampira duma figa tá me pondo doidinho, doidinho.

Brites lavou o rosto com água gelada repetidas vezes. Com pressa, vestiu o jogo novo de uniforme de capitão da recém-criada unidade do Serviço de Contenção e rapidamente deixou seu escritório. Em passos largos e apressados alcançou a sala de interrogatório. O aparato onde Calíope estivera atada durante toda a madrugada não estava ali. A sala estava vazia. Brites respirou aliviado. Mas no meio de sua respiração sentiu o cheiro da vampira. Vaca duma figa! Bruxa do inferno! Tinha de acabar com ela antes que seu juízo se perdesse de uma vez.

CAPÍTULO 38

Delvechio acordou ao meio-dia. Estava agitado e perturbado. Não tinha tido uma boa noite de sono. A começar que nem era mais noite quando finalmente foi alojado e lhe foi permitido tentar repousar. Tinha sido apanhado num bar no Rio Grande do Sul por oficiais da Marinha. Tinha sido levado contra a vontade para Quitaúna, sem escala em seu apartamento para pegar bagagem. Estava com a roupa do corpo desde a noite e não tinha ouvido falar em pausa para um banho. No entanto, estava fascinado. Sentia o mesmo comichão de curiosidade e desejo de saber o que havia por trás do véu, a mesma sensação que experimentou quando a aluna Eliana lhe revelou o encontro da caravela naufragada em Amarração. A caixa de prata. Os sete vampiros do Rio D'Ouro. E agora isso. Uma vampira nascida em 1830. E a filha duma mãe falava a verdade. Era tudo verdade. As informações que ela ia passando nas entrelinhas, os costumes e trejeitos das pessoas, a sua convivência com a comunidade negra, o fato do levante malê de 1835 estar presente em suas memórias. Tudo batia. Ela não poderia inventar tanta coisa, tantas riquezas de detalhes. E se fosse para inventar, por que inventar uma história tão triste? Negra cativa, mãe morta em decorrência de castigos severos. Calíope era genuína. Era uma jóia de valor inestimável. O Exército não tinha o direito de incinerá-la. Ela deveria ser preservada e ouvida. Quantas coisas mais Calíope não poderia elucidar? Teria ela assistido à Inconfidência Mineira? Teria ela conhecido Tiradentes? Lampião e Maria Bonita? Tantos outros fatos com acontecimentos obscuros e incompreensíveis, apoiados hoje por historiadores modernos em conjecturas e palpites respaldados por costumes de época, mas sem nenhuma certeza absoluta. Calíope poderia tirar a interrogação de um sem-número de perguntas. Ela era um presente de Deus e não fruto do diabo. Quantos mais iguais a ela poderiam encontrar? Estava aí outra boa questão para lançar à cativa. Outros vampiros, de outras épocas e com biografias tão inusitadas e iluminadoras quanto a dela. Os vampiros não podiam ser simplesmente queimados à luz do sol porque atacavam as pessoas. Eles eram preciosos demais para esse fim tão imbecil. Se o Exército queria caçá-los para aumentar a segurança nas ruas, tudo bem, que argumentos teria ele, um simples professor de História para ir contra uma corporação inteira? Mas exterminá-los sumariamente, jamais. Era como promover um novo holocausto, uma caça às bruxas. Aquela matança sem ponderação e sem julgamento era uma atrocidade. Vampiros não eram pessoas, não eram gente. Vampiros dependiam do sangue de humanos para viver, mas vampiros pensavam, liam, falavam. Eram uma outra raça, poderiam ser até encarados como alienígenas e o medo inicial era totalmente compreensível. Sendo um catedrático, Delvechio conhecia o suficiente sobre intolerância racial e extermínio de nações inteiras em nome da ganância ou da religião ou do gigantesco medo que a ignorância gerava.

O professor tirou o celular do bolso e olhou para o *display* de cristal líquido. A tela mostrava que seu aparelho tinha comutado automaticamente para outra operadora e que a carga da bateria estava baixa. Talvez desse para fazer uma ligação. A ligação mais importante daquele dia.

✠ ✠ ✠ ✠ ✠ ✠

Mais tarde, depois do almoço, Delvechio conseguiu seu tão desejado banho. Ficou sabendo que não seria requerido pelo capitão nas próximas horas em virtude das ocupações no quartel. Delvechio estava livre até o pôr-do-sol, quando a vampira despertaria e ele mais a junta de ouvintes novamente ficariam de frente à criatura para dar seguimento ao seu rico depoimento.

Antes de deixar o quartel, o professor teve acesso ao galpão onde os infectos eram mantidos. Sempre escoltado por um soldado, o professor vagou entre as celas iluminadas com luz fria. Todos estavam em pé, recostados nas celas, estáticos, imóveis. Eram mortos nas horas de sol e, como nos contos de fada ou de horror, abriam os olhos assim que o sol caía.

O professor parou em frente à cela de Calíope. A beleza da vampira, mesmo daquela forma inerte e cadavérica, era estonteante. Delvechio suspirou fundo e deu as costas à criatura. O soldado ficou feliz em saírem logo dali. Não gostava nem um pouquinho de ficar entre aqueles mortos-vivos.

Em seguida o professor foi até a frente do quartel. Na Avenida dos Autonomistas apanhou um táxi. Já que ia ter de ficar de castigo na capital, iria ver e matar saudades de uma amiga professora, conhecida de longa data, que agora cuidava da visita de estudantes do estado ao museu. Delvechio nem se lembrava quando foi a última vez que pusera os pés no museu do Ipiranga.

CAPÍTULO 39

Os ouvintes da cativa reuniram-se mais uma vez na sala de depoimentos. O aparato em que a vampira era carregada corria sobre rodízios emborrachados e quase não produzia barulho ao ser empurrado. A vampira chegou deitada, como uma enferma em uma maca. Os expectadores estavam calados, enquanto os soldados técnicos em informática ativavam novamente o sistema que registraria o testemunho da vida da cativa. Em segundos a tela de plasma acendeu-se e, no instante seguinte, os soldados que cuidavam do transporte da vampira acionaram alavancas que deixaram a negra ereta. Calíope continuava a mesma aos olhos da platéia. Uma vampira antiga, de olhar fulminante e corpo espetacular, o vestido impecável igual seu cabelo ajeitado e seu batom. Apesar do cárcere, de forma mágica a vampira conservava sua beleza. Brites sabia que ela começaria a sofrer verdadeiramente com a abstinência de sangue humano em coisa de três ou quatro dias, isso se ela tivesse a fisiologia parecida com a dos novatos. Outro ponto de interrogação a ser investigado.

O capitão encarou a cativa com ares de constrangimento. Não conseguia manter os olhos nos olhos castanhos de sol da mulher. A todo instante lembrava-se do maldito sonho vívido que tivera ao raiar do dia. Engoliu a seco enquanto viu um perigoso sorriso nascer nos lábios de Calíope, que também olhou para o lado buscando os olhos dos outros expectadores. Tanto o sargento quanto o professor Delvechio também demonstraram certo desconforto. Estar frente a frente com Calíope era um misto de prazer e tormenta.

Como a vampira havia dito no último momento de sanidade vivido na madrugada anterior naquela sala, era preciso que contasse a todos o desenrolar amoroso que teve com Mariano, o filho do senhor da Fazenda São Jorge. O capitão, por bem, acatou o desejo da cativa. Se aquela lengalenga amorosa realmente tinha algo a ver com a sua condição de vampira, seria necessário ouvir palavra por palavra. E foi nesses termos e nesse tempo que o depoimento foi retomado.

— Senhora Calíope, por gentileza, os funcionários avisam que os equipamentos estão prontos para continuarmos. — começou Brites, cheio de dedos. — Conte-nos então o que sucedeu entre a senhora e o filho de Galdino.

Calíope sorriu e sustentou um olhar sobre o capitão. A voz do homem era outra. Teve vontade de rir. Como era tolo. Estava medindo palavras para que ela não se enervasse e não se repetisse uma cena medonha diante das câmeras. Como se fosse preciso... poucas vezes na vida Calíope teve uma platéia tão numerosa à sua frente, ouvindo detidamente os fatos de sua vida. A bem da verdade, a vampira estava adorando hipnotizar aqueles paspalhos com sua biografia e saboreando cada olhar cobiçoso sobre suas curvas e sua boca.

— Pois, bem, capitão de Exército. Darei continuidade à minha vida. Creio que parei falando sobre o interesse de Mariano por minha beleza irresistível, não é?

Brites aquiesceu com a cabeça.

— Que ano era então? — questionou Delvechio.

— Estávamos em 1846 quando retomo os fatos de minha história. Meu vigor e o desabrochar verde de minha beleza tinham chegado aos dezesseis anos de idade. O cortejo e os galanteios do senhorzinho Mariano não precisaram continuar por muito mais tempo. Apesar da persistência do adorado jovem, eu, que já estava decidida a ter aquele homem para mim, só me fiz de difícil para saborear um tantico mais sua gostosa e meiga insistência por minha atenção, por mínima que fosse. Era divertido ver um garoto, dono de fazenda, ficando de quatro por uma escrava, e ainda por cima tratando-a como princesa, sem grosseria nem a truculência que era praxe daqueles dias. O feitor Clemente logo notou o doutorzinho enrabichado e não tardou para envenenar as orelhas do patrão. Era claro que o senhor coronel Galdino não queria seu filho enfeitiçado por uma rapariga da minha laia. Mesmo considerando que a união dos senhores brancos com suas servas negras já não era razão de notícia escandalosa naqueles idos, ainda circulavam anedotas e veneno nos comentários. O coronel ficou furioso com Mariano, chamando-o para uma conversa no escritório da fazenda. Naná, que era criada de dentro da casa-grande disse que os berros coléricos de Galdino podiam ser ouvidos mesmo com as portas fechadas. Os negros riam sabendo o motivo daquela situação. Mariano estava enamorado de Calíope. Naná, pé ante pé, colou o ouvido na porta sob o olhar de desaprovação e surpresa de alguns. Mas a curiosidade era tanta que ninguém ousou tirá-la dali para depois escutarem-na dizer-me que o apaixonado rapaz não deixava de jeito algum o pai demover a rasgada paixão que já se enraizara no coração, dizendo aos brados para o pai que amava a escrava, que queria a alforria de Calíope para casar-se com uma mulher livre.

— Nunca! — gritara Galdino. — Ela é minha escrava e tu é meu filho! Filho meu não casa com escrava!

— Pois então eu compro a alforria dela e fugimos para a capital onde oficializo nossa união.

— Proíbo o padre Vitório de gastar um latim com essa união.

— Não preciso de padre, meu pai. Nem eu nem Calíope!

— Calíope! Vê lá se isso é nome de gente, mancebo? Toma tenência! Toma rumo! Vou querer eu ter netos de uma negra? Um bando de crianças mulatas para pôr a mão no tudo que construí?! Tem cabimento, Mariano?

— Pai!

— Vai-te embora para a capital e encontra moça decente de boa família. Não vou deixar minhas terras para sangue mulato.

— Pai, escuta!

— Fim de conversa, Mariano. Se preza o patrimônio que tem, esqueça essa negra. Não fica com um capim da fazenda, não fica com uma pá nem roçado. Dou tudo para a igreja e assino no meu leito de morte. Você vai viver à míngua com a tua negrinha e teu bando de crioulinhos. Não quero saber de misturas de sangue branco e livre com sangue de escravo.

— E se ela fosse mulher forra?

— Vai comprar a alforria da tua noiva como, mancebo? Todo o dinheiro que tu tens no bolso é meu dinheiro. Não vou libertar Calíope, não dou a alforria dela. Seu dinheiro não vale nada pra mim.

— Mas, e se ela fosse mulher forra?

Galdino cofiou a barba.

— Ainda assim seria uma negra, embora eu não poderia fazer nada para te impedir de casar com uma mulher livre. Poderia levá-la para onde quiser, até para o inferno.

— Pois eu vou conseguir dinheiro, meu pai. Vou conseguir dinheiro para comprar a alforria de Calíope.

— Moleque desatinado! Doido varrido. Ela vale tanto assim? Tanto sacrifício?

— Vale, meu pai. Ela vale.

Galdino, exasperado, bateu com a mão na mesa, fazendo o jovem estremecer.

— Mesmo forra o sangue dela continua sangue de gente preta!

— Mas, se ela for negra liberta, pode casar comigo onde quiser! Seja na igreja, seja na capital, nem fugido precisarei sair daqui! — gritou o rapaz de volta.

— Sai sem um centavo dessa fazenda, senhorzinho! Sem um centavo. Mando queimar todo o cafezal no dia do meu enterro!

Mariano deixou o escritório e atravessou a sala como tomado por um furacão de saci, quase pegando Naná com o ouvido colado na porta.

Galdino andou pelo escritório balançando a cabeça, tomado de angústia e aborrecimento.

— Comprar alforria de escravo meu? Só me faltava essa! Negra duma figa! Há de me pagar.

Naná esgueirou-se para me dar conta do fim daquela conversa, capitão de Exército. De meu namorado eu nada soube naquela manhã, mas uma idéia fixa instalou-se na minha cabeça. Se Mariano estava mesmo disposto a enfrentar o pai e se dedicar a mim, mesmo que deserdado fosse, era porque realmente tinha amor de sobra por mim. Ninguém deixa um império do tamanho da Fazenda São Jorge sem muito pensar. E se tinha ido até a cidade era certo que buscaria ajuda financeira com seus amigos. Fiquei tonta um tempo. Seria negra liberta. Poderia viver longe da senzala, longe da São Jorge e viver junto com Mariano. Meu estômago embrulhou de tanto nervoso. Nós daríamos um jeito. Eu procuraria meu padrinho dom Braga e pediria uma das casas de cortiço que sabia que ele alugava na cidade. Ele não negaria teto a um casal fugido. Minhas mãos se encheram de suor e fiquei ainda mais tonta. Negra Naná e todas as outras gritando histéricas. A alegria só acabou quando o feitor Clemente chegou à senzala, chamado pela algazarra. Entrou estalando botas e olhando enfezado para a negrada.

— É dia de festa por acaso? É dia de Santo por acaso?

Todos os negros ficaram calados.

— Que vagabundagem é essa? Quero todo mundo fora daqui trabalhando, suando no sol quente! Acham que podem ficar de conversa fiada no meio do serviço?

Os primeiros começaram a se retirar com medo da aspereza do conhecido pavio curto do feitor.

Clemente andou até o meio do cômodo cheirando a azedo. O mulato tinha cheiro de cachaça, cavalo e suor. Apontou o dedo para mim enquanto minhas colegas se afastavam e iam deixando a senzala.

— Vosmecê se acha muito inteligente por acaso? Acha que o coronel vai deixar que vosmecê tome o filho dele para ti, cachorrona?

Eu fiquei paralisada, olhando fixamente para Clemente. Poucas vezes o feitor tinha-se dirigido a mim, muito menos com perguntas em nome do patrão.

Ele andou mais para a frente e tentou me esbofetear. Só não conseguiu acertar meu rosto porque eu estava firme na minha posição e olhando-o nos olhos. Quando o movimento do homem bêbado começou, eu já sabia a que se destinava. Dei dois passos para o lado vendo-o cambalear.

— Ah! Crioula safada! — berrou o homem, colérico. — Acha que por acaso vai fugir do castigo?

Dessa vez não consegui evitar. O bruto deu um salto para a frente e me arrastou pelos cabelos longos até o meio do terreiro.

— Pro tronco, negra desaforada. Vai lembrar direitinho onde é teu lugar. Vadia.

Não era a primeira vez que eu recebia castigo de Clemente, mas era a primeira vez na vida que via minhas mãos atadas nas cordas e nos ferros no tronco do terreiro. Clemente rodeava enquanto minha pele inteira transpirava de medo e pelo calor crescente por conta da luta. A água salgada que brotou da minha pele recobriu meu corpo e minhas vestes com a poeira do terreiro, tingindo-me de vermelho.

Calíope parou e encarou o capitão do Exército. De sua garganta escapou um suspiro e seus olhos eram de uma emoção e tristeza impossíveis de não comover o mais duro dos corações.

— A primeira chibatada acertou do fim das costas ao meio da anca. Meu corpo todo estremeceu de dor e frustração. A segunda chibatada tirou minhas lágrimas para fora, fazendo um rebento em minhas costas, humilhação. A terceira chibatada fez-me lembrar de meu tio Anastácio, chorando naquele tronco, sendo desfiado pelo inclemente feitor, insanidade. A quarta chibatada me acertou as costelas e as costas e a imagem de Jesus Cristo preso na Cruz, pregado pelos romanos, derramando-se em sangue, sangue de gente, igual ao meu. Sangue que escorria da minha pele e pingava no terreiro. A quinta chibatada pegou minhas costas de cheio e me envergou, e eu gritei pela minha mãe mortinha, somos bichos. A sexta chibatada acertou minha cabeça e fez arder minha orelha esquerda, rosto, olho e boca, aos seus olhos somos apenas uma coisa. Eu gritava e chorava. A sétima chibatada acertou minha outra anca e abriu outro vergão nas minhas costas, rasgando meu vestido branco de cima a baixo e me fez lembrar do demônio e suas tramóias tirando a gente boa do caminho traçado pelo Deus. Desmaiei ouvindo o esforço de Clemente em fazer-me pagar pelos pecados que ainda não tinha cometido, pagar pela incompreensão de um pai autoritário e pela inveja de um feitor que não tinha a menor noção de decência ou justiça no peito ignorante. Eu já estava desfalecida quando o carrasco voltou com o sal e impregnou minhas feridas para que a dor tardasse na minha pele e nos meus músculos e não deixassem de forma alguma eu esquecer o castigo.

Disseram que Mariano ficou louco quando retornou derrotado, sem o dinheiro para minha alforria e ainda obrigado a ver meu corpo desfalecido e ensangüentado, caído no meio do terreiro. Os negros proibidos de me acudir. Mariano, segurado a pulso pelos empregados do patrão, foi trancado em seu quarto sob sopapos lançados pelo pai e seus capangas. Negra Naná diz que o rapaz foi praticamente amarrado e arrastado para a cidade, gritando e pranteando meu nome.

Quando acordei era fim de tarde e minhas mãos estavam soltas do tronco. Minha boca estava seca e ao primeiro movimento do meu corpo meus músculos urraram de dor. Percebi que estava coberta com um lençol pardacento da senzala, o máximo auxílio que permitiram à castigada. Praticamente me arrastei até meu cubículo sob o telhado, sentindo calafrios e acometida de tremedeiras que iguais nunca mais tive. Nenhum irmão estava na senzala, provavelmente todos com a lida do dia dobrada em castigo a mando do coronel para que nenhum tipo de benevolência me fosse arranjada. Mal me recostei a um canto e o próprio diabo pisou dentro da senzala. O coronel andou até onde eu estava e olhou-me com a boca torta em desgosto. Levou a mão ao cinto enquanto falava:

— Vou descobrir que tipo de feitiço uma negrinha safada pode ter logrado em meu filho.

Contra minha vontade, banhado em minhas lágrimas, aquele vilão perpetrou meu último castigo do dia, minha última mácula. Quando se colocou de pé cuspiu em meu colo e me abandonou na sombria senzala que sucumbia ao crepúsculo. Eu não tinha sido a primeira nem seria a última mulher que Galdino tinha tomado à força. Para ele aquilo fora mais um joguete, mais uma pilhéria para chorar de rir com os amigos na bodega, levantando copos de cachaça, para se fazer meu senhor, para me desvalorizar ainda mais perante seu filho. Sem sombra de dúvida, aquela foi uma das noites mais tristes e dolorosas da minha vida.

Doze anos se passaram até que eu visse Mariano novamente. Na última tarde que nos vimos, ele fora arrastado até a cidade e de lá mandado de trem à capital a contragosto. Nunca entendi por que Mariano nunca mais voltou a São Jorge para ao menos uma vez me procurar, me consolar de nossa separação, de nosso amor recrudescido e insatisfeito. Eu, menina, virando mulher, confabulei; a capital era um lugar muito mais interessante para um rapaz do que o interior, do que a fazenda onde o pai tratava-o como bicho, arrastando-o por meio de capangas e serviçais. Não foi difícil entender por que Mariano abrira mão de mim e nunca mais pusera os pés na Fazenda São Jorge. A humilhação machuca tanto um coração de negro quanto um coração de branco. Coração não escolhe cor de pele, senhores.

O retorno do doutorzinho foi apenas uma faísca de alegria, tão efêmera quanto é a vida de um imortal. Mariano tinha retornado à fazenda depois de tanto tempo somente para realizar um desejo do pai. Fiquei desolada e afundei em profunda e densa tristeza ao saber que meu amor tinha voltado a São Jorge para casar-se na igreja da cidade, e a festa que duraria uma semana em razão de suas bodas traria os homens mais poderosos e influentes da região para a fazenda do coronel Galdino. O pai do noivo era só felicidade e não sabia falar de outra coisa. A moça com quem Mariano se casaria era de família de importantes industriais, imigrantes, residentes na capital paulista, donos de grande fortuna e, é claro, ela era mulher branca de sangue puro.

Eu já não era a menina moça que Mariano conhecera e o trabalho forçado e duro tirara em muito meu viço de mulher. Eu era um fantasma, quase um andrajo, uma casca seca que vagava muda pelas horas do dia e da noite sem tecer felicidades nem colher sorrisos. Desde a fatídica tortura e de outras surras por conta da minha constante apatia quando era amarrada ao tronco do castigo dos negros, meu coração tornara-se mais árido e mais vazio que qualquer rincão nordestino. Quantas vezes a benzedeira Pagô não tentou curar minha alma com seus cantos misturados em língua nativa e o estranho terço cristão. A benzedeira rezava e me enchia de folhas e fumaça de fumo de corda. Tudo inútil. Cada vez mais me parecia com Ana Maria, minha mãezinha, e cada vez mais me aproximava do mesmo fim.

O único remédio que devolveu ânimo ao meu corpo cansado foi justamente a notícia de que meu amado estava por perto. Como um elixir miraculoso, arranjei coragem para me levantar e me arrumar.

Mariano e sua noiva chegaram à fazenda. Do cafezal vi três carroças e uma charrete coberta e enfeitada levantando poeira e tomando rumo da casa-grande. Depois da lida, banhei-me e botei meu melhor vestido. Ajeitei meus cabelos longos, ondulados e tão diferentes dos das minhas irmãs e amarrei-o com fitas vermelhas num trançado comprido. Não queria sair da senzala, mas meu coração a todo barulho de passos disparava. Eu queria vê-lo! Ao menos vê-lo. Acabei saindo do terreiro como se meus pés não tivessem dona e rodeei a casa-grande com medo de ser vista pelo feitor Clemente. De uma janela espreitei. Meu coração se encheu de alegria. Lá estava Mariano, um tanto mais gordo do que minha memória guardava, contudo um tanto mais homem também e com o sorriso fácil decorando seu rosto pacífico e seus olhos ainda tão verdes e faiscantes que não havia outra conclusão a tirar a não ser a de que ele estava, sim, muito feliz com o casamento arranjado a contento de seu pai. Teria saído dali naquele instante. Dizem que quem ama de verdade algumas vezes aquece o coração ao saber que a pessoa amada ao menos é feliz e está bem. Mas a paixão desesperada que fora sufocada por mais de uma década acabou aflorando, ali, na frente daquela janela e lágrimas mistas de alegria e dor infestaram minha face. Queria saber com quem ele se casaria. Quem seria a feliz senhorinha que tomaria o meu lugar no casamento que estava marcado para dali a três dias. Continuei no meu canto de espreita e então vi surgir de braços dados com o diabo Galdino uma elegante e belíssima mocinha, na flor de sua idade, com coisa de no máximo dezesseis anos. Foi como uma flechada em meu peito. Eu já contava com quase o dobro desses anos. Justificava-se que Mariano estivesse tão feliz desposando uma menina de longos cabelos vermelhos e olhos claros como os dele. Era certo que o coronel ficaria feliz em ver o filho esposo de uma mulher de pele tão branca que parecia doente e de olhos tão diferentes quanto os das crioulas. Negra nenhuma tinha os olhos azuis. E ela tinha os olhos mais azuis que eu já tinha visto em toda minha vida. Caí sentada à beira da casa, recostada na madeira da varanda e não contive o pranto que me fez vergar as costas e molhar o chão com tantas lágrimas. Meu amor estava perdido para sempre. A menina ruiva de olhos azuis era a coisa mais bonita dessa terra. Não haveria forma de reconquistar o coração de meu amado. Arrastei-me de volta à senzala. Era certo que minha presença no casamento seria negada e proibida. Era certo que Mariano não iria perder tempo em vir procurar-me e ver-me. Eu só tinha uma chance de aparecer no templo da vila, muitas vezes fechado aos escravos em dia de casamento de brancos. Só poderia entrar se fosse negra forra. E assim seria. Ajoelhei ao cantinho de meu cômodo e rezei para minha adorada Santa Sara Kali, pedindo que me perdoasse e me ajudasse naquele pedido. Queria estar perto de Mariano uma última vez. Na minha cabeça doente e enciumada, nem que fosse no máximo martírio que seria o de estar próxima a ele durante o seu casamento, assim eu faria. Ao final de minha prece, atirei a imagem de Santa Sara no chão, arrebentando suas formas cinzentas e libertando de dentro dela um tesouro escondido há muito tempo. Diante do olhar espantado de minha tia Naná e da velha benzedeira Pagô, apanhei um pedacinho de algodão cru e desenrolei um anel feito das lágrimas de um anjo e do ouro mais brilhante que surgira naquelas bandas. A herança deixada por minha amiga Daiana seria a chave para minha liberdade.

— Desculpe-me interromper, Calíope, mas se tinha esse anel guardado, por que já não o usou em outra oportunidade para comprar sua liberdade? — perguntou o professor, genuinamente preocupado.

Calíope suspirou um tanto contrariada. O homem realmente não duvidava dela, mas cortava a história no momento em que as coisas começariam a esquentar.

— Nobre professor de História, tu mesmo pode responder a esse questionamento. Vi dezenas de negros forros que juntavam dinheiro, que faziam prodígios para ganhar a almejada alforria. Vi negras forras livres do dia para a noite e também ouvi notícias de que esses mesmos forros eram vistos aos montes nas cidades mendigando, bêbados, caídos em calçadas sem mais senhor para lhes prover abrigo e nem comida para sustentar a barriga. Quantas negras não iam às tavernas e prostituíam-se a troco de esmolas ou um prato malfeito de comida? Não era isso que eu queria. Não era essa liberdade. Sem contar que a promessa de liberdade por parte da Corte inflava a cada ano que passava. Seria impossível manter aquela massa de gente sob o domínio dos grilhões por muito mais tempo. Era uma esperança e um sonho que fervia em nossas veias. O ouro de Daiana me serviria para não me tornar uma prostituta quando fosse embora da Fazenda São Jorge, para que pudesse sustentar-me e começar meu próprio negócio. Contudo, o desespero e o ciúme nublaram meu julgamento de um jeito que não pensei duas vezes. Compraria minha alforria com a venda da jóia e, como mulher livre, ninguém me impediria de assistir ao casamento de Mariano, de vê-lo uma última vez e de despedir-me com dignidade de toda aquela tristeza.

Mas as coisas só correm direitinho como nos nossos inúteis pensamentos sob as penas dos escritores de contos de fadas, meus senhores. Mesmo tendo eu corrido da fazenda antes do amanhecer, levando em meu dedo o anel de ouro, de alguma forma o azar farejou minha trilha.

Só na hora do almoço o joalheiro aceitou me receber, muito a contragosto, pois afinal de contas o que teria uma negra da Fazenda São Jorge a tratar de assunto de jóias refinadas?

Seu Osório mandou que eu entrasse em seu escritório e apontou a cadeira à frente de sua mesa. Era um senhor que passava dos sessenta anos, tinha os dentes e as pontas dos grisalhos bigodes pardacentos e de aparência suja, certamente provocado pelo excesso de fumo. O homem também tinha maneiras vagarosas, tanto para falar como para mover-se. Quando finalmente sentou à minha frente eu já estava a ponto de me levantar e ir embora de tanta impaciência e angústia para finalmente saber o valor do meu regalo.

— Diga, negrinha. Por que insistiu tanto para vir aqui me falar?

Tirei o anel do dedo que ficara escondido sob a palma da outra mão até o momento e coloquei-o em cima da mesa.

Os olhos do joalheiro brilharam. Muito calmamente ele tirou um par de óculos do bolso do colete negro com fios de prata, com um lenço limpou suas lentes e então partiu para o exame da peça.

— É um anel bastante rústico, negrinha. Bastante rústico. Parece feito por um porco aprendiz de ourives.

Remexi-me na cadeira, sentindo meu castelo de esperanças desmoronar e ressentida pelo tratamento dado à amiga, mesmo que tão distante no tempo, mas não na memória.

— Contudo, com uma boa polida... sim, sim, senhora. Que peça temos aqui. De onde vem esse ouro tão raro, senhora?

Eu pigarreei e tampei a boca.

— Qual é sua graça?

— Calíope, seu Osório.

O velho debruçou-se sobre a mesa e balançou o dedo.

— Mais algum joalheiro sabe que veio aqui?

Assenti com a cabeça.

— Falei com três nos últimos meses. Acho que um vem de Belo Verde para comprá-lo ainda amanhã. — menti.

Seu Osório afastou a cadeira um tanto, pigarreou, e abriu uma gaveta. Com toda a paciência do mundo abriu um canivete e passou a desfiar fumo de corda sobre um lencinho e depois apanhou uma palha para enrolar o cigarro. Seus olhos dançavam no vazio.

— Joalheiro de Belo Verde? Só conheço o Castiço. — suspirou fundo. — Belo Verde. Tu é uma negrinha esperta. Aposto que o Castiço te foi generoso. Ainda mais que não resiste a um rabo de saia de mulata, aquele um.

— Foi muito generoso. Disse que compra amanhã.

O velho suspirou novamente e continuou na maçante concepção do cigarro. Creio que até acendê-lo e dar-lhe a primeira tragada passaram-se uns quinze minutos.

— O velho Castiço. Sabe muito bem reconhecer um bom ouro. — falou, soltando uma longa nuvem de fumaça.

— Onde foi mesmo que conseguiu isso, dona Calíope?

— Foi presente, senhor. Quando era ainda menina, ganhei. É ouro cigano.

O velho de longas sobrancelhas olhou de rabo de olho para o anel em cima da mesa e fez um muxoxo com a boca, remexendo o cigarro de palha e passando a mão no peito do colete.

— Ouro gitano. Ouro gitano. Uma bela peça, sem dúvida.

Osório apanhou novamente a peça da mesa.

— Peso bom. — disse, soltando outra língua de fumaça.

Colocou minha jóia em uma balancinha.

Meus olhos brilhavam. Tudo o que eu queria naquele momento dependia única e exclusivamente do julgamento daquele senhor de modos lentos e demorados que iam me inflando de agonia. Não sabia quanto aquela peça de ouro valia, mas sabia exatamente quanto custaria minha alforria. É claro que se eu fosse direto a meu senhor Galdino e lhe desse o dinheiro na mão, ele criaria embaraço e temendo tão estranha e inesperada atitude me pediria muito mais do que o correto. Meu plano era bem outro. Correria a procurar pistas de meu padrinho que certamente estaria na cidade em ocasião do casamento de Mariano e então eu lhe entregaria o dinheiro e ele faria a proposta a meu dono. Dessa forma Galdino se sentiria gratamente aliviado em me ver fora da Fazenda São Jorge naqueles dias de festa.

— Essa desgraça vale um bocado, dona Calíope. Quanto o infeliz do Castiço te ofereceu por essa desgraça?

Fechei meu semblante na hora lembrando da devoção de minha amiga que acabara se tornando também minha.

— Não usa essa palavra, não senhor, por causa que assim não tem negócio.

O velho arregalou os olhos.

— Esse ouro cigano brilha tanto porque é ouro chorado pelos olhos de Santa Sara.

O homem coçou o queixo e depois enrolou a ponta do bigode. Espichou um olho para Calíope e ficou olhando-a em silêncio por um bom tempo.

— Nesse caso, a senhora me desculpe, viu. Não sabia que estávamos tratando do choro de uma santa. He, he.

Osório puxou uma corda de sisal que ficava ao alcance de sua mão mesmo sentado na mesa. A corda que sumia na parede, ao pender, fez tocar um badalo do outro lado. Rapidamente surgiu à porta um rapaz um tanto gordo, de pele vermelha e cabelos negros cacheados. Ele me olhou um instante, como quem está ressabiado enquanto o joalheiro escrevia um bilhete num papel de tom bem amarelado. A pena foi ao tinteiro umas três vezes e com uma lentidão de um cágado sem pressa o velho passou o mata-borrão sobre as gotas mais pesadas. Dobrou o papel em três e no fim do que pareceu-me uma semana, tamanha era a impaciência, enfiou o bilhete num envelope com a marca da sua loja. Sem dar instrução alguma, deu o bilhete ao rapaz gordo, que devia ter coisa de vinte e um anos. O garoto apanhou o envelope e deixou a sala, enquanto o velho recuperava o final do seu cigarro de palha que fumegava num cinzeiro marrom, feito de uma espécie de vidro muito grosso, incrustado de pedrinhas verdes e amarelas. Tamborilei os dedos, apressados, no tampo da mesa de madeira grossa e escura fitando o velho, enquanto minhas unhas longas marcavam cadência.

Osório tirou a bituca da boca e balançou-a no ar algumas vezes, como se defumasse a sala. Tossimos juntos. Ele, a tosse rouca dos fumantes de longa data, e eu, a tosse curta e seca dos desacostumados ao tabagismo.

— Desculpe-me, senhora Calíope. Tanto pela fumaça quanto pela demora. Mandei agora Basílio ao banco, na cidade, para trazer uma importância que faz merecer muito bem esse anel de ouro de santa. Aposto que é bem mais do que o Castiço lhe prometeu e não se fala mais nisso. Amanhã, quando ele vier te procurar, diga que perdeu o anel, porque eu não quero perder o amigo. No fim das contas, o ouro vai parar nas mãos dele mesmo... vou derreter esse anel e fazer algo mais delicado, um crucifixo, um anel de madame de café, um enfeite de terço. Bom negócio para nós três. Eu, a senhora e o Castiço, que o venderá a algum abastado coronel nos arredores de Belo Verde.

— Não sendo pro coronel Galdino, pra mim tá muito bom, seu Osório.

Sorri para o joalheiro, como se entendesse toda aquela conversa de homem da cidade acostumado a mexer com dinheiro. Só queria era minhas notas e sair voando dali para ter tempo de encontrar meu padrinho. Eram poucos os lugares onde ele se alojava e certamente alguém haveria de ter visto ou ouvido falar de sua chegada e seus peculiares costumes.

O velho joalheiro começou a desfiar mais fumo de corda enquanto falava:

— Sabia que a fortuna de Belo Verde está acabando? Não sei como o joalheiro Castiço vai se virar. O café daquela cidade tá minguando, os escravos fogem mais que cachorro com medo em dia de foguetório. A coisa tá feia lá, dona. Tá feia. Outro dia mesmo o capitão-do-mato passou aqui com dois baita crioulos com letra F no peito. Fujões. Gente tonta, sô.

— Ninguém quer ser escravo, seu Osório. Aposto que o senhor não colocaria filho seu algum para trabalhar em cafezal ou fazenda de cana.

O velho ergueu um dos olhos pra mim.

— Não sou de intrometer-me em assunto de negrinhas, dona. Mas, me satisfaça uma curiosidade...

— Pois não?

— Por acaso a senhora vai pegar essa dinheiro todo para comprar sua alforria?

Só balancei a cabeça confirmando.

O velho balançou a cabeça de forma negativa. Enrolou mais fumo na palha e lambeu para fechar. Balançando o dedo enrugado na minha direção aconselhou:

— Mau negócio, dona Calíope. Mau negócio.

— Mau negócio é continuar apanhando de chibata do feitor Clemente.

— Se suportou teu fardo até agora, te aconselho a esperar só mais um tanto.

— Estou farta de esperar mais um tanto que nunca finda.

— Compreendo. Mas acontece que de uns tempinhos pra cá eu observei que o preço dos escravos está descambando. Logo o dinheiro que tu vai colocar na mão vai dar para alforriar a ti e mais dois parentes ou, se for mais sabida ainda, alforriar a ti e ter boa sobra para começar a vida de negra forra. A vida fora da fazenda não é fácil, não, senhora.

Calíope calou-se. Tinha já ouvido aquelas conversas na senzala. Estávamos chegando à época de 1860 e fazia um ano que o preço dos negros começava a cair. Mas eu tinha pressa e propósito. Não tinha gana de especulação nem tempo para raciocínio.

— Sugiro que a senhora se acalme. Pode esperar aqui o quanto quiser. Essas coisas no banco demoram quando são assim, sem aviso.

E foi dito e feito. O diacho do Basílio parecia nunca mais voltar. Do alto de minha impaciência, via pela janelinha do escritório do joalheiro as sombras do dia mudarem de posição até que, chegando o fim da tarde, o mais inusitado aconteceu.

Basílio surgiu esbaforido à porta do escritório quando eu tomava a sexta xícara de café, essa última em companhia do refinado joalheiro, já mais acostumada a seus bons modos e suas coisas caras ao meu redor. Meus olhos brilharam de alegria e vergonha ao mesmo tempo em que divisei o que trazia o maldito garoto. O perverso joalheiro tinha engendrado uma arapuca me tomando por negra ladra.

Basílio cruzou a porta trazendo atrás de si Mariano e o feitor Clemente que se postou ao meu lado, tornando o escritório agora um lugar pequeno e apertado. Mariano, também agitado, entrou sem olhar para mim já falando diretamente ao joalheiro que tentava com a sua lerda velocidade ficar de pé para receber o senhorzinho.

— Seu neto chegou rápido em São Jorge, Osório. Acontece que meu pai não está lá, envolvido com o café e também com os preparativos do casório. Como o bilhete dizia ter o senhor aqui posse de uma negra fugida que tinha roubado uma jóia da fazenda, tomei Clemente como parceiro e vim resolver esse imbróglio sem sentido.

— Fez bem, meu filho, fez bem. Essas negras não podem ver ouro brilhando que não se acanham em passar a mão no que não lhes pertence.

— Onde está a escrava? — perguntou.

Osório apontou para a cadeira que eu ocupava, dura como estátua, assustada com a perversidade dos pensamentos do joalheiro. Meus olhos estavam esbugalhados e tomados de medo e vergonha. Clemente me lançava um risinho e colocou a mão nos meus ombros.

Mariano olhou para mim e pareceu congelar no tempo. Seus movimentos cessaram e só sua boca se abriu. Depois de muito silêncio, um sussurro molhado escapou de sua boca.

— Calíope?

— Você a conhece? — perguntou o joalheiro.

Mariano não respondeu.

Clemente apertou mais forte o meu ombro.

— Fujona e ladra, hein, crioula! — disse asperamente o feitor. — Vamos agora mesmo para a fazenda esquentar o ferro para marcar teu couro de fujona. Vai ficar igualzinha a teu tio Anastácio com uma bela letra F no meio de tua testa.

— Tire suas mãos imundas de cima dela! — bradou Mariano, agarrando Clemente pelo colarinho e comprimindo-o contra a parede e arrastando-o para a porta.

Uma prateleira do mostruário se movimentou perigosamente, fazendo pender jóias e objetos finos. Foi a única vez que vi seu Osório se movimentar com rapidez naquele dia, escorando o móvel para que um acidente caríssimo não fosse resultado do exasperado rompante de Mariano.

Sabiamente o joalheiro fez um sinal para que o neto saísse e encostasse a porta.

Tão rápido enxotou o feitor, Mariano virou-se para mim com os olhos cheios de lágrimas e se ajoelhou à minha frente na cadeira e tomou minhas mãos. Depois tirou de seu bolso o anel de ouro e depositou em minha palma alva e calejada.

— Teu anel está aqui. São e salvo, senhora Calíope.

O joalheiro pigarreou e ergueu as sobrancelhas.

— Se o senhorzinho devolve o anel à negra, presumo que eu devo me escusar, pois é gente de boa índole.

— Sim. Eu conheço essa mulher, seu Osório. Não há pessoa de mais boa índole do que a dela nesta sala, nesta vila inteira. E o senhor tomando-a por ladra agiu como homem de má índole. Creio que deva reparar esse prejuízo moral de alguma forma.

Engoli a seco vendo tamanha determinação em minha defesa. Nunca tinha contado a história do anel para Mariano e ele não fizera uma pergunta acerca da jóia, depositando em mim uma adorável confiança cega.

— Mas, senhor Mariano, há de compreender que os negros...

— Dobre tua língua para falar dos negros, senhor joalheiro. Se és tão rico hoje é graças a essa gente que labuta do nascer do sol ao fim do dia em troca de rações desumanas de comida e são tratados pior que o gado que engorda no pasto. Nem mais uma palavra.

— É tão comum chegarem aqui com jóias roubadas...

— Alguma vez recebeu jóia roubada da Fazenda São Jorge?

— Não, senhorzinho.

— E sabe por quê?

O joalheiro deu de ombros, confessando que não sabia a razão.

— Simplesmente porque não existem jóias de ouro ou prata naquela fazenda desde que minha mãe morreu. Por pior que seja o caráter do meu pai, ele não é homem apegado a luxos. Essa jóia nunca pertenceu à minha família e nunca teve outro dono então a não ser a senhora Calíope, a quem o senhor deve agora reparação em ouro na mesma medida em que ela lhe apresentou aqui, do contrário há de se ver comigo. Esperamos sua generosidade e honestidade na Fazenda São Jorge, pois não quero que Calíope fique na presença de pessoa tão vil e insensata nem mais um segundo para não se contaminar com sua desonestidade e falta de espírito e moral.

Mariano me arrastou para fora da joalheria e me ajudou a montar na carroça da fazenda. Subiu em seguida sem esperar Clemente. Aos gritos do feitor, berrou que ele arrumasse um carroceiro para levá-lo em seguida. Mariano tinha as mãos trêmulas nas rédeas e os olhos brilhavam de emoção.

Depois de dois minutos de silêncio me confessou:

— Quando parti naquele dia, Calíope, fui arrastado para a capital completar meus estudos e meu pai deu rumo na minha vida.

— Mas você nunca mais voltou para me ver uma vez sequer, Mariano. — escaparam da minha boca as palavras em reflexo.

Mariano enxugou lágrimas nas mangas e começou um pranto semelhante ao de um menino.

— Como eu poderia voltar para a Fazenda São Jorge? Aquele lugar tornara-se maldito para mim e queria que fosse um túmulo para minhas frustrações.

Fiquei calada.

— Passados poucos dias, dias em que ainda estava arredio na capital, um amigo meu, bastardo filho de uma rapariga... ele era de muita confiança, Calíope —, mas agora vejo que o infeliz estava parceiro de meu pai nessa tragédia. Meu amigo disse que tinha vindo de São Jorge e que as notícias não eram as melhores.

— Um amigo?

— É. Matheus Ventura. Filho do barão da Fazenda Maravilha.

— Sei.

— Ele sabia que eu estava louco de paixão por você e que a primeira coisa que faria seria pedir notícias suas, da sua melhora. Ele conhecia todos os meus planos de jovem revoltado, que cumprira meus estudos exclusivamente para dar vida descente a nós dois, Calíope. Mas o vil, provavelmente subornado com poucas moedas, disse que o castigo que Clemente lhe havia aplicado fora tão violento e atroz que... que você tinha morrido, Calíope! — confessou o homem, batendo com rédeas, imprimindo mais velocidade ao cavalo e com lágrimas rasgando sua face de homem. — Afundei num poço de tristeza, entreguei-me à bebida e não progredi nos estudos. Eu não tinha mais vida sem meu amor a retornar. Como rezei para te encontrar nos sonhos ou na outra vida quando tentei me matar.

Nesse instante os pêlos do meu corpo se eriçaram. Até a morte Mariano havia tentado.

— O coração leva tempo, mas um dia apazigua. Anos mais tarde acabei aceitando meu fardo prometendo a mim mesmo nunca mais botar os pés naquele terreiro e naquela maldita fazenda. Quando meu pai morresse, venderia a São Jorge de porteira fechada sem nem olhar o que tinha dentro. Como fui burro! Como fui tolo! É claro que meu pai inventaria uma mentira cruel dessas para me afastar de ti, meu amor.

Calíope encarou os homens na bancada que ouviam seu discurso. Sua boca tinha agora um sorriso doce e seu rosto feminino ocupava toda a tela do monitor.

— Acho que nessa hora meu sangue ferveu igual o teu já ferveu nesta sala, capitão de Exército. Eu ainda era uma mulher amada. — disse a vampira, maliciosa, olhando demoradamente para Brites.

O militar foi tomado de um embaraço tão repentinho que seu rosto esquálido e frio corou-se como brasa. Do que ela falava? Por que fazia aquilo com ele?

— Ele me chamou de "meu amor". Foi o que bastou para meu coração se inflamar com tanta alegria e me abraçar a ele e começar a beijá-lo ali mesmo, naquele carroção.

Mariano retribuiu o primeiro e o segundo beijo, mas então, da forma mais gentil que pôde, afastou-me. Senti um bloco de gelo em sua mão.

— Então conheci Isabela. A paixão pela moça de família demorou a se aflorar, pois meus pensamentos sempre buscavam você, Calíope. E quão opostas vós sois em aparência. Minha negra divina e a outra de uma brancura intensa e de cabelos de fogo. Por mais estranho que possa parecer,

Isabela me pareceu muito com você, a voz poderosa, a jovialidade transbordando e o riso fácil. Três anos se passaram até que o casamento fosse acertado e agora devo respeito à pequena moça, Calíope. Mas não nego que meu coração seco voltou a sangrar assim que bati meus olhos em você naquela cadeira, meu amor. A paixão que existe em mim será para sempre devotada a ti, meu anjo.

— Agora sou velha e surrada da lida no cafezal. É claro que vai preferir a branca de boa família.

— Sabe que sou homem honrado, Calíope. Ficar com Isabela agora não se trata de coisa do coração, mas da razão, da política.

— Entendo. — disse por fim, baixando-me e começando eu o meu pranto.

Ao menos eu tinha conseguido rever meu Mariano e tinha conseguido trocar um dedo de prosa com ele. Mesmo que amarga, uma prosa que revelou que não fui abandonada na senzala. Fomos ambos vítimas da crueldade do racismo. Afastados pelo preconceito absurdo sobre a cor da pele desse ou daquele sujeito. Preconceito que se perpetua até os dias de hoje, capitão de Exército e senhores ouvintes.

Um silêncio indigesto perdurou na sala. Calíope, calada, deixava verter lágrimas negras de seus olhos dessa vez. Um espetáculo à parte e bizarro.

— O que aconteceu depois? Ele de fato se casou naquele fim de semana? — quis saber o professor, tomado pelo tom folhetinesco das revelações e esquecendo-se de que era um catedrático e que poderia formular perguntas muito mais proveitosas do que aquelas.

Calíope ergueu os olhos para o professor.

— O casamento estava marcado para o sábado à tarde. E tudo corria como planejado. Contudo, preciso voltar ao momento de nosso retorno a São Jorge após a confusão no joalheiro. Clemente tinha conseguido um cavalo baio que tinha fogo nos cascos e chegou bem antes do carroção na fazenda. Quando entramos, Mariano me conduziu ao terreiro e com uma docilidade e muita gentileza me tirou da condução em seu colo e me acompanhou até a porta do meu cubículo abafado da escura senzala sob o olhar do pai, do feitor e da noiva de cabelos de fogo, que tinha os braços cruzados e expressão de contragosto.

Mariano dirigiu-se à platéia e encarou o pai, descarregando em seus olhos o ódio que começava a crescer na presença daquele que deveria compuscar-se por tanto dano a seu espírito.

— Recebi uma carta do joalheiro, meu pai, pedindo sua imediata presença em sua loja na cidade. Como ele dizia no bilhete que uma escrava havia subtraído uma jóia de nossa família e o senhor não estava aqui, tomei a cargo o resolver do embaraço. Foi tudo um malentendido envolvendo a negra Calíope. — disse secamente ao pai. — O casamento acontecerá no sábado à tarde, sem que nada se mude.

Ao que soube, Mariano se recolheu aos seus aposentos, não recebendo nem a noiva naquela noite. Tampouco me procurou na quinta-feira pela manhã, quando trabalhei de sol a sol sob a vigília inexorável do feitor. O diacho do homem seguiu cada passo que eu dei, como se fosse eu uma ameaça à vida de algum infeliz naqueles dias.

Contudo, na sexta-feira à noite, madrugada entrada, eu com meus olhos pregados no candeeiro que fazia subir uma fita negra do óleo queimado, ascendendo para o teto de palha. A luz fraca e dourada tremeluziu. Meus olhos buscaram a porta do meu canto de senzala. As botas dele pisando no chão de terra batida. Mariano, sério, veio caminhando até meu colchão de palha seca. Sentei-me rapidamente e, vaidosa como a eternidade me permite, ajeitei meus cabelos como pude, sem despregar os olhos daquele homem. Mariano me estendeu a mão e me ergueu, estreitando-me em seus braços com tanta ternura que fiquei paralisada de paixão. Seus beijos franquearam passagem para suas mãos, que desejosas de meus encantos não tiveram pudores em me bulir sofregamente. Em instantes estávamos os dois deitados no meu colchão pobre e meus gemidos de prazer encantando os ouvidos de meu amado. Nossa primeira e única noite de amor. As horas passaram zunindo enquanto me regalava nos braços e peitos do homem que fora e sempre foi a paixão da minha vida. Conversamos muito, choramos muito. Mariano disse nunca ter-me esquecido. Disse que eu ainda era formosa e que largaria toda a fazenda para trás para viver comigo em qualquer lugar, mas era um homem honrado e que já tinha feito promessas e compromissos não só com sua noiva Isabela bem como para com a família influente da pretendida. Seria um embaraço insuportável para o seu caráter e para seu pai. Disse que aquela noite seria nossa despedida. Pediu que eu entendesse e que não aparecesse na igreja, ele poderia fraquejar. Depois de outros tantos beijos e de mais uma entrega de delícias sem-fim Mariano levantou-se ainda com céu escuro e desapareceu nas sombras quando meu candeeiro, vazio, apagou-se para deixar-me chorar às escuras, bem como gostam os corações mais tristes.

Quando a tarde do casamento chegou, Clemente novamente surgiu como uma sombra atrás de mim. Se meu plano de alforria tivesse dado certo, queria ver aquele monstro sem alma chegar perto de mim com aquela insolência toda, com aquele atrevimento. Tentei driblar o homem que me afetava os nervos, ficando sempre a dois passos de onde eu estava. Tinha prometido a Mariano que não iria até a vila para o casamento, mas a angústia começava a queimar meu peito com o arrastar das horas. Do terreiro eu ouvi os festejos quando a noiva partiu no carroção, em seu vestido branco de longo véu, como me contaram, animadas, as escravas, sem saber da minha aflição, contando das belezas e do jeito de princesa da menina moça. Eu nada queria saber daquela branca de cabelo ruivo. Queria saber se Mariano ainda estava na fazenda ou se tinha se adiantado à sua pretendida. E Clemente não escapava dos meus calcanhares. Eu corri para logo dar conta dos meus afazeres. Recolher-me à senzala poderia gerar algum tipo de monotonia no cão de guarda que bebericava cachaça de tempos em tempos e, mesmo parado no terreiro, fatalmente o velho feitor cairia num cochilo. Não contive meu largo e cativante sorriso quando vi Clemente voltando da casa-grande com um prato imenso de refeição. Era isso mesmo que eu queria. Que ele empanturrasse a pança e bebesse mais e mais aguardente, aí, sim, era certeza de que o porco feitor iria direto aos braços de Morfeu, debaixo do mormaço que cozinhava toda a Fazenda São Jorge. Dei conta de minhas últimas obrigações do sábado e, sob os olhos do homem, entrei em meu cômodo. O bronco arrastou um pilão maciço para o meio do chão de terra e tombou-o ao lado do tronco. Sentado no pilão, fez seu almoço, com uma garrafa de pinga junto à bota, enquanto seus olhos ficavam na porta do meu cômodo. Ele sabia que não tinha outra saída de dentro da senzala. Meu cômodo era pequeno e junto às telhas tinha uns poucos respiradouros que deixavam um ar viciado e quente o dia inteiro que Deus dava, e no inverno o forno transformava-se numa cripta polar. Sem janelas eu não poderia atravessar a parede para sumir de sua vista. Eu fiquei quieta e tentei conter minha impaciência. Clemente sempre cochilava após o almoço e depois saía feito doido na fazenda procurando escravos preguiçosos que porventura imitassem seu expediente. Era questão de tempo. Comecei a roer minhas unhas enquanto ele raspava o prato rústico com a colher e eu, aflita, bendizia cada gole de cachaça que ele enfiava na boca. Clemente recostou-se ao tronco e baixou seu chapéu de couro e, com as pernas espichadas, cruzou uma sobre a outra para melhor se acomodar.

Minhas orações aos cacos da Santa Sara Kali começaram naquele instante, mas ao que parece, a imagem despedaçada na minha ânsia de rever Mariano não foi boa ouvinte. Assim que Clemente pestanejou pela primeira vez, levantou-se assustado, ficando novamente alerta. Ele não poderia se dar ao luxo de dormir e me perder de vista. O feitor foi até o quartinho e quando deu conta vinha andando decidido até meu aposento.

— Vem cá, negrinha. — bradou, raivoso. — Por tua culpa não vou ao casamento do patrãozinho. Por tua culpa.

Fiquei imóvel no meu canto temendo a truculência do malfeitor. Mesmo passado tanto tempo da última surra de chibata com o costumeiro castigo da salmoura nas feridas para fazer a dor se estender por dias intermináveis, meus músculos não procuraram fuga.

— Tô com um sono dos diabos e não devo despregar os zóio de vosmecê. Então vai ficar presa.

Clemente arrastou-me até o meio do cômodo e passou minha mão pela viga fina, nada mais que um caibro que sustentava o teto de palha, prendendo meus punhos a ferro tal qual estou presa em ferros diante dos senhores. O astuto algoz perdigueiro não queria dar chance nem modos de me ver livre de sua vigilância e a caminho da igreja para assistir Mariano, assim evitando que eu fosse a protagonista de qualquer embaraço entre as famílias dos casadoiros.

E a maldade do feitor não parou aí. Vendo-me presa, com as espáduas vergadas e a cabeça tocando o chão, o facínora pôs-se de joelhos e nivelou seu rosto feio e mal barbado e me sorriu, começando a expor sua intenção real daquele castigo, nem o diabo urdia vilezas iguais a daquele feitor Clemente.

— Não fui à igreja santa nem irei ao banquete da união do patrãozinho com a polaca. Fui obrigado a ficar aqui de pajem da negra mais safada que passou por essas bandas. Calíope, a mulher que encanta com o canto. He, he, he. Me encanta agora, bruxa duma figa!

Clemente levantou-se e ficou olhando o cômodo da senzala de lá para cá.

— Foi meu castigo ter de ficar aqui com vosmecê, então tu há de me dar paga. E das boas, ainda.

Mesmo com as mãos presas, espichei o máximo que pude meus dedos, conseguindo alcançar um pedaço do tecido que fazia meu vestido. Centímetro a centímetro tentei cobrir minhas pernas totalmente expostas àquele infeliz.

Clemente, olhando com os rabos dos olhos para o esforço besta da escrava desesperada, colocou-se a rir.

— Acha que vou querer porcaria com vosmecê a uma hora dessas? Com umazinha do teu tipo, Calíope? Esconde à vontade esse seu rabo que não é isso que eu to procurando como paga, não. Ora essa!

O feitor foi até uma prancha de madeira encravada na parede que me servia de mesa e revirou uma cumbuca vazia e uma caneca de barro. Cuspiu no chão, xingando e maldizendo nomes e circulando a senzala. Finalmente voltou até a prancha de madeira e deteve-se olhando para uma segunda cumbuca, cheia de farinha até a boca.

— Nega luxenta é você. Até farinha peneirada tem aqui. E não seria aqui o lugar perfeito para esconder meu pagamento? — perguntou-me, enquanto virava de borco a cumbuca, sendo que meu choro não conseguia ser escondido.

Clemente tirou uma faca da cintura e esparramou o bocado de farinha, trazendo ao final meu anel de ouro enfiado na ponta da lâmina aguçada. Riu desbragadamente, feito bêbado, feito valentão empolado lembrando a figura de um pirata que acaba de pilhar um baú de tesouros. Meu tesouro. Meu presente de Daiana. Meu passe para a alforria.

— Essa merda aqui deve pagar o suplício que estou passando, afastado do patrão, patrãozinho e da senhorinha Isabela. Desse jeito não preciso te abrir o lombo com a cinta. Estamos acertados. — proferiu, saindo cambaleando de volta ao terreiro ensolarado, sentando novamente no pilão deitado, retornando à sua posição, sentado sobre o pesado pilão e com o chapéu de couro protegendo do sol os olhos.

Vi quando ele caiu no sono e vi as sombras se estenderem no chão de terra fina e vermelha do lado de fora sem conseguir me livrar das pesadas algemas de ferro. Restando a mim, como os senhores já devem estar fartos e cansados de ouvir, prantear por conta de mais essa desventura. Pranteei muito naquela vida, meus senhores. Não fui pessoa de alma feliz. Muito choro caíu desses olhos lavados de estrelas. Não é vergonha nenhuma admitir isso. Mas há tempo para tudo. Há tempo de ser fraco e há tempo de ser poderoso. Chegaremos em breve aos fatos que secaram minhas lágrimas do rosto e encheram minha face de risos. A mutação perfeita e mais justa para esses corpos finitos e sem graça.

Voltando ao episódio do casamento de Mariano e Isabela, a amiga Naná me contou dias mais tarde o que se sucedeu na igreja. Toda a festa e formosura que foi preparada e eu não pude assistir. Contou-me da igreja enfeitada e da noiva impecável no altar, com seus cabelos ruivos resplandecendo contra o tecido caro e alvo que lhe ornava e os fulgurantes olhos azuis chamando a atenção de todos os presentes. Naná me disse em detalhes o estranhamento de ser o noivo a se demorar a entrar na igreja e ter pedido para rezar na sacristia antes de ir ter com sua jovem esposinha, aflita e esperando no altar, os parentes e convidados. Um zunzunzum sem tamanho se formou quando um ou outro começou a falar que o noivo estava passando mal ou estava sofrendo de uma frouxidão danada das tripas por conta do calor e da circunstância ou de coisa que tinha comido na véspera. Mas minha amiga disse que não era nada disso. Mariano, sim, rezava e pedia aos céus uma resposta. E foi com cara de velório e não de festa que foi até o altar e por fim iniciou-se o sacramento. O padre e o sermão arrastado encheram a nave da igreja que transbordava de gente vinda de todos os cantos. E foi quando os votos dos noivos se iniciaram, com a troca das alianças preparada, que tudo aconteceu.

— Senhor Mariano Peixoto, aceita a mão de dona Isabela Du Bathor como sua legítima esposa?

Mariano ficou em silêncio que se propagou como pedra lançada ao lago fazendo até o último dos cristãos ficarem calados.

O noivo olhou nos olhos já vermelhos da jovem noivinha.

— Senhor Mariano Peixoto, aceita a mão de dona Isabela Du Bathor como sua legítima esposa?

A repetição da pergunta fez a igreja parecer vazia de qualquer presença, posto que até a respiração dos que assistiam foi cortada e todos os olhos convergidos para o jovem e mudo pretendente.

— Senhor Mariano Peixoto... pela graça de Deus, estamos aqui hoje... para, para celebrar vossa união com a dona Isabela Du Bathor. Os votos foram feitos. O senhor aceita a mão da tua noiva, como tua legítima espo...

— Não! — bradou o rapaz, desencadeando o inferno dentro da igreja.

Antes que qualquer cidadão esboçasse reação, ele já caminhava decidido pelo corredor indo em direção à porta da igreja.

Seu Galdino ardeu em cólera e já corria atrás do filho quando o senhor Du Bathor interpelou-o, agarrando-o pelos braços.

— Teu filho está louco, ó pá? Como faz uma desfeita dessa com minha família? Pelo amor de Deus! Apanha aquele molecote e o arrasta pra cá!

Galdino, sem rodeios ou modos arremessou o emplumado pai da noiva para o lado, e este caiu num dos bancos.

— É justamente isso que eu vou descobrir e fazer para o bem de todos nós, senhor Du Bathor, e teria pego o filho duma égua aqui dentro ainda se não tivesse entrado no meu caminho como um pavão frouxo.

A noiva, decompondo-se como uma árvore em outono foi amparada por tantas comadres e amigas que estavam ao alcance, enquanto a mãe se debulhava em lágrimas, olhando para o marido caído no banco e repetindo.

— Eu te disse, seu ignorante. Eu te disse. Essa gente do campo não passa de um bando de desqualificados. Vai acudir tua filha, agora!

Enquanto a cena se desenrolava e a discussão esquentava, dizem que Mariano tomou o melhor cavalo de um padrinho da cerimônia e tocou a todo galope para a Fazenda São Jorge.

— O resto, senhores, posso contar e dizer que aconteceu na ordem em que vos falo, pois vi com esses olhos que a terra há de não comer. — sentenciou a vampira, com um sorriso sarcástico no canto do lábio, retomando seu curioso relato de caso passional.

Atada como me encontrava e já um tanto desnorteada, ouvi de longe o trotar do cavalo. Sabia que era alguma coisa para o meu destino posto que meu coração disparou no exato instante em que o som dos cascos penetrou em meus tímpanos. Retorci-me e vi que lá fora a noite chegava e o feitor dormia de babar recostado ao tronco de castigos. Um cavalo negro entrou no meu campo de visão. Um homem com terno preto e camisa branca girava a montaria fazendo a poeira subir. Quando o cavaleiro desceu meus olhos se arregalaram. Era Mariano. Mariano sem a noiva! Só podia significar uma coisa!

Mariano entrou na senzala e encontrou-me naquele estado. Puxou as correntes tentando me soltar, mas só ouviu gemidos.

— Meu anjo negro... — murmurei enquanto ele saía pela porta em direção ao feitor.

Clemente, dormindo, não entendeu o pé no peito que tomou seguindo do tombo sobre o terreiro.

— Dá-me a chave do grilhão, Clemente!

O homem virou-se rápido e colocou-se de pé, assustado com a visão do senhorzinho à sua frente, descabelado e vermelho como o capeta.

— A chave do grilhão. Dá-me! Agora, homem!

— Senhorzinho... teu pai...

— Meu pai, nada! Na minha vida e em Calíope mando eu! Dá a chave ou eu tomo à força. — vociferou o homem.

— Senhorzinho, não diz uma coisa dessa. — falou baixinho o feitor, levando a mão para trás e tocando o cabo da faca afiada.

— Vou embora dessa fazenda, Clemente. Deixo tudo que é meu pra ti. Dá a chave agora. Vou embora com Calíope, que é e sempre foi minha verdadeira mulher.

O feitor se afastou. Mariano avançou. Eu gritei:

— Ele tem a faca!

A lâmina brilhou com os derradeiros raios de sol do dia. Em questão de instantes o dia deixou de ser dia e o véu da noite mais triste da Fazenda São Jorge cobriu o firmamento com seu azul-escuro e tratou de ir salpicando a falta da luz com as estrelas.

— Deixa disso, Clemente. Não quero a ponta da faca. Quero a chave. Não cause um rebuliço por uma briga que não é tua.

— Se te deixo ir o coronel me esfola, me mata!

— Se não me dá a chave eu te mato! Disseram que Calíope estava morta! Bando de safados!

— Não fala isso, coronelzinho. Tu é homem novo, tem vida inteira pela frente. Não meta a besta com um cascudo feito eu. Tu não entende nem de briga nem de faca.

Mal acabou de pronunciar a frase, Clemente arregalou os olhos. Com um salto de gato o corpulento Mariano alcançou-o. A mão forte do noivo fugido apertou o punho engalfinhando a faca e torceu o braço do feitor até que a arma fosse ao chão em meio de um gemido do adversário.

Clemente repeliu o rapaz com um empurrão do ombro e Mariano, esquecido do pilão de madeira atravessado no chão, deu com as costas no terreiro. Tempo suficiente para Clemente virar-se e correr atrás da faca.

Mas nessas horas a juventude sobrepuja a decadência física que a idade enfia goela abaixo dos homens da tua raça e também supera a cabeça tonta dos sonolentos e embriagados. Mariano, para evitar que o feitor se levantasse mais uma vez armado não pensou duas vezes em encher-lhe a bota nos fundilhos enquanto esse se curvava sobre a faca, fazendo Clemente cair com os beiços na terra e levantar com a boca sangrando.

— Dá-me a chave! — gritou Mariano colérico, já temendo o tempo que perdia naquela inesperada contenda.

— Não dou! — berrou de volta o irado e humilhado criado da fazenda.

— Por tudo que é mais sagrado, homem. Tu nunca teve coração, nem misericórdia. Teu nome é Clemente por pura brincadeira desse destino, homem. — argumentou, Mariano, respirando e resfolegando, postou as mãos em prece e ajoelhou-se. — Por tudo que é mais sagrado nesse mundo, feitor, dá a chave que solta a minha mulher. Calíope é filha da água e tem os olhos cheio de estrelas. Ela não e uma senhora para viver em ferros. Dá a chave, Clemente para soltar minha deusa.

O feitor bambeou nas pernas. Nunca em toda sua vida bruta tinha imaginado que o dono daquelas terras iria um dia ficar de joelhos diante de sua figura e suplicar alguma coisa. Levou a mão até o cinto onde ficava o argolão com as chaves.

— Senhorzinho, espera teu pai. Eu não posso fazer isso. Acha que só porque sou um lazarento, sem pai nem Deus no mundo tenho o coração de pedra? Tá enganado, senhorzinho. Levanta desse chão. Deixa teu pai chegar. Ele é o homem de te dar essa chave.

— Não, Clemente! Não! Quando ele chegar tudo estará perdido. Você conhece o sangue e a maldade do patrão. Deixa-me fugir. Diz que te golpeei e te derrubei e nada pôde fazer. Não tem ninguém nos vendo nesse céu que se enche de estrelas, feitor. Um dia volto aqui e te recompenso de forma infinita a tua caridade, mas é a última vez que te peço, homem.... dá-me o raio dessa chave.

— Não dou!

— Aaaaaaaa! — Mariano levantou num grito de fera e com forças tiradas não sei até hoje de onde agarrou o pilão atravessado no chão e ergueu sobre os ombros.

Clemente abaixou-se para finalmente pegar a faca. A barriga do inimigo estava desprovida de defesa. Contudo, sua velocidade não foi páreo para a do senhorzinho. Mariano arremessou o pilão maciço contra o peito do feitor que se levantava cambaleando e o homem foi ao chão, ouvindo-se um estalar de ossos quando tombou de costas com o pilão no peito. Mariano não perdeu tempo nem teve piedade. Arrancou o argolão da cintura do inimigo e correu ao meu encontro. Girou a chave na algema e um após o outro meus punhos ficaram leves com a liberdade.

— Tu é minha, Calíope, de mais ninguém. — disse meu herói, beijando minha boca de forma ardente.

— E o casamento? — perguntei entre um beijo e outro.

— Fugi e larguei a coitada no altar. Não me deixa pensar nisso. Agora anda. Pega tuas coisas e vamos desaparecer de São Jorge, vamos desaparecer do estado. Tenho conhecidos no Rio de Janeiro e rápido vamos nos arranjar.

Levantei e fiquei parada. Não demorou um minuto para ele me olhar atônito.

— Anda, Calíope! Pega tuas coisas!

— Que coisas uma negra escrava, tem, meu bem?

Mariano abriu um sorriso.

— Vem. Vamos achar o cavalo que correu para a banda do açude e tomamos chá de sumiço.

Quando ele se virou na porta da senzala, Mariano empalideceu. Ao lado do tronco, ao lado do corpo inerte do feitor, seu Galdino caminhava, vermelho, colérico, tomado de ódio, só faltando babar.

Não sei se foi impressão minha, mas na varanda da casa-grande, distante de onde estávamos, vi o brilho do olhar de uma coruja ou de uma coisa que se mexeu. Mal agouro, pensei. São os olhos do diabo.

Seu Galdino apanhou a faca da mão de Clemente e veio andando em minha direção. Mariano me defendia com meio corpo na frente.

— Está feito o que você queria, crioula vagabunda! Meu filho fugiu da igreja para vir alcovitar com você!

— Não fale assim, meu pai. Fugi do casamento, fugi, sim! Mas vim levar embora aquela que o senhor me disse morta. Quando a vi, minha paixão retornou de forma irreversível e avassaladora. Maior do que era.

— Não paguei teus estudos para ficar gastando palavra difícil para defender negra de senzala.

— Calíope não será mais negra de senzala! — bradou Mariano, enfiando a mão no bolso da calça e estendendo ao pai um maço de dinheiro. — É tudo o que tenho. Dá e sobra para comprar a alforria da minha senhora.

— Tua senhora?! Essa é boa! — o pai avançou um passo e deu um safanão no maço de dinheiro que voou e se espalhou com o vento. — Esse dinheiro é da Fazenda São Jorge. Não é dinheiro teu, moleque. Não importa quantos anos tenha, age como um menino mimado! Não vai ter a crioula. Dou fim nisso agora! — gritou, puxando-me pelo braço e me tirando de trás de Mariano.

Puxei meu braço com força e me fiz livre, mas Galdino, agora espumando de cólera, estava determinado a levar a cabo sua sentença e voou com a faca na direção do meu peito. Cai sem forças e senti uma dor insuportável nas costelas.

Nesse momento a vampira interrompeu seu depoimento para que pela enésima vez os ouvintes respirassem e vissem seus olhos derrubar lágrimas de sangue. No entanto dessa vez sua voz manteve-se serena e não ficou embargada pelo choro. Ela realmente precisava *respirar* para continuar a falar.

— A dor que senti foi do peso do corpo de Mariano contra minha frágil silhueta. Cai sem ferimento de faca e empurrada por meu cavaleiro, meu defensor. Girei com agilidade e me voltei para Mariano. Seu pai estava estático, ainda vermelho como se fosse explodir de tanta raiva, mas com os olhos vidrados no filho que gemia no chão. Meu corpo gelou. A camisa branca por baixo do terno negro tingia-se de vermelho prenunciando a desgraça maior. Mariano gemia de dor com a mão no cabo do punhal enfiado no peito. Ajoelhei-me ao seu lado e comecei a gritar em total desespero, sem saber o que fazer.

As botas do coronel se arrastaram até minhas costas.

— Taí o que você queria crioula, duma figa! Agora fica com ele! E antes de levantar a cara pra me acusar, vadia, saiba que foi você quem enfiou essa faca no peito dele. Foi você! Foi você!

— Não é hora de acusamento, coronel! Corre e chama um médico, pelo amor de Deus!

Mariano ia ficando mais pálido e mais pálido a cada bombear de seu coração. O ferimento parecia profundo e o sangue borbulhava pela ferida.

Galdino cambaleou para trás olhando ao redor. Ouvindo ao longe o som de cavalos chegando. Certamente os convivas e a família da noiva largada no altar. Logo estariam ali.

Galdino andou até bem perto de mim e começou a gritar mais uma vez.

— Jamais ia deixar filho meu terminar com uma crioula safada. Deixar tudo que eu construí nas mãos de um filho casado com uma preta ordinária. Se tu não ficasse rebolando esse rabo na frente dele, seduzindo ele, toda essa desgraça não tinha acontecido. Não tinha! Ordinária! Assassina!

Galdino girou tonto nas botas. O nervoso da situação tinha-lhe afetado os sentidos. O homem parecia agora até mesmo embriagado, certamente com o peso de ter feito ferida mortal no peito do filho. Tirou o revólver da cinta enquanto eu colocava a cabeça de Mariano sobre minhas pernas e rezava entre lágrimas para minha Santa Sara, pedindo que a ferida não fosse das piores e que houvesse tempo de reverter aquele desatino do pai racista.

— Foi nessa hora, capitão de Exército, que eu ouvi as botas do coronel se aproximando. Sua respiração agitada, os metais de seus cordões de ouro e das esporas de montaria. Ouvi quando ele apertou o gatilho. Uma lufada de ar quente passou rente à minha cabeça e eu tombei, tremendo de medo, sem forças para mais nada nem choro nem gritos, vendo a arma apontada na minha direção. Minhas costas tocaram o chão do terreiro. Minha visão turva não focava o agressor que era uma mancha bailando na minha frente. O coronel abriu a camisa e gemia, cambaleando, com a mão no peito. Ele também sofria as conseqüências daquela tragédia e parecia prestes a perder os sentidos, vítima de infarto ou derrame. Por conta de seu mal-estar tinha errado o disparo. Só por isso eu ainda estava viva. Minha visão foi melhorando. Um quadro de horror se revelou. Galdino ergueu o revólver mais uma vez, apontou para o meu peito e puxou o gatilho... nada. A munição tinha falhado. Ele xingou e jogou o revólver no chão. Galdino foi até o filho ferido e lhe arrancou a faca do peito. Enquanto eu tentava me arrastar, me afastar daquele monstro. Ele pisou com a bota no meu calcanhar enquanto eu gritava, escutando cavalos e carroças chegarem à casa-grande. Galdino ajoelhou sobre mim e, com ódio e sem piedade, esfaqueou-me, rasgando minha carne não uma, mas ao menos quatro vezes. Levantou-se quando eu não mais oferecia resistência. Meus olhos baços já não se mexiam. O céu de estrelas que meus olhos fitaram com tanto interesse na noite de meu nascimento era o mesmo que meus olhos de mulher fitavam na hora da morte vinte e oito anos mais tarde.

Calíope calou-se nesse instante e fechou os olhos.

Brites remexeu-se desconfortável na poltrona que ocupava. Acendeu outro cigarro e deu uma tragada longa.

— Os infectos que capturamos, Calíope, dizem que foram feitos vampiros ainda vivos. Lembram bem disso.

— Eu também, capitão. Eu também.

— Mas o coronel tinha você indefesa aos pés. Bastava um golpe para acabar com a vida de uma mulher.

— O senhor é um homem treinado. Não duvido nem um pouco que minha fortuna tivesse sido outra caso fosse o senhor meu algoz no lugar dele. Entenda, querido capitão, que fui atacada por um homem embriagado, colérico e que também não estava em plenas condições, uma vez que demonstrou que passava mal com o acúmulo de situações estressantes e do horror que o cercava. Ele me desferiu quatro golpes, deixando-me como morta no terreiro e caiu do meu lado. E de fato eu teria sangrado até a morte se naquela mesma madrugada não tivesse sido socorrida pelo meu padrinho, meu bom anjo, enviado do céu... ou do inferno, ainda guardo cá as minhas dúvidas.

O fato é que negra Naná me contou o que soube. Que um minuto depois da tragédia consumada, as primeiras pessoas foram chegando e por fim os escravos que tinham retornado a pé. O coronel, recuperado de seu mal-estar, contou a todos que Mariano teve uma briga com o feitor Clemente, mas assim que eu me vi livre das correntes, cega de ciúmes, dei uma facada no peito do filho. Galdino disse que chegou nesse momento, em que eu atentava contra a vida do noivo compadecido. Então se atracou comigo, tomou a faca e acabou com a minha raça. Gritou aos negros que não socorressem a criminosa. Que meu castigo final era aquele, ficar apodrecendo naquele terreiro, para pagar o mal causado ao filho e à filha largada no altar. Se o dedo de um negro sequer tocasse em meu socorro, todos pagariam com a vida. Mariano, bendito seja Deus, foi logo socorrido com a chegada expressa de um médico, que por felicidade era convidado dos festejos e mordido pela curiosidade tinha seguido a comitiva de bisbilhoteiros que acorreram à Fazenda São Jorge. Doutor Edgar primeiro tratou do senhorzinho Mariano, e lhe prestou os primeiros socorros, depois voltou ao terreiro, não por minha causa, mas para ver se ainda algo poderia ser feito pelo funcionário desacordado. Clemente ainda estava vivo e também foi socorrido, levado para outro cômodo da casa-grande. Dizem que o médico suplicou para levar-me à senzala e ver se existia a menor chance de vida em meu corpo esfaqueado. E dizem que os berros e maldições do coronel Galdino foram tão severos que ao médico só coube resignar-se e envergonhar-se de deixar morrer sem assistência alguma uma pobre crioula. E assim, lavado no sangue e na tristeza o terreiro ficou deserto, a senzala calada e a casa-grande tratando dos enfermos e mergulhada em orações.

Naná disse que não conseguiu pregar o olho em seu cômodo de senzala. Muitas palavras de angústia trocou com a velha benzedeira que a todo instante bisbilhotava pela porta, olhando com tristeza para meu corpo caído e imóvel no terreiro, vendo meu vestido meio branco, meio vermelho. A menina Ondinha nunca mais cantaria nas noites de lua para agradar e abrandar os corações dos cativos. E por conta dessa desconfortável insônia ela viu o que viu. Lá pelas tantas, ia a madruga se rasgando, o vulto de um homem bem vestido, um dos convidados, surgiu longe e veio beirando a casa-grande até chegar ao terreiro dos negros. Quando a luz da lua permitiu, Naná sentiu o sangue gelar e benzeu-se e correu sacudir a velha Pagô.

— Dom Braga tá aí no terreiro.

As duas espreitaram pela porta e viram o fino, alto e delgado fidalgo português apanhar-me no colo e juraram juntas que ele me olhou muito, muito tempo com o rosto cheio de ternura e pena.

Os poucos olhos que foram testemunha daquela caridade nada fizeram com medo do enigmático cavalheiro e de que este acabasse por falar algo ao senhor da fazenda.

Tenho uma vaga noção de flutuar na escuridão. A luz da lua e das estrelas não atravessavam o véu de morte que lutava para encobrir minhas retinas. Só sei que fui levada para longe dali, estreita no colo de meu doce padrinho, até onde dom Braga abraçou-me e finalmente abriu meus olhos.

— Calíope, Calíope... pequena Ondinha. Estás fraca como um bebê que chega ao mundo...ao mundo das trevas. Seria tão triste esse planeta maçante perder figura tão singular quanto a tua. Ainda há tempo, minha filha, de fazer tua existência valer a pena. Quer meu anjo negro tornar-se filha da noite, abdicar das horas do sol e ser a chibata que vingará o couro dos de tua raça?

A palavra vingança correu em minhas veias empurradas pelo pulsar débil de meu moribundo coração. Mal tive forças para fazer tremer meu queixo, minha cabeça, dando o suficiente para meu salvador entender que, sim, eu consentia, sim, eu queria vingança. As batidas derradeiras de meu coração foram de encontro ao peito de meu bom padrinho que beijou minha boca, enchendo minha língua de um gosto acre e ferruginoso, cravando dentes em meus lábios e depois beijando de forma quente o meu pescoço e segurando firme o meu corpo. Meu estremecimento, tesão e depois repulsa convulsionavam o corpo, sem que me fizesse livre daqueles braços poderosos. Dom Braga não me largava. A dor aumentava e então perdi completamente as forças junto com a consciência e sobreveio o vazio de estar morta, mas ao mesmo tempo presa em cordões finos e invisíveis para não flutuar para o outro lado do manto. Eu nada via, nada ouvia, nada sentia.

Ele deve ter sorrido ao ver-me morta, solta no chão gramado, banhada pela pouca luz da lua que varava a copa da mangueira. Deve ter-se afastado vagarosamente, com a roupa garbosa e bem cortada empapada em meu sangue de morte. E me deixou ali. Um cadáver com promessas.

Dizem que fui encontrada ao raiar do sol há sete quilômetros da fazenda. Trouxeram meu corpo hirto para a senzala e o choro incontido dos irmãos marcou aquela manhã de desgraça. Muitas conversas tiveram, juras de vingança. Ponderação dos mais velhos, já calejados com as desventuras da vida de servidão. Eu não era a primeira negra que se enrabichara com um senhorzinho. Não era a primeira que ia pra debaixo da terra por conta dessa ousadia e também não seria a última. O descontentamento e a humilhação cresceram quando correram até a vila pedindo ao padre que desse os sacramentos a meu cadáver. O coronel havia proibido o homem de Deus de cumprir as exéquias daquela que atentara contra a vida de seu filho. E foi além. Proibira que eu fosse enterrada no mesmo cemitério cristão onde sua esposa repousava e para onde o corpo do filho ainda corria o risco de ser levado para o descanso cabido ao justos e honestos, privando meu corpo do repouso ao lado da cova de minha mãe Ana Maria. A história rondou de boca em boca naquela vila. Todos souberam do sucedido. Claro que a versão que ganhou a língua das fofoqueiras foi a inventada de repente pelo coronel. A violência, desde cedo, desperta o interesse do povo e antes do pôr-do-sol muitos correram até São Jorge para prestar visita ao rapaz e outro tanto lamentou a má sorte da pobre negrinha esfaqueada pelo correto e justo pai, lastimando ainda a ira do coronel que privara aquela alma de um enterro digno, um enterro cristão.

Não sei qual escrava de senzala começou com a choradeira, de certo foi a negra benzedeira. Dizia que sem o enterro do padre minha alma seria amaldiçoada. Seria uma alma penada, sem porta aberta do outro lado do manto. Que penaria e vagaria por aquela senzala sem dar paz de espírito aos que aqui ficavam. O fato é que a velha benzedeira reforçava isso a todo instante, dizendo que negro nagô, sem enterro cristão ou ritual nagô, na certa não ficaria com os ossos quietos debaixo da terra.

Meus irmãos buscaram um lugar ermo, retornando meu corpo até debaixo da árvore onde dom Braga me abandonara. Lá cavaram a cova e fizeram o sepultamento. Apesar da origem africana nativa de alguns, a difusão do cristianismo era intensa nas senzalas e por medo de que me fosse negada a vida eterna no retorno do Senhor Jesus Cristo, fizeram rezas cristãs. Naná, que remendara também os cacos de minha Santa Sara, prestou rezas à minha padroeira e pediu que a santa intercedesse em meu nome nas portas de São Pedro. Depois de enterrada e com a cruz marcando meu chão de repouso, dona Pagô, a negra mais velha de idade da Fazenda São Jorge, disse que iria ficar comigo mais um tanto. Dizem que a velha ficou para fechar meu túmulo com rezas de proteção para garantir que, se minha alma não tivesse descanso ao menos as almas deles teriam. Não sei se tive um sonho, mas lembro-me muito bem de estar no alto da tal mangueira, olhando para o chão, parada como uma fruta presa, que dá num galho, vendo a velha benzedeira da senzala curvada sobre a terra fofa onde jaziam meus despojos. Eu posso jurar até hoje que eu vi aquilo, capitão de Exército. Eu vigiava a velha ajoelhada em cima da minha cova, com a terra ainda fresca e revolvida. Tentei me aproximar, falar, mas minha voz encantadora não chegava nem aos ouvidos da mulher nem aos meus. Era uma existência sem existir, era um estar sem haver. Eu era apenas os olhos e ouvidos de meu corpo, presos na árvore assistindo e escutando a boa e preocupada Pagô. A velha fazia rezas em tom de voz quase inaudível, mas meus ouvidos de assombração tinham mudado, posto que escutavam palavra por palavra, mesmo sem entender a língua nagô em que a velha entoava suas rezas. Então uma hora a velha Pagô parou com o choro e com as encomendas. Benzeu-se como tinha de se benzer uma mulher de sua idade. Tirou o turbante branco que ia enrolado em sua cabeça e, para a surpresa de meus olhos de fruta pregada na árvore, vi a velha tirar a faca. A arma com a qual Galdino tinha ferido o filho e depois usado para finar meu corpo. Com as mãos em concha e transpirando de calor a velha cavou tão fundo quanto conseguiu enfiar seus braços. E sua voz sussurrada falou direto nos meus ouvidos de defunta e ecoaram mais forte nos meus ouvidos de assombração.

— Ô, minha pretinha, coisa linda de nossa gente... que morte triste suncê teve, filha. Que morte triste.

O vento soprou na árvore e senti frio. A luz da lua varava os galhos e projetava a sombra da velha sobre minha cova.

— Rezei tudo que eu sabia rezar, mulher Calíope. Rezei para todos os anjos que eu conheço de nome e pedi toda a ajuda que pudessem trazer. Suncê sofreu demais nesse mundo de carne, menina Ondinha. E mesmo te amando como uma vó velha e acabada, prezando suncê com todo meu amor... ai, filha, eu sinto coisa tão ruim vindo de suncê. Coisa antiga, coisa que vivia só do outro lado do mar, mulher Calíope, coisa que vivia em pedra antiga. Aruê pegou você. Aruê vive fundo na terra, mas coisa de homem soltou aruê que veio que nem vento em navio negreiro e mexeu com teu cabelo, menina. Agora aruê tá em você. E suncê adescurpa essa velha que não sabe reza para sarar aruê, nem em Cristo nem em nagô. Mais que tudo nesse mundo quero que vosmecê descanse o sono dos tranqüilos e que teu coração se limpa e que teu corpo vira só osso no fundo desse chão. Agora se aruê for mais forte, Santa Maria, mãe de Deus, tenha piedade de nóis. Se aruê for forte, o ódio que tiver no seu couro vai tomar vida e vai tomar sede de vingar e vai mexer teu couro e teus osso, ai de mim pensar isso de suncê, menina Ondinha. Como tua boa amiga, deixo a suncê o espeto de navalha que o coronel te enfio nas tripa. Se for vontade da menina se vingar, vai e se vinga, filha. Não acredito nem um tiquinho na coisarada que o velho coronel matraqueou. Ele é homem ruim e merece castigo por mentir, castigo por ter feito tudo que fez com a menina e nóis. Suncê que nunca ia ferir Mariano que era o ouro da tua vida. Agora suncê tá armada. Vou rezar para que São Jorge, protetor dos guerreiros, lhe cubra com sua armadura para vingar todas as maldades que os homens brancos fizeram contra nosso povo. Te deixo aqui o espeto de navalha, que é tua defesa. — assim falou, colocando a faca no fundo do buraco. — Deixo um punhado de sementes de mostarda que essa é a minha defesa e minha praga lançada contra quem trouxe aruê pra suncê... praga de benzedeira poderosa pega até em gente de couro mexido, menina Ondinha. E te deixo também um beijo, menina Ondinha dos olhos lavados. E rezo pra que todo esse sentimento encarnado no meu peito seja só vareio de cabeça de velha rezadeira teimosa que vê muito cousa e sente muita cousa. Vai em paz, minha filha. Vai viver sua Aventura. Não deixa aruê te amarrar com cordas no fino fio que separa a vida da outra vida.

A velha Pagô levantou-se com dificuldade, apoiando-se num bastão de galho de árvore que usava de bengala e, com a mão nas costas entrevadas, foi afastando-se da cova de Calíope. Voltou já à noitinha, andando em passos miúdos e disse a quem quis ouvir que com reza alguma conseguiu afastar a sensação ruim que lhe tomava toda vez que olhava para minha cova.

— Aruê. — ela balbuciava de vez em quando sem que ninguém entendesse o que a velha queria dizer.

Pagô sabia que algo de muito perturbador tinha acontecido na minha morte e que minha pobre alma não teria descanso tão cedo. Os irmãos rezaram juntos naquela noite. Uma noite de luto e choro na senzala e na casa-grande.

E não foi só essa tristeza que castigou a Fazenda São Jorge. Ah, não foi não. No sétimo dia decorrido da minha morte e enterro, meu Mariano não resistiu ao ferimento feito pelo próprio pai. Seu corpo que lutava contra febrões e tremedeiras sucumbiu, vencido por alguma infecção ou falência de algum órgão vital. Naquela época, senhores, a medicina ainda engatinhava. Mariano desprendeu-se da vida e no meio da tarde, com as mãos da noiva Isabela sobre as suas, o pobre emitiu seu último suspiro.

Dizem que Isabela pranteou tanto que acabou sendo levada ao doutor enquanto o pai, pálido que nem parafina, ficou mudo e trancou-se no quarto, pedindo a um amigo que começasse a cuidar das coisas para o enterro.

Ao cair do sol, dessa sétima tarde, chegando meu corpo à sétima noite de minha morte, o inexplicável aconteceu, capitão. Eu ouvia o som do mundo de novo. Desta vez não parecia um sonho, nem me sentia projetada no alto da árvore, como espírito que voa. Eu estava ali, deitada, de fato, dentro do meu caixão. Era para ser o mais puro breu, no entanto meus olhos viam com perfeição. Era para que eu queimasse em agonia, no entanto eu estava... curiosa. Eu estava viva, capitão! Viva! Comecei a arranhar a madeira que selava meu caixão pobre e malfeito. Não foi difícil arrancar uma tábua. Minhas mãos, com agilidade que nunca vi, cavaram, trazendo terra para meu colo, minha barriga. Encontrei a faca. Empunhei a arma sentindo um ódio brutal queimando em meu peito. Minha agilidade só cessou quando encontrei grãos misturados na areia. Tão acostumada a ver sementes de tudo que é tipo na lavoura, aquelas me chamaram a atenção por demais, capitão. Era como ver um pedacinho de estrela no meio da terra. Precisava apanhar uma por uma. E assim fui fazendo, coletando uma por uma, enfileirando dentro do caixão, contando quantas havia, separando e buscando outras na terra fofa. Não sei quantas horas perdi entretida naquilo, mas só sosseguei quando revirei toda a terra e notei que tinha apanhado todas. Então, com um túnel estreito, fino, construído com as unhas, arrastei meu corpo esguio para fora da cova e apoiei minhas costas no tronco da mangueira. Respirava fundo, mas não precisava do ar. Encantava-me com os cheiros e com a cor das estrelas e da lua. Através dos galhos e folhas das mangueiras, no meu segundo nascimento meus olhos encontravam e banhavam-se com a luz das estrelas mais uma vez. Não tinha agora o balanço do mar nem o aconchego materno envolvendo minha vinda, nem quatorze braços fortes remando para a costa de Salvador. Agora quem me acolhia era o escuro e as coisas da noite. As estrelas, a lua e os cheiros. Não sabia o que estava acontecendo. Mas sabia de uma coisa. Uma coisa que eu queria. Era fantástico. Não havia medo nesse coração que até então fora de escrava, senhores. Não havia medo algum. A chama da liberdade ardia mais alto e bania perguntas, entendimentos e conjecturas. A vitória sobre a morte queimava em meus olhos. Eu estava liberta das garras do manto e andava no caminho que levava direto para a Fazenda São Jorge, envolta em uma túnica branca que me foi concedida como mortalha e trazendo a faca de Galdino na mão esquerda. Eu era um fantasma, capitão. Um fantasma que perambulava. Eu, finalmente, era Calíope, a vampira.

Brites engoliu a seco. Compreendia bem o que ela dizia. Calíope, de alguma forma, tinha sido infectada pela doença do vampirismo quando dom Braga a teve nos braços. O beijo do vampiro mais antigo tinha transmitido a doença. Em todos os depoimentos aquilo coincidia. O infecto dava uma dose de seu próprio sangue envenenado para a vítima que, ao morrer, do ponto de vista clínico, dava início àquele período de danação, transformando o humano em monstro, em devorador de vidas. Era aquilo que o capitão Brites queria ouvir da vampira. O método da transformação. Podia parar a entrevista agora, mas estava desesperadamente encantado com aquela voz envolvente e com a chance de olhar fundo naqueles olhos castanhos incandescentes. E queria ouvir tudo. A mulher covardemente espancada e morta tinha voltado à vida, com ódio na mente e uma faca na mão. Quão fria poderia ser aquela mulher linda e sensual à sua frente? Brites estava hipnotizado pela vampira. Estava entregue à narrativa.

— Meu Deus! Formidável! — exclamou o professor Delvechio.

— E quando despertou para o vampirismo, infecta, já tinha em mente que era uma morta-viva, uma anomalia? — perguntou Brites.

— Anomalia? Ah! Ah! Ah! — gargalhou, fazendo o homem fechar a cara. — Está surdo, capitão de Exército? Acabei de dizer, volte o registro e veja, eu disse: a chama da liberdade ardia mais alto. Eu estava com a faca na mão e rumava para a Fazenda São Jorge.

— Em busca de vingança, naturalmente. Você matou muita gente?

— Creio que sim. — disse a vampira com um sorriso de canto de lábio. — Creio também que não preciso de um advogado presente nesse interrogatório, faz um bocado de tempo que meus crimes prescreveram, capitão de Exército. — continuou a vampira, rindo mais uma vez.

— Sua sagacidade não é algo que a favoreça, vampira.

— Eu sei bem, capitão. O que me favorece são seus olhos grudados em meu corpo, desejando-me e tendo-me em seus sonhos. Ah! Ah! Ah! Mas ter-me-á somente em seus sonhos, capitão. Deixar-te-ei louco por mim. Perdido por mim. Capaz das mais irreais loucuras.

Brites mais uma vez moveu-se desconfortável. Seria um blefe? Ela estaria lendo seus pensamentos?

— Não quero nada de você, vampira.

— Será? E se eu disser que serei seu porto seguro, seu cão perdigueiro? Será que não passará a querer certas coisas que lhe posso dar?

Brites sentiu o sangue gelar. A voz melosa e penetrante da vampira já tinha sussurrado aquilo em seus ouvidos durante o sonho erótico com a vampira.

Nesse instante a porta da sala de entrevista foi aberta e um soldado entrou agitado, prestando continência aos superiores.

— Capitão, sua presença é requerida no *call center* do Serviço de Contenção, senhor.

— Esse depoimento só deve ser interrompido se a urgência for máxima, soldado.

O garoto tremia e engoliu a seco.

— Permissão para falar francamente, senhor?

Brites aquiesceu.

— Tá acontecendo um inferno em São Paulo. O senhor precisará intervir imediatamente!

Brites levantou-se e olhou para os integrantes da mesa.

— Continuem colhendo o depoimento da cativa. Resolverei esse embaraço o quanto antes e retornarei. Professor Delvechio, conduza o interrogatório, por gentileza.

— Capitão de Exército... — murmurou a vampira, num tom doce e envolvente.

Brites, que já estava de costas, estancou e apertou os olhos. A voz suave da feiticeira dominava sua cabeça e dava um frio na barriga quando lhe era dirigida. Suspirou fundo, virou-se e fitou os olhos profundos de Calíope.

— Toma cuidado. Esta noite vai-se encontrar com quatro vampiros nas portas do inferno. Eu posso abreviar seu sofrimento, é só pedir. Eu sei de tanta coisa que você não sabe. Posso contar-lhe tantos segredos, capitão.

Brites cobriu a cabeça com o quepe e saiu do ambiente, secundado pelo esbaforido soldado, sem dar resposta à cativa. Calíope gostava de brincar com a mente das pessoas.

CAPÍTULO 40

Leonardo e Jorginho acompanhavam as garotas bem de longe. Anelise e Mari andavam juntas e riam. Tinham comprado um jogo de maquiagem, e com base tinham suavizado a palidez flagrante. Tinham investido também em minissaias curtíssimas que deixavam suas pernas extramente atraentes e seus movimentos, por mais comuns, provocantes. Desfilavam na calçada de uma avenida larga e movimentada cheia de bares e carros circulando. A todo momento eram premiadas com buzinadas e gritos exaltados de jovens bêbados, atraídos pela beleza do par de andarilhas.

Não demorou até que rapazes mais ousados insistissem o bastante para que as duas subissem em seu carro. Três rapazes que sonhavam em se dar bem aquela noite com duas garotas que não conheciam. O carro dobrou uma esquina e elas sumiram.

Jorginho ameaçou correr para alcançá-las, mas foi detido por Leonardo.

— Calma, eles não vão a lugar nenhum. Elas sabem o que estão fazendo.

Seguindo o cutucar em sua cabeça, Leonardo conduziu Jorginho pelas ruas escuras de Sorocaba. Em menos de dez minutos encontraram o carro parado, com uma das portas abertas. As garotas com as bocas vermelhas, tomadas pelo sangue que acabavam de ingerir. Leonardo e Jorginho serviram-se de boa porção de sangue. Nada mal para a primeira caçada daquela noite.

As garotas lobas faziam as vezes de leoas na matilha, caçando para o grupo. O ritual de sedução foi repetido duas vezes. Na terceira ação, para surpresa da garota, foi uma pick-up enorme e luxuosa que encostou ao lado delas com três mulheres de coisa de trinta anos. Elas não queriam garotos, queriam as garotas. Anelise e Mari sorriram e gracejaram. O trio de descoladas beijariam mais que duas adolescentes aquela noite. Beijariam a boca da morte.

A final da última refeição, apesar dos pedidos insistentes de Anelise, Leonardo conduziu a matilha para a periferia de Sorocaba. Percorreram a pé a Avenida Ipanema e após passar o cruzeiro, longe dos olhos curiosos, desfizeram-se das roupas e esconderam onde pudessem apanhar mais tarde. Tornaram-se lobisomens para cruzar em alta velocidade os quilômetros que os afastavam de seu esconderijo na floresta de Ipanema. Lá estariam seguros até o próximo anoitecer.

Quando a manhã chegou, antes de cair em seu transe, Leonardo pensava em Yuli. Antes estranhava o fato de não detectar o cutucar quando pensava em Marcos, mas assistindo aos telejornais em frente a uma loja de eletrodomésticos tinha visto o VT do acidente na saída da cidade de Osasco, com repórteres relatando a fuga de dois lobisomens que tinham invadido um *shopping center* e depois causado aquele dramático engavetamento às portas das marginais. Diziam que uma das feras tinha escapado enquanto o corpo de um infecto foi encontrado decapitado no meio das ferragens de um veículo. Yuli tinha sobrevivido, Marcos não. Leonardo pensava na garota teimosa. O que seria dela? Teria conseguido voltar para sua família? Sabia que não ia conseguir ficar com aquela pergunta na cabeça por muito tempo. Agora que Marcos tinha-se ido, sentia-se responsável pela garota. Tinha de buscar Yuli e trazê-la de volta ao bando. Na floresta de Ipanema poderiam esconder-se indefinidamente. Ali seria um recanto sagrado para sua matilha, para seu bando, até que as coisas se aquietassem.

CAPÍTULO 41

Horas atrás, quando o sol escorreu para baixo do horizonte, Alexandre deixou a proteção sob a cama rastejando pelo carpete. Bruno repousava, imóvel, de braços cruzados sobre o peito. Raul não estava onde havia sido deixado. Alexandre passou a mão sobre o cabelo. Sentia-se melhor do que antes de apagar, quando se estava pleno de sangue no organismo, mas de cabeça perturbada pela culpa. Parecia que as horas apaziguavam o coração dos vampiros. Sentiu o cheiro do amigo vindo da sala. Chegou ao cômodo escuro e, aparentemente, vazio. Mas o cheiro estava ali. Foi até o meio da sala. A TV desligada. O som dos carros entrando pela janela. De repente, um urro. Alexandre assustou-se e foi ao chão com o peso de um corpo sobre o seu. Um par de olhos vermelhos correu para o canto da sala. Um grunhido. Alexandre recuperava-se do susto quando percebeu o vulto se mover novamente. Violento, Raul trombou mais uma vez contra o vampiro. Alexandre desvencilhou-se, mas as mãos fortes do amigo enlouquecido foram rápidas e dominaram seus braços. Alexandre estava preso e de bruços. Gritou. Os dentes salientes de Raul penetravam seu pescoço. Gritou mais alto. Dor. Raul grunhia.

— Preciso de sangue! — urrou o vampiro em seu ouvido.

Raul mordeu mais uma vez o pescoço de Alexandre, procurando pelo líquido viscoso e reparador.

Um novo urro. O corpo de Raul rolou pelo chão da sala e bateu contra o sofá. Alexandre virou-se agilmente, assustado e respirando rapidamente. Seus olhos agora também estavam rubros e levemente luzentes e suas presas salientes.

Bruno, melhor refeito da noite anterior, chegou à sala atraído pelos urros e posicionou-se entre Alexandre e Raul, na intenção de bloquear qualquer novo ataque do amigo enlouquecido.

Raul correu para o canto mais escuro da sala e permaneceu acocorado. Seu corpo nu permanecia escondido pelas sombras e seus olhos, acesos, tinham um brilho assustadoramente superior. Grunhiu raivoso.

— Fique quieto! — ordenou Bruno.

Alexandre esfregava as feridas levemente molhadas por um líquido negro. O sangue fresco morria nas veias. Tornava-se denso e movia-se lentamente ao sabor da maldição.

Raul grunhiu e moveu-se nervosamente, acuado.

Bruno preparou-se para enfrentar o amigo. Raul parecia possuído por um demônio. Exalava uma energia pesada, algo ruim. Era como se fosse outro vampiro. Mas, para sua surpresa, os olhos vermelhos da fera apagaram-se. Raul esmoreceu e soltou um gemido. Caiu mole, como se tivesse perdido as forças.

— Preciso de sangue. — gemeu o vampiro, no chão.

Bruno passou a mão nos cabelos. Alexandre olhou espantado para o amigo desmaiado, ainda mantendo a mão na ferida.

— O que aconteceu com ele?

— Sei lá, Alexandre. Acho que ainda está muito ferido por causa de ontem. Ele tomou muitos tiros. Deve estar um caco por dentro. Precisamos arrumar sangue para ele, antes que ele volte a ficar daquele jeito.

— Cruz-credo, Bruno! Ele parecia o capeta. Você sentiu a força dele? Cara, dá medo!

Patrícia chegou à sala.

— O que aconteceu aqui? Por que o Raul está pelado?

— Ele atacou Alexandre. Ele estava fora de si. Transformado. Parecia um bicho.

— Parecia um vampiro, você quer dizer.

— Não, Patrícia. Parecia algo pior. Estava estranho.

Patrícia olhou para o amigo desfalecido.

— Leve-o para o quarto. É por causa dos ferimentos de ontem. Deve estar dolorido ainda. Está nervoso, só isso.

— Está com sede, isso sim. Ele me mordeu, Patrícia! Atacou-me!

Patrícia olhou para o ferimento de Alexandre que já se fechava, autocurando-se rapidamente. Patrícia ficou sem palavras, incrédula.

Bruno arrastou Raul até o quarto de hóspedes da garota e colocou em cima da cama. Pensariam no que fazer com ele mais tarde. Caso continuasse agindo estranhamente, teriam de improvisar uma caçada. Teriam de arrumar sangue para o amigo. Do contrário Raul poderia voltar a atacar um deles. Bruno demorou-se observando o rapaz. Raul, sempre o mais bem-humorado e brincalhão da turma, tinha agora a pele mais pálida dentre o grupo. Veias escuras destacavam-se próximas ao pescoço, tórax e braços, ficando mais escuras ainda junto aos punhos. Parecia um cadáver. Bruno balançou a cabeça. Que tipo de criaturas estranhas estavam se tornando? Por um breve instante sentiu saudades de sua vida de mortal, na qual vampiros não existiam e cadáveres eram cadáveres. Tinha saudade de suas caçadas. Não saía na noite atrás de uma fonte quente de sangue. Saía na balada atrás de uma garota bonita, um corpo sarado. Não olhava primeiro para o pescoço e para a jugular pulsante. Olhava para os olhos, para as pernas, para a bunda da "caça". Não se reconhecia mais.

Bruno olhou para Patrícia e Alexandre que aguardavam de braços cruzados no corredor.

— Eu vou pegar mais algumas bolsas de sangue que o Bert trouxe e vou dar para ele. Ele tá muito estranho.

Patrícia concordou com a cabeça.

— Eu pego. — disse Alexandre, indo até a cozinha e voltando com as três últimas bolsas. — É só o que tem.

Bruno apanhou o sangue.

— Acho que é mais do que suficiente para acalmá-lo. Ele está fora de si. Os tiros na cabeça devem ter afetado sua mente.

— Ele vai se curar, gente. Temos de esperar. Li na Cartilha da Escuridão que um vampiro pode regenerar-se completamente após a ingestão de sangue. Caso sobre só sua cabeça, se for alimentado com sangue noite após noite, todos teus tecidos vão voltando aos poucos. Só que pode demorar. Varia da constituição de cada vampiro. — tentou esclarecer, Patrícia.

— Eu fico com ele. Vocês tentem relaxar um pouco.

Ambos concordaram com Bruno.

Patrícia e Alexandre foram para a sala e ligaram a TV. Suas mentes fervilhavam e imagens entrecortadas das horas passadas tomavam suas lembranças em rápidos *flashes*. Os gritos das vítimas. A sensação de poder com as armas nas mãos. A dor dos disparos recebidos e a conseqüente e milagrosa regeneração para desespero dos bandidos. Um misto de glória e terror. Eram seres superiores aos caçados. Seriam carrascos dos malfeitores. Havia honra nisso. Havia honra nesses crimes. O pilar que sustentava o pensamento dos novatos era o fato de que liquidavam gente que merecia, de que faziam um bem para o resto da sociedade, de que os criminosos pagariam de um jeito ou de outro, de que estavam combatendo o crime, literalmente, com unhas e dentes.

Sem conseguir se concentrar na TV, Patrícia foi ao seu quarto e retornou com a Cartilha da Escuridão nas mãos. Sentou-se novamente e começou a folheá-la. No meio dela o bilhete com o aviso dado por aquele que se intitulava "Um amigo". Leia a Cartilha. Domine o bloqueio mental. Patrícia correu até a página que explicava os rituais de bloqueio mental. Releu pela enésima vez. Invocava um muro de Sansão do campo que fechava seu cérebro com ramos e espinhos, criando uma parede inexpugnável. Era só uma imagem alegórica em sua mente. A vampira sorriu. Aquilo funcionaria contra Ignácio? Leu os outros conselhos e mandamentos impressos na Cartilha. Aprofundou-se na leitura e em instantes, estava completamente absorta pelas linhas de conhecimento ancestral acumulados no livro.

Alexandre olhou para Patrícia umas duas vezes. A amiga tinha-se recostado no braço do sofá e esticado as pernas. A calça justa que usava exibia os contornos sensuais da vampira. Estava com uma miniblusa negra e a barriga e o colo pálidos à mostra. Alexandre suspirou fundo, balançou a cabeça negativamente e voltou a olhar para a TV, foi pulando de canal em canal até parar num telejornal. Para variar, a bola da vez ainda eram os infectos. As câmeras mostravam ruas de bares noturnos, antes abarrotadas de jovens em busca de azaração e diversão, agora praticamente lançadas às moscas. Um ou outro casal circulando pelas calçadas inacreditavelmente livres e ruas sem trânsito intenso. Depois voltaram a falar dos infectos e do perigo caso se defrontasse com algum. Relacionavam pela milésima vez uma lista de particularidades que poderia dizer se um suspeito era ou não um infecto. Aversão à luz do sol, aversão a ingestão de alho, olhos que transmutavam de cor com muita rapidez, pele extremamente pálida, aparência mortiça, descontrole emocional, rompantes de violência e vontade de tomar sangue, predileção em trajar roupas negras e mais uma dezena de coisas que iam surgindo na tela. VTs gravados nas ruas questionavam se os cidadãos abordados acreditavam ou não que os infectos fossem vampiros. Alguns se benziam diante das câmeras sem dar resposta, a maioria fazia graça enquanto uns poucos diziam que acreditavam sim e que inclusive já tinha ligado para o Serviço de Contenção para averiguação de suspeitos. *Flashes* de matérias feitas durante a tarde mostravam que em alguns mercados pequenos de bairro já faltava alho e temperos feitos à base do produto em todas as gôndolas. Um estado de histeria estava prestes a estourar. Alexandre sorriu. Aquilo era um absurdo. Nunca em sua vida tinha ouvido falar de um vampiro real até cair nas garras do grupo de Sétimo. Não existiam tantos vampiros assim. Logo o Exército afrouxaria aquela caça às bruxas e tudo voltaria ao imaginário popular. Pensava nisso e sorria quando letras anunciando "cenas obtidas por cinegrafista amador" mostraram furgões verde-oliva parados na frente de uma casa noturna de muros negros e prateados. Uma mulher estava presa pelo pescoço com uma espécie de garra, uma vara igual à que a defesa civil usa para apanhar animais selvagens fora de controle. A mulher de longo vestido, com a cor deformada, recebeu uma injeção no braço e dobrou os joelhos segundos depois. A imagem gravada durante a noite, usando tecnologia para enxergar no escuro deixava a tela esverdeada e com baixa resolução, mas tinha dado para ver muito bem a quantidade de soldados, apontando armas e fazendo com que ela entrasse num dos furgões. Alexandre franziu a testa e olhou para Patrícia que continuava hipnotizada pelo livrinho negro.

Em seguida o telejornal foi cortado por um boletim de urgência. Imagens na tela mostravam uma seqüência confusa. O cinegrafista corria atrás do repórter que, resfolegando, falava ao microfone.

— Estamos transmitindo aqui da zona sul de São Paulo, ao vivo. Tereza, a polícia isolou o Túnel Ayrton Senna. — som de tiros foram captados e repórter e cinegrafista se abaixaram. — O tenente que está tomando conta da situação disse que um grupo de marginais que assaltou a bilheteria do Ginásio do Ibirapuera, onde acontece agora um grande espetáculo sertanejo, matou dois seguranças lá no local e apanhou uma senhora como refém para a fuga.

Agora, ouvindo a notícia, Patrícia tirou os olhos da Cartilha da Escuridão e fixou-os na TV.

— Graças à intervenção rápida e eficaz da polícia, identificaram a rota de fuga dos marginais e bloquearam a extremidade que dá acesso à Avenida Juscelino Kubitschek e Marginal Pinheiros, sentido nordeste. Os bandidos ficaram engarrafados dentro do túnel. Outro batalhão da polícia militar já está na outra boca do túnel, no sentido noroeste, e a todo instante ouvimos disparos efetuados pelos bandidos. Estão dizendo agora que os marginais aproveitaram o engarrafamento e fizeram muitos outros reféns, que eram pessoas que estavam nos carros que trafegam normalmente na via e se viram presos também pelo bloqueio da polícia, não se sabe ao certo o número de gente sob a mira desses marginais covardes. O resultado, estamos tentando nos aproximar, agora, ao vivo, o máximo possível para que o telespectador tenha uma noção da selvageria desse bando. — o repórter caminhava mais devagar agora e conforme avançava para a boca do túnel, chuviscos de interferência salpicavam a tela. A respiração entrecortada mostrava o estresse a que se submetia o profissional.

Alexandre e Patrícia estavam congelados na frente do televisor. Junto com o cinegrafista e milhares de outros espectadores viam o cenário caótico e de horror formado pelos marginais e pela polícia. Soldados em farda cinza, empunhando armas e procurando posicionar-se entre os carros estacionados e abandonados de qualquer jeito. Pais e mães com crianças correndo e fugindo de disparos que tiravam chispas das paredes de concreto do túnel. A câmera avançou mais alguns metros, o cinegrafista entrincheirou-se num corredor, exibindo pneus e portas de veículos parados. Fumaça rolando pelo teto do túnel, um foco de incêndio. O microfone do repórter que, heroicamente avançava, sussurrando aos telespectadores, captava os brados dos bandidos e os gritos de desespero dos reféns. O cinegrafista levantou-se um pouco mais. Os bandidos estavam cercados por um escudo humano. Tinham capturado seguramente mais de quarenta pessoas, que impediam completamente a visão dos atiradores da polícia militar e dificultavam qualquer ação. Não se podia determinar quantos eram e nem a quantidade de armamento que lhes fazia defesa. A situação era crítica. Policiais berravam a todo instante para que ficassem abaixados e que o repórter saísse dali. Gritavam que os bandidos estavam com fuzis russos e pistolas de grosso calibre. O cinegrafista avançou mais um pouco, mostrando o rosto assustado e cheio de lágrimas de uma garotinha. Um dos bandidos afastou uma menina com menos de dez anos da sua frente e um homem para o lado, estendeu o braço na direção da tela da TV. O repórter começou a gritar e o cinegrafista então apontava a câmera para a boca do túnel, enquanto todos viam ao vivo repórter e cinegrafista empreender corrida para longe do cerco. Som de tiros. O repórter ultrapassou o câmera. A câmera ficou imóvel um instante e então tombou, exibindo agora o pedaço de um pneu murcho e o asfalto do túnel Airton Senna.

Patrícia ficou de pé e olhou para Alexandre. O rapaz derrubou o controle remoto e, mudo, ficou encarando a amiga.

— Você não tá pensando o que eu tô pensando? — perguntou o vampiro de olhos verdes.

Patrícia deu as costas e foi até seu quarto. Ao pé da cama um baú. Abriu-o revelando para Alexandre o interior cheio de armas e munição.

— Eu nem vou perguntar como isso veio parar aqui.

A primeira arma que Patrícia apanhou foi a pistola *Desert Eagle* 44, a arma com que executara seu primeiro serviço para Ignácio e também tinha utilizado na última madrugada para dar cabo dos contrabandistas e traficantes. Apanhou na seqüência uma submetralhadora, enquanto Alexandre, xingando-a de maluca e encrenqueira, apanhava também uma pistola e verificava a munição. O som das armas sendo preparadas e verificadas foi o suficiente para chamar a atenção de Bruno no outro quarto, que caminhou mansamente e parou no batente da porta coçando a cabeça.

— Eu não ouvi o telefone. — disse o parceiro. — O Zinco ligou? Temos um novo trabalho?

— O Zinco não ligou. — respondeu a garota. — Não temos um novo trabalho. Mas temos uma treta daquelas bem cabulosas para resolver e faturar um sangue de gente ruim no final.

Bruno balançou a cabeça positivamente.

— Olha, menina... eu não sei o que tu tá arranjando, mas se é pra sair e sapecar vagabundo, tô dentro.

— Demorou. — rebateu Alexandre.

— E o Raul? — perguntou Bruno.

Alexandre, colocando a pistola nas costas, deu de ombros.

— Acho que ele tá precisando descansar mesmo. Ele fica aqui. — disse a líder. — Se ele está fora de controle não será produtivo nessa empreitada.

Bruno aproximou-se do baú e apanhou duas pistolas. Era assim que queria agir daqui para frente. Sempre duas pistolas. Achava muito louco sacar as duas ao mesmo tempo e ver a cara de medo nos adversários. Apanhou munição extra e enfiou nos bolsos da calça cargo negra.

Em menos de cinco minutos estavam na garagem.

— Vamos no caixão. — adiantou-se Alexandre, destravando o carro com o controle remoto e dirigindo-se até seu Lexus ES300 prateado.

— Negativo. — rebateu Bruno. — Precisamos de velocidade. O Bert não tunou meu Mustang à toa. Vamos de cavalo preto hoje.

Alexandre fez um muxoxo com a boca e mudou de direção. No final das contas até que o amigo tinha razão. Com o Mustang chegariam mais rápido do que com o caixão prateado.

O Mustang-GT chegou roncando até a rua, Bruno acelerou o carro ignorando completamente faróis vermelhos e normas de segurança.

— Tenta pegar a marginal. — instruiu Alexandre.

— Não precisa. É madrugada e tem pouco trânsito. — objetou o motorista.

O Mustang corria e o som do nitro queimando foi ouvido ao mesmo tempo em que os ocupantes colaram as cabeças nos encostos dos bancos. Bruno era bom de braço e só faltava arrancar tinta dos carros que passavam ao seu lado.

— Módulo Capitão Fininha acionado! — brincou o rapaz, passando a dois centímetros de um carro à direita e depois de uma ambulância à sua esquerda.

Buzinas premiavam as ultrapassagens perigosas e velozes.

Enquanto o trio espirituoso rasgava as ruas da Zona Sul o despreocupado funcionário Zinco assistia à TV com os pés sobre a bancada, apoiando a caixa de yakissoba na barriga e puxando o macarrão para a boca com os pauzinhos. Até há pouco estava assistindo um dos melhores momentos de São Paulo e Vasco, mas, com o saco cheio, acabou mudando de canal. Como no National Geographic passava um documentário sobre a extinção dos dinossauros, que já tinha assistido umas trezentas vezes, foi zapeando o monitor de plasma até parar num boletim extra de um telejornal. Um grupo organizado tinha feito um roubo espetacular à bilheteria do Ginásio do Ibirapuera e os bandidos tinham deixado dois mortos no local. O homem ficou grudado, comendo o yakissoba de forma mecânica. Quando a câmera do cinegrafista caiu no chão, pensou em ligar para seu camarada Alumínio, só para saber se ele estava assistindo aquela quizumba toda. A imagem ao vivo foi cortada para o estúdio. A âncora mulher estava com a maquiagem borrada e tentava conter o choro que queria voltar. Depois veio a imagem gerada de um helicóptero que sobrevoava a região do túnel. Dava para ver o lago do parque Ibirapuera, o monumento às Bandeiras e depois a entrada do túnel infestada de viaturas da polícia militar, ao que entendeu chegavam cada vez mais unidades. O helicóptero deu meia-volta e continuou mostrando a região caótica, enquanto outro repórter narrava a situação.

— Que bosta! — exclamou Zinco, para si mesmo. — Essa cidade tá ficando pior que o inferno.

A câmera no helicóptero mostrava a segunda extremidade do túnel igualmente tomada por dezenas de viaturas da polícia. Novas informações diziam que tinha ainda gente dentro dos carros de passeio, que a situação estava cada vez mais crítica. Grupos treinados da polícia se destacam para as saídas de emergência no túnel de mão contrária, paralelo onde se encontravam os marginais. Não dariam chance de escapada aos assassinos dos seguranças da bilheteria e seqüestradores. Holofotes de helicópteros mostravam policiais andando em grupos. Enquanto isso, dentro do túnel os seqüestradores faziam as exigências para terminar com o cerco. Os bandidos exigiam a presença de um padre e do governador. Queriam que a polícia desobstruísse as saídas do túnel para que libertassem mulheres e crianças primeiro, e enfim os reféns, e pudessem escapar. Foi nesse instante que um alarme disparou na sala de Zinco. O funcionário de Ignácio chupou o macarrão de uma vez só fazendo o fio desaparecer entre os lábios, sujando a camiseta branca com molho shoyu. Sentou-se pacientemente, colocando a comida chinesa na bancada e limpando o molho dos beiços com um guardanapo de pano. Uma luzinha vermelha piscava. Logo abaixo do *led*, que acendia e apagava, havia uma fita crepe colada onde se lia "Mustang". Zinco arqueou as sobrancelhas e passou o guardanapo nos dedos e novamente na boca. Que diacho! Aquilo estava certo? Digitou algumas teclas no computador e o monitor exibiu a garagem do prédio de Patrícia. Coçou a cabeça. O carro não estava lá. Digitou novamente no teclado. As câmeras de vigilância exibiam os cômodos da casa. Quando pressionou F6, Zinco viu um corpo na cama. Aproximou mais com o *zoom*. Era Raul, deitado, imóvel. Os demais não estavam lá. Zinco apanhou o celular e digitou. Não demorou para que fosse atendido pelo chefe.

— Pois, não, Zinco.

— Chefe, o senhor entrou em contato com o turno da noite? Pediu algum serviço?

— Não, rapaz. O que está acontecendo?

— Eles saíram com o Mustang. Estão se deslocando em alta velocidade.

Zinco manipulava o computador resgatando imagens de poucos minutos atrás, prevendo a próxima pergunta do patrão.

— Eles não saíram para uma caçada noturna, Zinco? Uma baladinha, como costuma dizer? — questionou Ignácio, irônico, sorrindo e olhando para Isabela.

— Não, senhor. Saíram em três, com cinco pistolas, duas metralhadoras e duas caixas de granadas de fumaça. Estão correndo bastante e... ô, ô.

— Ô, ô... odeio "ô, ôs", senhor Zinco. O que está acontecendo?

Bert freou a Mercedes-Benz cantando pneus e fazendo dois veículos terem de desviar no último instante.

O Mustang freou e derrapou de lado. A região que atingiram estava sem movimento algum. Tinham subido a Avenida Juscelino Kubitschek quase toda até se depararem com a barreira policial. Agora, Bruno pisava no acelerador do carro desengatado, fazendo o motor V-8 roncar.

— Já que a senhorita nos trouxe até aqui, tem algum plano? — perguntou Bruno.

— Precisamos passar, Bruno. O nosso alvo é o próximo túnel. Assim que atravessarmos este, o seguinte será o Ayrton Senna.

Bruno aumentou o giro do motor. Alguns policiais, despreocupados com o veículo que tomaram como apenas outro desavisado que faria o retorno e iria embora, voltaram os pescoços na direção do impressionante veículo.

— Se segura aí, macaca.

Bruno afundou o pé no acelerador liberando a embreagem e soltando o freio de mão. As rodas levantaram fumaça e o carro disparou como bala para cima da barreira.

Os policiais, pegos de surpresa, não conseguiram impedir a passagem do veículo. Mesmo levantando as armas, não efetuaram disparos. Um deles puxou o rádio na viatura Blaser e anunciou:

— Veículo negro, aparentemente um Mustang Ford GT, está indo na direção do Túnel Ayrton Senna. Sem identificação. Dois ocupantes ao menos. Alerta! — bradou o sargento.

O cavalo negro rasgava o túnel a toda velocidade, em instantes estariam de frente com a entrada do Ayrton Senna, cenário de todo aquele *show* de horror.

— Vocês todos sabem evocar a velocidade vampírica? — perguntou Patrícia.

— Eu sei. — respondeu Alexandre.

— Sim.

Patrícia baixou o vidro do passageiro, apanhou duas granadas de fumaça tirando seus pinos e olhou para Bruno.

— Vai, cara. Acelera!

Bruno não pensou duas vezes, reduziu a marcha provocando um ronco delicioso no motor do Mustang e pisou fundo, voltando para a marcha maior e acionando a carga de nitro. O carro praticamente voou para cima dos cavaletes da CET e avançou pela área preservada e rodeada de policiais.

Os policiais que tinham a atenção voltada para dentro do túnel mal tiveram tempo de virar para trás e assustarem-se com o Mustang fumegante que se aproximava.

Patrícia atirou as granadas para a frente, que rolaram e explodiram criando uma providencial cortina de fumaça, enquanto ela e Alexandre apanharam mais duas cada um e soltaram os pinos. Bruno freou o carro, dando um cavalo de pau, fazendo-o girar e esconder-se dentro da névoa que se espalhava. Os três saltaram rapidamente para fora aproveitando aqueles segundos de absoluta surpresa dos policiais, que nem mesmo avisados segundos antes se prepararam para o que acabavam de assistir. Só um bando de malucos ia querer invadir o túnel numa hora daquelas. Mais granadas lançadas, dessa vez na direção da boca nordeste do túnel. O trio começou a correr, valendo-se da velocidade vampírica, e só quando as novas granadas infestaram o ar com a densa neblina branca, os primeiros policiais começaram a efetuar disparos. Dentro do túnel a penumbra reinava. Sabiamente a polícia havia cortado a iluminação pública na tentativa de aumentar a ansiedade dos bandidos e minar sua confiança na estratégia que adotavam. Contudo, os malandros não eram nada bobos e apontando a arma para a cabeça de alguns reféns, ordenaram que estes fossem acendendo os faróis de tantos carros quantos fosse possível.

A luz oferecida pelos veículos era rasteira e deixava os três quartos superiores do túnel na escuridão. Os bandidos, ouvindo as explosões das granadas e os tiros disparados pela polícia se alvoroçaram.

— Reúne todo mundo aqui! — gritou o líder do bando de quatro meliantes.

— Não tá dando pra ver porcaria nenhuma, xará! Tá muito escuro aqui nessa merda!

— Junta todo mundo. Os reféns são nossos escudos! Os gambés não vão ser loucos de entrar nem a pau! A gente passa bala! — tornou a gritar o líder, com os olhos esbugalhados, olhando no sentido da boca sul do túnel, que estava tão distante e escura, que fez com que o homem sentisse um certo temor infantil por conta do negrume.

— Relaxa, Fê! Relaxa que eles não vão entrar. Vão ter de trazer padre, governador e o escambau. Vou dar um jeito da gente sair daqui.

Uma garota de cabelos longos, segurando uma escopeta, intimidava a todos, apontando a arma para suas cabeças e suando, como se fosse uma iniciante naquele tipo de negócio.

O quarto bandido enfileirava homens, mulheres e crianças, formando um círculo ao redor do carro do bando.

— Fiquem quietos! Todo mundo quieto. Se ficarem onde estão não vai sobrar bala pra ninguém. — orientava o criminoso.

Patrícia, Bruno e Alexandre ouviam as vozes dos bandidos e moviam-se rapidamente entre um carro e outro. Os primeiros veículos com luzes acesas começavam a se aproximar. Tinham andado bastante e a fumaça e a polícia tinham ficado bem para trás. Os ladrões estavam ilhados no meio do túnel que não tinha nada de curto. Se isso era vantagem ou desvantagem a vampira não poderia responder no momento. A única coisa boa é que demoraria até a polícia chegar onde estavam o que resultaria em algum tempo para pensar em como salvar os reféns para depois se servirem dos vagabundos.

De onde estavam podiam ver dezenas de pés parados, pés das vítimas. Os que andavam para lá e para cá eram os criminosos. Bruno esgueirou-se para baixo de um Toyota enquanto Patrícia escorava-se, agachada junto à parede do túnel e movia-se nas sombras, com a pistola erguida, procurando um alvo. Recriminou-se por ter sido tão impetuosa na hora de sair. Se tivessem trazido seus supressores de disparos, os famosos silenciadores, poderiam dar cabo dos marginais sem alarde e com maior eficiência.

✠ ✠ ✠ ✠ ✠ ✠

— O que você está dizendo? Eles estão interferindo no assalto do ginásio? Estão indo para aquele circo?! — esbravejava, Ignácio.

— Exatamente, senhor. Estão indo, não, o Mustang já está parado na boca do túnel. A essa altura já estão cercados pela polícia.

— Droga! Maldita fedelha! Aposto que foi ela quem teve a brilhante idéia de meter o nariz nessa enrascada. — resmungou o vampiro, olhando para Isabela.

— Tenho certeza de que foi ela, senhor. — completou Zinco. — Uma garota e tanto.

— Bert, vamos para minha cobertura, agora!

O motorista pisou fundo no acelerador e a caminhonete importada cantou pneus.

— O melhor caminho seria pelo túnel, senhor... mas está interditado.

— Cala a boca, Bert! Cala a boca! Ache outro caminho rápido! Ignácio fechou os olhos e fez cálculos. Aquela exposição não poderia estar acontecendo. Patrícia e os demais eram novatos, verdes demais para um confronto daquele porte. Mas se tinham resolvido testar seus limites, talvez fosse hora de levá-los ao extremo. E para piorar a situação, se a argúcia de Patrícia e dos demais for afiada como deveria ser, os problemas só aumentariam, mesmo no caso de escaparem daquele imbróglio. Mais lenha na fogueira, muita lenha na hora errada!

Isabela não conseguia penetrar na mente do mestre, mas o que conseguia sentir era uma crescente e gritante perturbação. Coisa muito rara de se observar naquele ser contido e dono da situação. Os vampiros tinham feito alguma coisa errada ou, o mais provável, tendo em vista o avassalador transtorno que tomava conta do vampiro mestre; ele, o próprio Ignácio tinha errado algum cálculo, tinha atirado alguma lenha na fogueira.

— Pare de me perturbar com suas sondagens, Isabela! Sim? Eu cometi um equívoco, mas como ia adivinhar que a fedelha ia se intrometer nesse negócio do ginásio? Como? Droga!

Ignácio, que continuava com a ligação ativa com a Jugular, chamou pelo funcionário.

— Zinco!

— Pois, não, senhor.

— Você disse que Raul está no apartamento de Patrícia.

— Exatamente, senhor. Demos o sangue preparado que o senhor recomendou para todos eles, mas foi Raul quem ingeriu mais... aliás, nem ingeriu. Estava completamente apagado, com tiros que transfixaram seu cérebro. Bruno enfiou tudo goela abaixo do ferido. Ele foi o mais afetado, senhor.

Ignácio juntou as mãos e parecia brincar com os dedos, tocando as pontas de suas pontiagudas unhas umas contra as outras. Virando-se para trás olhou novamente para Isabela e pousou sua mão fria no ombro sardento da pupila.

— Isabela, temo que tenhamos de adiantar as coisas. O preparado de Sétimo já pode ser utilizado?

A vampira de pesados olhos azuis meneou a cabeça positivamente. Se Ignácio estava tocando naquele assunto era porque as coisas estavam correndo muito, mas muito errado. Não era hora de colocar o preparado de Sétimo na jogada. Não tinham provas suficientes de que os garotos serviriam.

— Temos o suficiente para dois deles, não para os quatro, mestre. — respondeu a voz sussurrada e grave da vampira.

— Por enquanto adiante uma dose apenas, para o jovem Raul. As coisas vão sair da naturalidade do plano traçado e eu odeio isso. Simplesmente odeio avançar em terreno desconhecido. Queria primeiro ter certeza de que eles serão páreos para os guardiões de Jó antes de tomar esse passo, mas temo que ponham tudo a perder com toda essa palhaçada e exposição desnecessária. Sou célebre por minha paciência, mas essa molecada não entende nada. Preciso ter absoluto controle de suas mentes para injetar o preparado. Sétimo era violento demais, presunçoso demais, não quero outro tormento em minha vida gritando que quer dominar o mundo.

— Talvez seja sabido aguardar mais um pouco. — interferiu a vampira.

— Não, Isabela, não. Esses quatro têm o sangue de Sétimo nas veias. A cada instante ficam mais poderosos, mais geniosos. Tenho de persuadi-los agora, antes que me escapem dos dedos.

— E os guardiões de Jó? Nem eu nem Calíope conseguimos passar. Eles são garotos...

— Vocês não têm o sangue de Sétimo, querida, não fazem a mínima idéia do que isso significa. Vocês são adoráveis monstrinhos da noite. Sétimo era um demônio antes de conhecer o demônio. Esses garotos são filhos do lacaio do capeta.

— Então...

— Então é preciso saber. É preciso levá-los ao extremo, antes do previsto, sei que estou arriscando mais que peões no campo de batalha, são torres e bispos, mas é necessário, é imprescindível. — Ignácio fez uma pausa e então ativou a comunicação com seu agente. — Zinco!

— Pois, não, senhor?

— Duas coisas. Acione Alumínio. Quero o helicóptero na cobertura imediatamente. Segundo, conecte-me com a linha de emergência do Serviço de Contenção. Tenho uma denúncia a fazer.

Isabela e Bert arregalaram os olhos enquanto paravam a pick-up Mercedes-Benz em frente ao prédio. Longe dali, no escritório de operações, Zinco deixava o queixo cair. Ignácio era maquiavélico.

✠ ✠ ✠ ✠ ✠ ✠

Patrícia rastejava por baixo dos carros. Olhando para trás encontrou os olhos acesos de Bruno e Alexandre. Estavam bem mais próximos agora. Ouviam as vozes agitadas dos bandidos, que não entendiam o que tinha acontecido, o motivo da polícia ter disparado. Pediam silêncio para os reféns, batiam no rosto das mulheres e homens que choravam e trancavam as crianças numa Kombi. Patrícia olhou para cima. Gotas d'água caíam esporadicamente. Uma placa revelava que estavam embaixo do lago do Ibirapuera. Era por isso que os pilantras não conseguiam escapar, naquele ponto não havia saídas de emergência nem escadarias que dessem acesso à rua. A cerca de cento e cinqüenta metros além deles um carro ardia tomado pelas chamas enchendo a parte superior do túnel de fumaça negra. Patrícia sabia que àquela altura os humanos estariam com a garganta irritada e os olhos vermelhos e lacrimejantes. Isso ajudaria, posto que os bandidos também estariam sob esse efeito. Sinalizou para os amigos que estavam embaixo dos carros à sua direita e esquerda. Os três tiraram o pino das granadas de fumaça. Era a hora do ataque.

✠ ✠ ✠ ✠ ✠ ✠

Samuel estava numa casa noturna badalada, uma das poucas no bairro que não tinha sucumbido à febre dos infectos, contando para a alegria do gerente com um aglomerado de gente na porta sendo revistada antes de entrar. O ambiente cheio de mulheres descoladas e acima dos trinta anos deixava a caçada mais interessante. Tinha escolhido um canto escuro do bar, longe dos espotes de luz. Dali era mais fácil ver do que ser visto. Agora seus olhos não acompanhavam mais a loura de cabelos meticulosamente cacheados e olhar vivo e sorriso gostoso. Ela tinha tomado duas doses de absinto e fumado quase um maço de cigarro em menos de meia hora. Era um alvo marcado. Samuel tinha parado de observá-la quando as imagens exibidas num dos três telões da casa noturna lhe chamaram a atenção. Não era o clipe do Smiths nem uma exibição não permitida de Baraka que ocupavam seus olhos. Era a TV aberta. Era um telejornal. As imagens do helicóptero mostravam o lago do Ibirapuera. As legendas em *closed-caption*, bagunçadas, mas legíveis o suficiente para entender a situação, davam conta de um assalto ousado às bilheterias de um mega-*show* sertanejo que acontecia naquela noite, na cidade. Imagens de alto impacto e sensacionalismo se repetiam de segundos em segundos, invertendo ora com o fatídico momento em que o câmera-*man* fora baleado e a câmera despencara lentamente até exibir asfalto e pneu de carro com a inesperada chegada de um carro negro à boca do túnel rodeada por policiais. O veículo tinha feito uma manobra arrojada, girando em seu próprio eixo e do veículo três sombras saltaram no meio da fumaça que aparentemente brotava do nada.

Samuel bateu a ponta do cigarro no cinzeiro e tornou a ficar com os olhos frios no telão. Sabia a direção do túnel. Sabia exatamente para que lado ficava o lago do Ibirapuera em relação ao bar onde se encontrava. O que lhe preocupava no momento é que um cutucar chato estava na porção esquerda de sua cabeça, coincidindo exatamente com a posição de todo aquele alvoroço. Samuel baixou a cabeça e deu uma tragada longa soltando uma densa coluna de fumaça na direção da loira do outro lado do bar. Ela o olhava nos olhos agora. Ela o tinha percebido sem que ele pedisse. Seria fácil conseguir o convite. Mas Samuel estava atormentado demais para continuar com seu jogo sombrio que repetia duas vezes na semana, três quando queria mais aventuras. O cutucar na cabeça vinham dela. Patrícia. As três sombras que saltaram do carro e invadiram o túnel diante do olhar atônito da câmera e da polícia. Eram vampiros. Por uma razão que ele não compreendia, ela tinha sido levada para aquela arapuca. Não obstante o vampiro sabia que Ignácio não era dado a cartadas tão ousadas. O vampiro só jogava com quadra de ases. Alguma coisa estava acontecendo. Patrícia não era uma protegida do velho dom Ignácio naquela noite. Patrícia estava em encrenca da grossa. Samuel levantou vendo a tela encher-se com mais e mais viaturas de polícia. O circo ia pegar fogo logo, logo. Passou pela loira e deixou um cartão com seu celular sem dizer nada. Ela, ébria e sorridente, mal percebeu o cartãozinho deixado ao lado de seu copo. Mas lembraria do rosto do homem bonito e solitário do fundo do bar quando o encontrasse e, se tivesse um tiquinho de sorte, nunca discaria aqueles números marcados com a morte.

✠ ✠ ✠ ✠ ✠ ✠

Estavam na sala de sua suntuosa cobertura. Ignácio retirou de dentro de seu cofre um artefato mecânico que depôs sobre uma antiga mesa de madeira. Fechou o cofre e recobriu-o com um imenso quadro deslizante.

Isabela já tinha ouvido Ignácio contar orgulhoso pelo menos uma dúzia de vezes como convencera o garoto Andrea Mantegna a fazer aquele insólito retrato do vampiro. Era um quadro sombrio, como se o vampiro flutuasse de um ponto distante, semi-envolto em névoas, olhando para todos que estavam embaixo. Ignácio tinha conhecido o pintor italiano ainda na sua juventude e fora um dos amigos que aconselhara Andrea a abandonar seu pai adotivo. Se um dia aquele apartamento ardesse em chamas e Ignácio pudesse tirar apenas uma de suas centenas de peças de arte, certamente o retrato de Mantegna seria a peça eleita.

— É por isso que instalei um confiável sistema antichamas nessa cobertura, minha linda. Mas, quem sabe... quem sabe você não esteja certa. — disse o vampiro, encarando os olhos azuis de Isabela e apanhando uma jaqueta negra de couro em cima de uma cadeira antiga. — Leve também essa peça. Mais um presente para nosso amigo. Agora se apresse, meu anjo de mármore. Apanhe o preparado e parta agora. Alumínio já está à sua espera. Não temos um minuto a perder.

Isabela apanhou o artefato e a jaqueta e correu para a janela do Edifício Martinelli. Lá embaixo via o Vale do Anhangabaú, mais à frente o Teatro Municipal, mas não iria para baixo. Iria para cima. Como um espectro, um fantasma sem peso, a vampira vestindo um pesado casaco branco escalou com facilidade as marquises do edifício até alcançar o telhado sobre o qual pairava o helicóptero Robinson-22 pilotado por Alumínio. Com habilidade, o piloto reduziu ainda mais a distância, sem poder pousar, uma vez que o antiqüíssimo Martinelli não contava com um heliporto. A vampira dobrou os joelhos e prendeu uma das extremidades do pesado artefato entre os dentes, colocando as mãos no chão e concentrando-se. Seu salto mágico foi como o de uma felina, e poderoso o suficiente para alcançar a barra de pouso do aparelho. Com agilidade e já segurando o precioso conteúdo nas mãos, postou-se no banco de passageiros, fechando a porta do helicóptero que nem balançou com sua delicada acrobacia. O R-22 deu uma guinada para a esquerda e depois corrigiu a rota para a direita. Em poucos minutos estariam sobre o parque Villa-Lobos.

✠ ✠ ✠ ✠ ✠ ✠

Ela entrou sorrateira pela janela. Raul estava deitado na cama, completamente desacordado. Isabela sabia que o plano de Ignácio estava se adiantando em muitos meses. Apesar da inteligência e da experiência que o ancestral acumulava pelos séculos, ela não estava tão segura no julgamento de seu criador. Os vampiros eram novatos e descendiam de Sétimo, um monstro de caráter violento e indomável. Notável, sem dúvida alguma, um exemplar que queria ter conhecido melhor. Agora, em suas mãos, trazia sangue, sangue com mais rastros de Sétimo, obtidos de um pedaço do vampiro conseguido por Ignácio. O vampiro ancião tinha enchido uma valise com dinheiro e despachado para um dos funcionários do turno do dia. Quando o rapaz voltou do Rio Grande do Sul, disse que não foi difícil convencer com a vultosa quantia um segurança da USPA a dar acesso aos laboratórios de biologia, sob a coordenação do professor biólogo Sérgio Diaz. Com ajuda do segurança o funcionário do turno do dia encontrou numa das gavetas refrigeradas um pequeno pedaço de tecido desconhecido etiquetado com numeração a título de organização. Ninguém além de Ignácio sabia que aquele pedaço disforme, com coisa de dez centímetros e pesando coisa de duzentos gramas era um pedaço da orelha de Sétimo que, de alguma forma providencial, tinha ficado para trás, no armazém em Amarração, que servira primordialmente como laboratório de análise dos sete corpos tirados da caixa de prata que jazia no fundo da caravela. Daquele pedaço do vampiro, Ignácio conseguira elaborar uma poção que desencadearia com maior rapidez a ampliação dos dons maléficos e o gênio cruel e assassino do monstro nas veias de uma cria consangüínea. O resultado preciso dessa manobra arriscada e perigosa fugia do espectro da previsibilidade. Ignácio só sabia que, uma vez que os traços corporais do vampiro fossem injetados em suas crias, elas experimentariam algo como um aumento de suas forças, sua agilidade, poderes vampíricos, os pedaços mortos de Sétimo viveriam no sangue e se espalhariam. A proporção e o efeito no estado psicológico do invadido era uma incógnita. Se Sétimo ainda possuía uma alma, parte dela fervilhava naquela dose. A ordem de Ignácio foi que esse preparado fosse injetado em Raul. O aparelho, similar a uma aranha mecânica, tinha uma porção oval cortada ao meio, e, tal qual o aracnídeo, possuía oito apêndices finos, facilmente comparados a patas. Isabela aproximou-se vagarosamente. Raul não tinha se recuperado por completo, tendo calombos pelo corpo, provavelmente onde recebera inúmeros disparos de arma de fogo na última missão do turno da noite. Isabela prendeu o corpo de Raul entre suas pernas e ergueu o artefato acima da cabeça. Pressionou uma saliência no objeto que projetou uma agulha grossa de dez centímetros. Baixou o objeto com toda força e fez a agulha, as pernas da aranha de metal cravarem no peito do rapaz. Um zumbido escapou da estranha aranha e a parte vítrea e oblonga ficou vermelha e um líquido grosso agitou-se freneticamente movido por algum rotor interno. O sangue ancestral de Sétimo entrou para o corpo de Raul que gritou repentinamente e levantou-o, arremessando Isabela para o outro lado do quarto. A vampira bateu contra a parede e logo se colocou de pé, ajeitando rapidamente seu longo casaco branco. Concentrou seu poder psíquico. Ia precisar.

Raul levantou-se assustado e levou a mão ao aparelho preso em seu peito e, num movimento rápido, arrancou a aranha, rasgando parte de sua pele. Caiu de joelhos na cama gemendo de dor e levantou os olhos acesos, vermelhos e brasis, com seus caninos projetados para fora da boca.

— Quem é você? — inquiriu num brado assustador.

— Sou Isabela, filha de Ignácio.

Raul gritou e contorceu-se para trás. Sua visão enegreceu. Por um instante não estava naquele quarto do apartamento de Patrícia. Ouvia o vento soprar contra árvores. Deu passos num chão gramado. Seus olhos viam o céu escuro de um outro país. Adiante, iluminado por relâmpagos que cortavam o horizonte e traziam uma tempestade viu um castelo de pedras. Cavaleiros com estranhos capacetes. Um novo clarão em sua mente. Um rapaz de cabelos cacheados lhe sorria. Ele gritou algo. Gritou: — Vem, Sétimo! Vamos ver quem chega primeiro!

Raul rolou na cama e levantou-se. Seus músculos estavam tensos. Sua cabeça ardia em lampejos de lembranças que não eram suas.

— Mestre Ignácio precisa de você. — ressoou uma voz grave de mulher, ali no quarto, longe da chuva e dos relâmpagos que circundavam o castelo.

— O que está acontecendo? — perguntou Raul, de joelhos, no chão acarpetado, tentando levantar-se.

— Patrícia e seus amigos foram cercados pelo Exército. Estão no Túnel Ayrton Senna. Eles serão destruídos! — choramingava a vampira, exalando mentalmente controle sobre o protegido de Ignácio.

Raul passou a sentir uma aflição crescente. Patrícia, Bruno e Alexandre. Seus irmãos. Seus únicos irmãos. Túnel Ayrton Senna. O Serviço de Contenção. Não era difícil prever o que aconteceria. Algo fervia dentro de seu corpo. Algo estava explodindo em suas células, sentia raiva, sentia um ódio que nunca tinha experimentado. O Exército não tocaria num fio de cabelo de seus irmãos. Raul urrou com tamanha fúria e poder que as paredes do apartamento vibraram. Seus olhos eram duas bolas negro-avermelhadas que tomavam toda a abertura das pálpebras. Seus músculos extravasavam e sua mente parecia tomada por um bicho que nem ele conhecia.

Isabela cobriu o tórax nu do rapaz com uma jaqueta de couro negro que trazia um crucifixo vermelho nas costas com as extremidades terminando em pontas afiadas. Uma jaqueta da gangue de Sétimo.

Raul enfiou os braços na vestimenta e sem pensar saltou para cima da cama e depois contra a janela do apartamento que se estilhaçou em milhares de pedaços.

Isabela, incrédula, aproximou-se do rombo na parede. Mesmo com seus olhos de vampira não viu sombra de Raul. O garoto estava fora de controle. Que os céus protegessem seus inimigos, que Deus lhes desse uma boa Aventura e que Ignácio estivesse seguro o suficiente para dominá-lo. Olhou para os pedaços de vidro e metal que despencavam na área comum do condomínio. O veterano teria de inventar uma história muito boa e subornar muita gente para manter Patrícia naquele prédio de agora em diante.

✠ ✠ ✠ ✠ ✠ ✠

Dentro do túnel Patrícia gesticulou para Bruno e Alexandre. Hora de atacar. Soltaram as granadas de fumaça fazendo-as rolar por baixo dos carros, aproximando-se do cerco de reféns. Como queria que Raul estivesse ali, um par de dentes a mais viria muito bem a calhar.

Os cilindros espocaram e começaram a expelir línguas de fumaça para todos os lados. Os bandidos começaram a gritar e não tardou o primeiro disparo.

— Salvem os reféns! — gritou Patrícia. — Sirvam-se à vontade!

Os três vampiros deixaram a proteção dos carros.

Bruno saltou para cima de um Gol bolinha e depois para cima de um Pálio prateado. Viu dois dos bandidos. Sacou as duas pistolas e disparou. Blam! Blam! Dois a menos. A fumaça atrapalhava os mortais, mas era o menor problema para os vampiros.

Uma rajada de fuzil veio na direção de Bruno que rolou sobre o capô do carro e voltou ao asfalto, espreitando atrás de um Fusca, buscando as brumas para esconder o corpo.

Patrícia levantou-se e caminhou decidida. Tinha agora uma visão limpa do homem que disparava contra Bruno. O maldito sentava o dedo no fuzil e estava estraçalhando o Fusca atrás do qual o amigo tinha-se escondido, sem saber que o inimigo não estava mais ali, tinha evaporado no meio da névoa densa que envolvia o cerco. Patrícia caminhou mais rápido, ergueu a pistola tocou o cano na cabeça do bandido. O homem congelou.

— Larga a arma! — ordenou a vampira.

Um inferno de gritaria de toda a gente que estava presa vinha de todos os cantos. Os com maior presença de espírito corriam na direção das bocas do túnel, reduzindo o grupo de vítimas à metade. Os mais histéricos e assustados tinham simplesmente se jogado no chão e rastejavam para baixo dos carros mais próximos buscando proteção. Uma mulher correu até uma perua Kombi e deslizou a porta lateralmente, enchendo o túnel com mais algazarra e gritaria da maioria das crianças que para lá foram levadas. Ao invés de sair, a mulher entrou e fechou novamente o carro.

— Larga você! — gritou uma garota para Patrícia.

A vampira que se mantivera imóvel e fria olhou para o lado. Uma mulher de uns vinte e dois anos, cabelos longos, segurava uma escopeta e apontava para sua cabeça.

— Se eu te disser que não vai adiantar porcaria nenhuma você apontar essa droga pra minha cara você acredita? — perguntou a vampira.

A bandidinha engatilhou a arma.

— Vamos ver então.

— Antes de você atirar, saiba que tem mais dois amigos meus aqui e toda a polícia de São Paulo do lado de fora. Você já está um bocado encrencada, não acha?

Alexandre surgiu do meio da fumaça com sua *Desert Eagle* apontada para a garota.

Bruno deixou fantasmagoricamente a bruma, aparecendo no cenário com seus olhos vermelhos, quentes e assustadores, mais pavorosos que suas mãos erguidas, apontando as armas, uma para o bandido colado na pistola de Patrícia e outra para a garota com a escopeta. A fumaça começava a arrefecer. O vampiro parou no meio dos dois corpos que tinha abatido com seus dois disparos precisos. O sangue dos homens esvaía-se. Um deles tinha virado de costas e rastejava, tentando fugir da estranha criatura.

O tempo pareceu parar um instante. O trio de vampiros interventores estava saboreando aquele momento de total domínio sobre os marginais.

Os dois, com armas na cabeça, suavam frio e não acreditavam no que estavam vendo.

O silêncio foi quebrado quando a mulher dentro da Kombi percebeu que os marginais estavam rendidos por anjos caídos do céu. Ela deslizou a porta do veículo mais uma vez e gritou com as crianças, dizendo que tinham de correr. Logo o barulho dos pezinhos foi diminuindo até o silêncio voltar e ser quebrado pela voz de um homem que morria.

— Infectos... — balbuciou o bandido ferido, virando de costas e arrastando-se com os cotovelos que se esfolavam no asfalto.

Patrícia baixou os olhos para o homem congelado por sua pistola, como se a arma fosse uma peça encantada, que imobilizasse aqueles em quem a tocava. Segura, com a cabeça do alvo colada na boca de sua pistola, Patrícia sentiu um frio na barriga. Na coronha da arma que ele empunhava, um fuzil russo AK-47, uma placa encravada com os dizeres "O Senhor é meu pastor e nada me faltará" em letras douradas e em baixo relevo. Atordoada, a vampira deu um passo para trás. Aquela arma... aquela mesma arma.

Foi o que bastou para interromper a magia. A bandida, vendo a vampira cambalear dois passos, achou que era a oportunidade para virar o jogo e disparou com a escopeta. Contudo, Patrícia, ouvindo o estralar do dedo tenso da garota que antecedeu o movimento de puxar o gatilho, debruçou-se ao chão, agarrando o fuzil do bandido à sua frente.

Alexandre, inclemente, disparou a automática e acertou a mulher três vezes no peito. Aproximou-se novamente e deu mais quatro disparos no meio dos olhos. Nenhum colete à prova de balas era a prova de tiro no meio dos olhos. Estava tão próximo da vítima que o sangue da garota respingou em sua mão e braço.

Bruno abaixou-se e apanhou o homem vivo que se arrastava. Rasgou a camiseta da vítima no ímpeto de detê-lo e afundou os dentes em seu pescoço, drenando-lhe a vida enquanto ele se debatia.

Os reféns caídos no chão, que voltavam à lucidez aos poucos, ficaram assombrados com a visão.

— Vo... vo... vocês são aquelas pessoas da televisão? — balbuciou um deles.

— Infectos! — bradou outro.

— Estão todos bem? — perguntou Alexandre, baixando a pistola.

As pessoas, tremendo e apavoradas, começaram a se levantar e a disparar em uma corrida pela vida.

— Por nada! — gritou Patrícia, com todo o sarcasmo que pôde encher os pulmões.

Alexandre olhou para sua vítima no chão e a levantou segurando-a pelo colarinho.

— Você até que é bonitinha, sabia.

Dobrou o pescoço da garota e passou a drenar-lhe o sangue. Sentia a energia entrando em seu corpo, queimando como fogo. Sabia que ia precisar de todo poder para dar o fora dali. A polícia viria em instantes. Com a boca ainda suja de sangue, Alexandre viu uma mulher abraçada a uma criança embaixo de um dos carros. Ela estava apavorada.

✠ ✠ ✠ ✠ ✠ ✠

Do lado de fora do túnel, a poucos minutos a polícia militar tinha assistido a inusitada intrusão do trio vestido de negro. Eram jovens que usaram de granadas de fumaça e do elemento surpresa para conseguir furar o cerco da polícia e invadir o túnel tomado pelos bandidos que se defendiam com um escudo humano de reféns, impossibilitando qualquer chance de imobilizá-los sem colocar a integridade física das vítimas em alto risco.

O capitão Ricardo Pinheiro fora o homem que bradara o cessar-fogo. Soldados, surpresos, e tentando evitar que mais lenha fosse botada na fogueira, dispararam idiotamente contra os três. O capitão da polícia militar sabia que aquilo poderia atiçar ainda mais os bandidos lá dentro e que uma desgraça acabaria nas suas mãos. Olhou para o céu vendo meia dúzia de helicópteros circundando a boca do Túnel Ayrton Senna. Aquilo já deveria ter virado um circo na televisão por conta dos telejornais sensacionalistas.

O capitão da PM tinha mais de cinqüenta anos e pelo menos trinta deles tinha passado na corporação. Não era homem de perder a cabeça em situações de pressão, mas tinha de admitir que aquela ocorrência era uma das mais difíceis a que comandara em toda sua carreira militar. Agrupou seus homens de confiança para reorganizar a estratégia. Não sabiam quem eram os inesperados invasores e nem o que queriam, só tinham uma certeza: coisa boa não era, de outra forma não teriam aprontado aquele fuzuê danado para entrar no túnel. Pinheiro pedia que as saídas de ventilação e emergência do túnel tivessem a atenção redobrada. Por cima eles não sairiam nem a pau, o lago do Ibirapuera era uma barreira segura. Homens posicionados nas saídas de emergência que interligavam a segunda via do túnel também garantiriam que os bandidos e invasores ficassem presos em um único ramal. Tinha requisitado que a CET retransmitisse as imagens das câmeras de segurança de dentro do túnel, mas por conta do corte de energia na região, seria impossível fazê-las funcionar. Tinha de observar com homens infiltrando-se metro a metro até ter ao menos controle visual da situação. O comando não ia gostar nada, nada de saber que ele não tinha a menor idéia do que estava acontecendo lá dentro. Ainda confabulavam e cada um lançava uma estratégia quando os disparos aconteceram no foco da crise. Os olhares de todos os policiais nas duas entradas do túnel convergiram para a passagem escura, ergueram suas armas e ficaram prontos para ação. Mais disparos ecoaram na distância. Não havia engano. O trio de invasores estava confrontando os bandidos. Imediatamente, pelo rádio, o capitão Pinheiro pedia para terem calma e não efetuarem disparo algum, havia muita gente inocente lá dentro. Os gritos aumentaram e mais disparos foram ouvidos. Uma rajada de fuzil. Pouco mais de um infindável minuto dezenas de pessoas deixavam o túnel, correndo e tropeçando, mães e pais com crianças no colo, com choro escorrendo pelas faces. Os policiais ergueram armas e a voz e punham a mão espalmada para a frente pedindo calma. Todos que saíam eram conduzidos para uma das calçadas laterais, cercados por dezenas de policiais que tentavam identificar cada um deles.

Do outro lado, o capitão Pinheiro deparava-se com sua turba de reféns em fuga. As mulheres gritavam e choravam desesperadas, enquanto homens, em situação não muito diferente, saíam com os olhos esbugalhados e repetindo padre-nossos e ave-marias e rezando de tudo que é jeito. Todos foram contidos, cercados e conduzidos para uma área onde puderam ser identificados. Muitos sem documentos, com carteiras e bolsas abandonadas dentro dos veículos, mas carregados de tamanho estresse e transtorno na face que dificilmente seriam um dos malandros passando-se por refém fugido. As conversas começaram a ser lançadas ao vento. Pinheiro pedia calma. Queria que alguém explicasse racionalmente como eles tinham escapado, perguntava se tinha algum refém morto.

— Os bandidos só mataram um homem antes deles chegarem! Era um homem que não parava de chorar e gritar. — disse um rapazinho com o cabelo vermelho e um fio de MP3 *player* pendurado no ouvido.

— Coitado... — choramingou uma senhora gorda, com o *jeans* rasgado no joelho. — Ele só estava desesperado.

— Quando eles chegaram, salvaram todo mundo... acho que quase todo mundo.

Os policiais não sabiam a quem ouvir e a que dar atenção, mas aos ouvidos de Pinheiro uma palavra ardia e sobressaía.

— Eles? Quem são *eles*?

O garoto de MP3 no ouvido, que tinha sentado na calçada e resfolegava pelo cansaço da longa corrida e pelo susto, ergueu a cabeça e falou:

— São infectos, senhor! Eles são vampiros! Têm a pele branca como papel e veias escuras no pescoço.

— Eles nos salvaram! — emendou uma moça com a filha no colo, passando a mão em sua cabeça. — Salvaram meus filhos, salvaram todo mundo.

— Infectos? — perguntou o capitão no meio de um engasgo. — Cês tão dizendo... vampiros, aquelas coisas que estão na televisão de minuto em minuto? Aquela patacoada toda?

— Sim, senhor. — confirmou o rapaz de cabelo vermelho. — Um deles, bem grandão, o senhor precisava ver... ele subiu num carro, não lembro o carro agora, tinha fumaça e tava escuro e esquisito, mas eu vi ele assim, meio contra a luz dos faróis, sabe? O cara, sem medo nenhum dos bandidos armados até os dentes, subiu num carro e ergueu duas pistolas cabulosas. Duas pistolas grandonas, cara! E pum e pum! Matou dois dos caras de uma vez só. Não errou os tiros.

— Peraí? Ele matou os bandidos? — intrigou-se outro policial.

— Sim, senhor. Matou os dois.

— E como você sabe que ele era um infecto?

— Uma moça que surgiu do meu lado, empunhando uma pistola maior do que o senhor tem na mão... — intrometeu-se a mulher com a calça rasgada. — ...surgiu do nada, com olhos brilhando, vermelhos, como se tivessem luz própria... Deus do céu, eu gelei na hora. Ela foi andando sem fazer barulho, a pele pálida, uma calma impressionante. Encostou a pistola na cabeça de um corno que ficava fazendo todo mundo se mijar nas calças empunhando um fuzil.

— A senhora viu tudo isso? — inquiriu Pinheiro à senhora mais gorda.

— Tinha os olhos vermelhos, igual tão mostrando na televisão. Os olhos do cara, seu guarda... os olhos do cara pareciam cheios de sangue e brilhavam no meio da fumaça... — emendou o garoto, dando respostas a Pinheiro.

— Vi. E assim que ela dominou o homem com o fuzil, a mocinha com a carabina gritou e entrou na briga...

— Escopeta. — corrigiu o rapaz com cabelo vermelho.

— Sei lá o nome daquele trem, só sei que eu piquei a mula, filho. Corri como não corria desde os meus oito anos de idade. O túnel parecia que não acabava mais. Tropecei em carro abandonado, rasguei minha calça... mas graças a Deus tô vivinha da silva pra te contar.

— Eu não posso acreditar que aqueles três eram vampiros. — teimou o capitão Pinheiro, sem conseguir entender por que três supostos foragidos interfeririam naquela ação.

— Eram vampiros, sim, senhor. — disse, categórica, a mulher com a filha de longos cabelos lisos ainda no colo.

A certeza na voz da mulher fez todos os rostos virarem para ela. O que ela sabia?

— Eu não corri no primeiro instante. Estava deitada no chão, cobrindo a minha filha, morrendo de medo de tomarmos uma bala perdida. Quando o homem disparou com aquela arma que fez um barulhão atrás do outro...

— O do fuzil... — emendou o garoto.

— Um outro rapaz, de olhos vermelhos iguais ao que ela falou, atirou no bandido. Deus do céu, nunca imaginei que iria ficar contente em ver alguém ser baleado. Deus que tenha piedade de mim. Então o garoto grande chegou num dos homens que estavam caídos e se debruçou sobre ele, rasgou sua roupa e eu vi, policial. Eu vi dentes crescerem em sua boca e entrarem na carne do homem, ele começou a tomar o sangue do cara baleado. Fiquei gelada, chocada, sem saber o que fazer, até que o mocinho... quero dizer, o vampirinho de cabelo arrepiado virou-se para mim com seus olhos vermelhos de fogo e se abaixou bem pertinho. Meu coração parecia que ia sair pela boca. Pensei que seria a próxima a ter o sangue drenado das veias, mas ele simplesmente chegou perto do meu ouvido e sussurrou:

— Vai, linda. Some daqui e salva tua filha. Não tem nada de bonito para ela ver aqui.

A mulher parou um instante com os olhos vidrados.

— A voz dele parecia gelo entrando em meus ouvidos. A voz mais linda e mais assustadora que eu já ouvi. Não sei quando e como, mas de repente eu estava correndo com a minha filha, para fora do túnel, tudo graças ao vampiro de cabelo arrepiado. Ele me salvou. Devo minha vida, minha alma a ele.

O capitão Ricardo Pinheiro virou-se para a boca do túnel passando a mão no rosto. Os vampiros tinham invadido o cativeiro de reféns, tinham exterminado os bandidos e estavam lá dentro, cercados. Suspirou fundo e começou a caminhar para a entrada do sombrio Túnel Ayrton Senna. Mal tinha dado dois passos, sete furgões verde-oliva, escuros e reluzentes frearam a cerca de cinqüenta metros. Ricardo Pinheiro sabia que seu posto de comando acabava agora. O Serviço de Contenção tinha chegado. Pinheiro continuou andando para a boca do túnel ouvindo um turbilhão de botas batendo contra o asfalto, lá atrás, onde desembarcavam os soldados do Exército. Eles viriam. Viriam em peso para acabar com os infectos dentro do túnel. Os infectos que tinham salvado toda aquela gente. Não tinha ainda nem contado quantos reféns foram libertos graças aos três. Não mereciam ser sumariamente exterminados, como era previsto. Tampouco deveriam sair livres, uma vez que, mesmo sendo heróicos e loucos, tinham matado gente lá dentro, tinham bebido sangue e talvez transmitissem aquela doença para outros. Mas de uma coisa Pinheiro estava certo: garantiria que aqueles três sairiam dali presos, mas dignamente. Tinham sido bravos e mereciam respeito. Levou o rádio até a boca e deu a ordem mais estranha que poderia dar.

— Atenção! Todos os homens! Os bandidos dentro do túnel foram executados por três infectos. Esses infectos salvaram os reféns. Serão presos pelo Serviço de Contenção. Contudo, quero que cada homem disponível vá para a boca do túnel agora. O Serviço de Contenção não vai entrar se não chegarmos num acordo. Esses jovens têm de sair daqui vivos. Não serão executados. Estou indo buscá-los agora.

✠ ✠ ✠ ✠ ✠ ✠

Samuel conhecia os locais onde ele gostava de se mostrar. O vampiro estava no topo do MASP, cercado pelos arranha-céus da Avenida Paulista. Tinha feito o chamado há coisa de cinco minutos. O céu coberto de nuvens cinzentas velava o brilho das estrelas e da lua. As nuvens corriam ligeiras sopradas pelo vento da noite. O vampiro baixou os olhos para o chão pedregoso e reto do telhado do museu. Poucas pessoas pisavam ali. Caminhou até a extremidade. O parque do Trianon ali do outro lado. Foi dali de cima, do topo do MASP, que viu Ignácio a primeira vez, enquanto ele, Samuel, fugia de um policial que o caçara feito cão perdigueiro. Dera o que fazer para se livrar do obstinado servidor. Depois topara com dom Ignácio, o homem de tantos nomes. Não engoliu aquela história de proteção nem no primeiro instante. Mas que o velho sabia envolver, isso ele sabia. As belas vampiras que sempre o secundavam exerciam uma mórbida atração sobre as vítimas de Ignácio. Uma negra como o manto sagrado da noite, outra pálida e de cabelos vermelhos, sempre preferindo trajes com detalhes ou totalmente brancos. No meio de suas memórias os pêlos do corpo se eriçaram, trazendo-o para a realidade. Era ele chegando. Os olhos do vampiro Samuel varreram as nuvens. Um brilho violeta vagava acima do vapor, vindo no meio da névoa até se revelar completamente. Uma esfera de luz violácea. Uma esfera de luz que se transformaria assim que baixasse mais e reduzisse a velocidade. Era essa a forma de seu irmão Gregório, a criatura de luz.

A esfera fulgurante começou a descer, invisível aos olhos da grande maioria dos humanos, visível para poucas criaturas das sombras e da luz. Nem todos tinham o dom de vê-lo. Nem todos tinham fé para vê-lo. A esfera reduziu a velocidade e as formas de um corpo forte e de asas longas se formaram diante do vampiro. O anjo batia levemente as asas e pairou em frente à criatura da noite.

Samuel ficou um momento estupefato com a aparição de Gregório. Era sempre uma experiência diferente reencontrar o irmão de sangue que tinha tomado aquele destino quase tão insólito e surreal que o seu. Um era filho da noite e fruto de crias do inferno, outro era agora um acolhido da luz e dos seres celestiais. Quantas vezes o vampiro havia-se questionado sobre a estranha e indecifrável justiça daquela sucessão de fatos? Parecia piada de mau gosto. O irmão, que no passado fora um traficante, que rondara aquelas ruas vendendo drogas daninhas banhava as mesmas ruas com sua aura violeta, protegendo os fiéis e os iluminados contra os cães do inferno. Gregório hoje tinha asas e envergava uma túnica azul-clara que emanava um brilho pacífico e pulsava. Trazia na bainha uma espada flamejante de decepar demônios e uma cornucópia espiralada que tonitroava quando soprada. Samuel rememorava seu próprio passado, que agora tinha um cheiro quase apagado de pacato fazendeiro, com adorável esposa e um carinho extremo para com seus funcionários e um prazer imenso em lidar com a terra, com a plantação de milho. Daí tinha virado aquilo num revés incompreensível, se tornado fera sem coração que abandonou o passado para não destruir o que sobrara de pé em Belo Verde.

— Estou aqui, irmão, respondendo teu chamado. — disse Gregório, flutuando pouco mais de um metro do chão.

Samuel deu-lhe as costas um momento e andou até a beira do prédio, para depois voltar a encarar o irmão.

— Tem uma pessoa em apuros. Jamais te chamei para me dar ajuda desde Belo Verde, para mover um pêlo em meu nome... ou pena, se preferir.

— Mesmo que não peça, olho sempre por você. Estou presente. E teu assunto ainda não está acabado lá em cima, luto por tua alma.

A voz do anjo vibrava como metal e o banho de luz obrigou Samuel a tornar o olho o mais negro possível evitando o incômodo.

— Vou te explicar a situação e não teremos tempo para lengalenga, Gregório. Você ainda me deve um dos grandes... dos grandes, meu irmão.

Gregório tocou o telhado do MASP e farfalhou as asas de anjo, dobrando-as, mesmo assim deixando-as acima de sua cabeça. Mordeu o lábio inferior e sorriu para o irmão, estendendo-lhe a mão luminescente.

— Você se importa tanto assim com essa pessoa que precisa ajudar?

Samuel ergueu os ombros.

— Sim. Importo-me.

— Bom começo, meu irmão vampiro. Bom começo.

✠ ✠ ✠ ✠ ✠ ✠

O helicóptero trazendo Brites tinha acabado de aterrissar no meio da avenida, próximo à entrada nordeste do túnel, o acesso que ficava mais aproximado do lago do Ibirapuera. Quando chegou ao *call-center*, o sargento supervisor do atendimento exibiu-lhe a transcrição de uma denúncia feita há poucos minutos. Dizia que quatro infectos, quatro vampiros dirigiam-se para o Túnel Ayrton Senna, onde havia o cerco a bandidos que assaltaram a bilheteria do Ginásio do Ibirapuera e acabaram encurralados pela PM dentro do citado túnel. O sargento ainda estudava a veracidade da denúncia e teria talvez mandado um destacamento para intervir sem que Brites fosse incomodado na sala de depoimentos, só para dar cobertura ao ocorrido, posto que a ligação cheirava a um trote cabeludo. Contudo, acompanhando o desenrolar da situação que era amplamente coberta pelas redes de televisão, o sargento ficou boquiaberto quando um carro varou o cerco policial e três sombras indistintas se atiraram para dentro do túnel. Quando o capitão chegou ao *call-center*, os veículos e soldados do Serviço de Contenção já estavam a postos, o alarme já tinha sido disparado e a aeronave de Brites ligava os motores, preparando-se para decolar. O capitão, paramentado igual a seus soldados do Serviço de Contenção, desceu com um traje que lhe protegia o pescoço, óculos amplos de proteção, fuzil carregado com projéteis revestidos em prata, colete à prova de balas, gosto de alho na boca, facas com lâminas prateadas e capacete dotado de pequenos *leds* que garantiriam iluminação suficiente em ambientes escuros.

O capitão comunicava-se com o tenente Welington, que preparava a invasão na outra face do túnel. Daquele lado, Welington podia ver o Obelisco aos Heróis de Trinta e Dois iluminado em todas as faces. A região que ficava no coração da capital paulista entrava agora para a coleção de lugares assombrados pelos infectos. Avançavam formando uma linha, com as armas prontas para ação.

Na ponta oposta do túnel, Brites estranhou um cordão de policiais militares na entrada. Era certo que a PM estivera ali até o momento por conta do assalto às bilheterias do Ibirapuera, para gerenciar a crise com reféns, mas após a denúncia de que infectos estavam envolvidos no incidente, deveriam dar passagem para sua tropa. Estranhou também o fato dos policiais não estarem virados para dentro do túnel e, sim, voltados para a rua, encarando a tropa de Operações Especiais que chegava. Brites olhou para os lados. Viu coisa de vinte pessoas sentadas e deitadas no chão, civis, com roupas sujas, chorando e sendo assistidas pelo pessoal de resgate. Eram os reféns, tinham sido, de alguma forma, libertados do jugo dos bandidos e dos vampiros. Boa notícia. O caminho estava livre para a invasão. Olhando de volta ao túnel, marchando e avançando com seus homens, viu um policial militar se destacar, ele veio até Brites e prestou continência a que o capitão retribuiu, erguendo a mão em seguida e ordenando pelo rádio que todos parassem.

— Sou o tenente Macedo, senhor. O capitão Pinheiro entrou no túnel, senhor. Disse que fará os infectos se entregarem ao Serviço de Contenção.

— Seu capitão entrou, lá, sozinho? — questionou Brites.

— Sim, senhor. Os infectos interferiram...

— É por isso que estamos aqui.

— O capitão Pinheiro informou que os infectos salvaram todos os reféns, apenas um morreu nas mãos dos bandidos... um refém. Os infectos, senhor, salvaram todo mundo e mataram os quatro ladrões.

Brites ficou calado olhando para aquele homem. Mais trinta policiais militares se dispunham enfileirados na frente do túnel. Um fio de suspeita começou a se formar.

— Tenente, remova seus homens daí. Tenho ordens para capturar aqueles infectos, tendo eles salvado ou não essa gente.

— Desculpe-me, senhor capitão, mas o capitão Pinheiro me deu ordens para fazê-lo aguardar seu contato. Ele foi falar com os vampiros... quero dizer, infectos. Ele fará com que se entreguem sem luta.

— Seu capitão Pinheiro, tenente, já deve estar morto a uma hora dessas.

— Ele pediu para esperar.

Brites olhou para o lado, para seus homens. Sorriu. Não era homem de esperar porcaria nenhuma. Aqueles soldados da polícia militar não faziam idéia do tipo de criaturas com quem estavam lidando. Fora esse o pecado do Exército nos confrontos iniciais em Amarração, subestimar os vampiros. Não se daria ao luxo de cair nesse truque mais uma vez. As coisas não podiam fugir ainda mais ao controle. O massacre na cadeia pública há poucos dias havia sido perpetrado por dois deles, dois vampiros tinham aniquilado um complexo penitenciário inteiro, deixando centenas de cadáveres para trás. Se os vampiros que estavam dentro do túnel tinham mesmo salvado aqueles poucos reféns, a opinião pública seria atingida. Aquela história tinha de ser sufocada, imediatamente. Vampiros não eram heróis, eram monstros.

— Homens, avançar! — ordenou Brites pelo rádio.

Suas tropas, nas entradas noroeste e nordeste obedeceram ao mesmo tempo, começando a marchar rumo ao túnel.

O tenente da polícia militar também ergueu seu rádio.

— Atenção, o capitão Pinheiro ordenou que ficássemos na boca do túnel. Mantenham suas posições até ordem superior de nosso comando.

Os soldados da polícia militar fincaram as botas no asfalto e ergueram suas pistolas.

Brites vacilou um instante. Suas tropas pararam a marcha junto. Seus dedos tocando o fuzil. Aquilo era irreal. Aquilo não podia estar acontecendo.

✠ ✠ ✠ ✠ ✠ ✠

Pinheiro avançava pelos carros abandonados. O cenário era sombrio. Aos poucos alcançou os veículos que tinham seus faróis ligados. Com mais passos chegou ao círculo onde os bandidos haviam mantido os reféns. Uma caminhada e tanto. Suor descia de sua testa. Viu corpos ensangüentados no chão. Um rapaz alto e forte com a cabeça enfiada no pescoço de um dos cadáveres. Pinheiro engoliu a seco. A mulher lá fora tinha falado em pelo menos três deles. Onde estavam os outros? A pistola na ponta da sua mão tremia tamanha a tensão. Deu mais um passo. Virou a cabeça para um lado. O corpo exangue de uma garota no chão. Uma escopeta caída ao seu lado. Quando virou novamente, o sangue do corpo gelou nas veias. Descobriu os que faltavam. Um cano gelado na fronte direita. Depois outro cano gelado encostou em sua fronte esquerda. Um vampiro de cada lado, duas pistolas coladas na pele de sua cabeça. Pinheiro engoliu a seco. Não soube como ainda teve a audácia de falar.

— Garotos, soltem suas armas.

Viu o vampiro debruçado sobre o cadáver se levantar com a boca cheia de sangue. Não parecia tão pálido como todo mundo falava. O vampiro começou a rir baixinho.

Vagarosamente o capitão baixou o braço, sem soltar sua pistola.

— Tsc, tsc! — retrucou Alexandre. — A gente não vai soltar nada, não. Larga a arma o senhor, faz favor.

— Tudo bem. Tudo bem. Apenas deixem-me ajudá-los.

Patrícia e Alexandre, simultaneamente, afastaram-se dois passos do capitão da polícia militar, tirando os canos de sua cabeça, o recado já tinha sido dado.

Pinheiro abaixou-se e pôs a pistola no chão. Olhou para os lados. Uma menina pequena, teria o quê?, no máximo um metro e setenta. Cabelos longos e cheios de ondas. Olhos lindos e magnéticos. O garoto do lado, magro, cabelos arrepiados. Os dois iguais ao primeiro, com manchas em volta da boca denunciando a refeição que tinham acabado de fazer.

Patrícia balançou a *Desert Eagle*, como quem comanda alguma coisa.

Pinheiro pigarreou e falou:

— O Serviço de Contenção chegou. O grupo especializado em caçar infectos. Eles vão entrar aqui e acabar com vocês.

Os três vampiros trocaram um olhar. Olharam para cima. Nenhuma saída. A placa indicando o lago do Ibirapuera bem acima de suas cabeças. Uma goteira repetitiva e monótona ao lado da placa.

— E agora, justiceira sabichona? Já pensou no que fazer para sumirmos daqui? — indagou Alexandre.

Patrícia olhou para Bruno que tinha-se levantado e apanhava o fuzil com a plaquinha familiar escrita. Ela fervia de ódio. Não tinha dúvida nenhuma de que aquela arma estivera em suas mãos na madrugada passada. Ignácio iria pagar por usá-los daquela maneira. Não trabalhavam para um benfeitor. Trabalhavam para um demônio. Talvez fosse bom que tudo acabasse mesmo, de uma vez por todas. Que o tal se o capitão Brites, que aparecia toda hora na televisão, viesse e terminasse de vez com aquele arremedo de vida? A vampira suspirou fundo. Olhava a outra face da moeda. Se fosse moída pelas balas do Serviço de Contenção não teria sequer a chance de voar na garganta do filho da mãe do Ignácio. Bandido duma figa! Bruno tinha quase perecido para que o turno da noite acabasse com os traficantes e contrabandistas que colocariam aquelas armas de volta no crime. Era nisso que acreditavam piamente. Que estavam tirando aquela gente e aquelas armas do submundo. Que estavam limpando São Paulo. Precisavam escapar daquele cerco para dar o troco ao ancião... ou ao menos tentar.

— Você veio porque quis, Alexandre. Esses filhos da mãe iam matar os reféns, um por um até conseguir escapar ou se encher de regalias para irem para uma prisão repleta de mordomias. Dinheiro compra tudo nesse país de merda. Já vimos o bastante disso com o velho.

— O Exército está lá fora, senhora idealista. Eles não querem discurso, querem pescoços.

— Vamos fazer o que a gente faz melhor. — rebateu a garota.

— O quê? — questionou o capitão. — O que vocês vão fazer?

Os três vampiros olharam para o intrometido. Patrícia aproximou-se dele e colocou um dedo no peito do capitão da polícia e pressionou-o até o homem ficar encostado num carro.

— Nós vamos ficar aqui e pagar pra ver. Vamos lutar contra o Serviço de Contenção que não está nem aí para os nossos problemas. Ninguém pediu pra ser vampiro, *o.k.*? Agora eles simplesmente tentam cercar a cidade inteira e passar fogo em quem tem a cara pálida. Outro bando de escrotos. Eu vou ficar aqui e vou resistir até a última bala. E, acredite policial, vou sair andando essa noite.

Bruno aproximou-se também.

— E você, sai fora. Você foi muito bacana vindo aqui nos avisar, mas aposto que não vai conseguir tirar o nosso da reta.

— Isso é o que a gente vai ver agora. — Pinheiro levou o rádio à boca. — Pinheiro para Macedo, tá na escuta?

O rádio chiou e então veio a resposta.

— *Estou ouvindo, Pinheiro, prossiga.*

— Os infectos mataram apenas os bandidos. Haja vista que salvaram os reféns, quero que eles sejam transferidos para o nosso quartel. Peça autorização para o nosso comandante e para o comandante do Exército. Repetindo. Os infectos serão levados para o quartel da Polícia Militar. Eles salvaram os reféns, quero uma condução justa dos cativos até nosso quartel. O Serviço de Contenção não vai pôr as mãos neles esta noite.

Patrícia e os rapazes se entreolharam. Não era isso que queriam. O Mustang estava lá fora. Só precisavam de uma chance de chegar até ele.

Um chiado no rádio.

— *Aqui quem fala é o Capitão Brites, Operações Especiais, do Serviço Emergencial de Contenção. Tenho amplo direito de lidar com a questão de infectos da forma que julgar necessária visando a segurança nacional, não há autoridade superior à minha para julgar a questão, peço que retire seus homens das bocas dos túneis. O senhor e seus homens correm imenso perigo. Fui informando que o trio de vampiros está armado e é de extrema periculosidade. Os infectos estão cercados e serão levados para a contenção de Quitaúna. Isso é uma ordem.*

O capitão Pinheiro olhou para os três jovens. Tinham idade para serem seus filhos. Deu de ombros, baixou a cabeça, encostando-a no rádio negro em suas mãos e fechou os olhos.

— Eu tentei. — disse finalmente erguendo a cabeça e olhando para os três seres pálidos a seu lado. — Por que não vão comigo até lá fora? Eu garanto que não vão atirar em mim e, na frente das câmeras, não vão estraçalhar vocês antes de levá-los a Quitaúna. Vocês serão simplesmente detidos. Eu acompanho vocês, vou até Quitaúna se preciso for.

— Boa tentativa, tio. — rebateu Alexandre. — A gente prefere ficar e tentar da nossa maneira. Somos vampiros, lembra? Somos imortais. He he.

— Bruno, pegue o fuzil e cubra a nossa frente. Alexandre, fique com minha pistola e cubra nossas costas. Eu vou achar o carro desses bandidos, tenho certeza de que vou achar coisa muito mais pesada para mandarmos para cima desse tal de Brites. Não vai ser tão fácil quanto ele imagina.

— Posso sugerir uma coisa? — perguntou o capitão.

Os três olharam para ele.

— Desengatem os carros, manobrem o máximo que conseguirem, expandam esse centro onde terão mais mobilidade, deixem os carros virados para os bocas dos túneis, farol alto ligado, isso vai cegá-los. Vocês vão combater mais tempo.

— Boa idéia, tio. — disse Patrícia. — Valeu.

— Bem, na minha pistola tem dezoito disparos. Dá pra alguma coisa. — Pinheiro foi até o chão e apanhou sua arma. Se você encontrar outro fuzil russo desse aí me dá que eu sei usar. Eu vou cobrir com seu amigo Alexandre as costas do Bruno, vamos logo com essa barreira de carros, eles não vão esperar a noite inteira.

O trio de vampiros ficou boquiaberto. O capitão da polícia não estava indo embora. Estava ficando e, o que era melhor, ficando para ajudar e combater.

— Sei que é loucura e que vamos acabar todos mortos, ou eu vou acabar morto pelo menos... vocês são imortais, né... são imortais pelo menos até o sol nascer.

Patrícia sentiu um arrepio percorrer o corpo. Olhou para o relógio. Três e meia. Ainda tinham tempo, mas as horas avançariam, certas como faziam todos os dias. Mesmo que resistissem bastante tempo, o raiar do dia chegaria, o túnel garantiria escuridão para sobreviver, mas será que conseguiriam manter-se despertos, sem cair no transe vampírico?

Do lado de fora a situação era tensa. Os batalhões do Serviço de Contenção e da Polícia Militar estavam frente a frente, na boca do túnel, com armas levantadas uns contra os outros. A distância de quinze metros que os separava era, praticamente, nada. Quem assistia a cena, incrédulo, imaginava que o Exército gozaria de imensa vantagem numa improvável troca de tiros. O certo é que alguém do comando maior de ambas as forças já estava sabendo da crise e da situação delicada em que seus homens se encontravam, não tardaria para alguém colocar tudo em bons termos e fazer com que o Exército avançasse em sua função.

De repente, um dos garotos reféns, desprendeu-se do grupo. O menino de cabelos vermelhos foi para o meio da avenida, ficando entre os dois grupos de armas levantadas. O rapaz agitava os braços.

— Calma. Ninguém atira. — sussurrou Brites no rádio, olhando para o garoto de cabelo vermelho. — É só um guri. Ninguém atira.

O garoto baixou a cabeça e coçou os cabelos. Estava aparentemente tendo um frenesi, um ataque.

— Gente do céu! — gritou o rapaz. — Aqueles caras salvaram a gente! Vocês não podem prendê-los! Eles mataram os bandidos e salvaram todo mundo! Tenham pena deles! Deixem que se vão em paz!

Um cinegrafista focou o rapaz e um operador de som apontou o varão com o microfone em sua direção. Em segundos o apelo do jovem chegou a milhões de residências do Brasil. Todos assistiam tensos àquele espetáculo dantesco.

A mulher com a filha no colo também foi para o meio do asfalto.

— Eles salvaram minha filhinha. Ele chegou pertinho de mim e mandou-me ir embora. Ele não queria o mal de nenhum de nós. Eles só nos salvaram dos bandidos! — gritava a mulher, histérica.

Brites acionou seu rádio novamente. Seis soldados se deslocaram da fila e avançaram contra os manifestantes, arrastando-os de volta ao calçamento público e deixando-os em segurança.

A atenção de quase todos estava tomada por esse episódio quando, de forma surpreendente, uma mancha negra caiu do céu e bateu contra o asfalto fazendo o chão tremer. O chão rachado levantou poeira e fez com que alguns soldados da polícia militar e do Serviço de Contenção caíssem. Gritos assustados da população que se aglomerava espocavam aqui e ali. A poeira assentou e deixou surgir diante dos olhos incrédulos a figura de um garoto magro e de músculos definidos. Seus olhos brilhavam como brasas. Sua pele entrevista na jaqueta de couro preto era pálida como a lua. Ele virou-se para a boca do túnel.

— Um vampiro. — murmurou Brites no rádio. — Todos de prontidão.

Raul olhou para os soldados da polícia militar bloqueando a entrada. Depois se virou para trás fitando os soldados uniformizados em verde-oliva, protegidos até o pescoço, parecendo astronautas, empunhando fuzis. Sabia que era o Exército e que tinham balas de prata. Foram eles que invadiram o covil de Sétimo e fizeram um baita estrago. Sabiam combater vampiros.

— Parado! — gritou Brites, avançando dois passos.

Seus homens destravaram as armas.

— Não atirem. Não atirem. — ordenou Brites. — Ele está entre nós e os homens da PM. Ele é esperto. Se dispararmos, vamos matar uns aos outros. Soldados com as redes de prata, avançar.

Obedecendo ao capitão, três soldados com armas que eram cilindros metálicos de aproximadamente três polegadas, avançaram em direção a Raul.

Raul olhou para cima. As luzes dos postes pareciam mais fortes. O som dos motores dos três helicópteros que circundavam e filmavam a notícia entrava irritantemente em seus ouvidos agora milhares de vezes mais sensíveis. Aqueles soldados queriam atacá-lo. Virou-se novamente para os soldados na frente do túnel. Eles não tinham balas de prata. Eram policiais comuns. Tinha estudado a Cartilha da Escuridão. Sentia-se mais poderoso do que nunca. Era hora de treinar um ou dois truques.

Raul fixou o olhar em vários daqueles homens. Podia escutar o coração de cada um deles. Raul inspirou fundo e acentuou seu olhar, cerrando suas pálpebras. Os soldados focados por seus olhos vermelhos, de forma automática, levantaram os braços e as armas e começaram a disparar para a frente. Foi o suficiente para detonar uma reação em cadeia e tirar Raul do foco imediato de atenção.

Homens do Serviço de Contenção revidaram fogo enquanto muitos dos policiais correram para os lados, procurando proteção e fugindo da linha de tiro.

— Cessar fogo! Cessar fogo! — ordenava Brites, aos berros, enquanto se atirava ao chão.

Os policiais militares que tinham disparado estavam agora caídos.

Um levantou-se e arremessou a arma para longe em meio a gritos.

— Eu não queria! Eu não queria!

Outros soldados agarram o amigo que tinha entrado em pânico e o levaram para o calçamento.

Um soldado de Brites gemia no chão. Tinha tomado um tiro no alto do peito. Graças à proteção do colete a bala tinha parado, mas a dor era insuportável para que ficasse quieto.

Brites viu o garoto caminhando para dentro do túnel. Levantou-se e correu em seu encalço com a arma pronta para disparar. Levou o dedo ao gatilho e pousou o joelho no chão para fixar mira. Então o garoto desapareceu e, para sua surpresa, reapareceu em velocidade espetacular, agarrando do seu fuzil e erguendo-o pelo pescoço.

— Eu vim buscar meus amigos, seu desgraçado. Não vou matar vocês agora, sou clemente, mas te aviso, eu vou lá dentro, pego meus três amigos e volto aqui com eles, se quiserem viver é bom não estarem aqui, na minha frente, quando eu voltar. — bradou Raul, arremessando Brites para o meio da pista.

Antes que o corpo do capitão estatelasse no chão, o vampiro já tinha desaparecido na escuridão.

O capitão levantou-se aturdido. Pelo rádio, clamou por seus homens. Sabia que aquele tiroteio tinha começado por obra do vampiro. Tinha sido um momento estranho e fora do comum. Lembrou dos olhos mágicos de Calíope e da insanidade temporária que consumiu Delvechio na noite anterior. Aos brados mandava que os soldados do lado sul e norte invadissem o túnel e fechassem o cerco imediatamente sem dar chance aos vampiros de escapada. Se os policiais militares quisessem, deveriam vir em auxílio para salvar o capitão Pinheiro que ainda estava lá dentro, preso pelo trio, mas de forma alguma seria permitido que continuassem com aquela intromissão estapafúrdia.

Organizava seus homens quando aconteceu. O capitão ouviu um zumbido vindo de dentro do túnel. Ato-reflexo, abaixou-se e cravou um dos joelhos no chão e fez mira com o fuzil. Para seu espanto uma porta de veículo passou girando sobre sua cabeça, zunindo e ganhando altura. A porta lançada pelo vampiro acertou em cheio as hélices de um helicóptero que circundava os arredores. O aparelho começou a adernar para o lado direito e embicou na direção do túnel, despencando perigosamente na direção dos soldados do Exército e da Polícia Militar. Mais uma vez um corre-corre tomou conta do cenário, enquanto a aeronave desgovernada colidiu com a lateral da boca do túnel e explodiu, liberando uma poderosa onda de choque e calor que estourou vidraças das vitrines de casas comerciais circunvizinhas bem como vidros de janelas de casas e prédios. O alvoroço generalizado fez com que curiosos debandassem e mais pessoas abandonassem os carros que ao longe aguardavam curiosos a liberação daquele túnel. Uma multidão descia sentido à Juscelino Kubitschek tomando as ruas do bairro.

Brites parou um instante olhando para a boca do túnel, com metade dela ardendo em chamas pela gasolina inflamada. Um calor dos infernos pulsava dos restos contorcidos do helicóptero e a violência do acidente não permitia sequer vislumbrar a possibilidade de resgatar algum sobrevivente daquele verdadeiro inferno. Ao fazer a ligação mental daquelas labaredas com a casa do tinhoso, um arrepio gelado e agourento subiu-lhe pelo espinhaço. Não havia três vampiros dentro do túnel. Agora eram quatro. A imagem da vampira de pele negra-acinzentada voltou ao seu pensamento junto com as palavras proféticas lançadas no momento em que ele deixava a sala para atender aquela ocorrência, ecoando assustadoras em sua mente:

"— *Toma cuidado. Esta noite vai se encontrar com quatro vampiros nas portas do inferno. Eu posso abreviar seu sofrimento, é só pedir. Eu sei de tanta coisa que você não sabe. Posso lhe contar tantos segredos, capitão.*"

Brites, abandonou o estado de inércia a que a lembrança o arremessou e passou a gritar para juntar seus soldados. Olhou enfurecido para o túnel escuro. Viu o par de brasas vermelhas encarando seus olhos. O capitão puxou o gatilho do fuzil efetuando uma rajada certeira.

✠ ✠ ✠ ✠ ✠ ✠

Ignácio e Isabela já tinham voltado para a agência Jugular. Ao lado de Zinco e Alumínio assistiam à TV de plasma que exibia a zona sul da cidade fervendo em ação. A seqüência de acontecimentos tinha sido surpreendente até mesmo para o velho vampiro que já tinha visto muitas e muitas coisas nesse mundo. Seus pupilos estavam se virando bem, e a pressão aumentou bastante quando o Serviço de Contenção chegou, graças à denúncia do próprio mestre. Se eles vencessem o batalhão preparado para exterminar vampiros, teriam meio caminho andado para o objetivo final. Raul seria avaliado e se seus poderes tivessem se ampliado o suficiente, unidos venceriam os guardiões de Jó.

✠ ✠ ✠ ✠ ✠ ✠

Dentro do longo túnel, Raul corria ao encalço de seus amigos. Os tiros do capitão passaram raspando em sua cabeça. Precisava encontrar Patrícia, Alexandre e Bruno para que reforçassem seu ataque contra o Exército. Aqueles homens estavam enganados se esperavam que seu bando fugiria com o rabo entre as pernas. Ia acontecer justamente o contrário. Seu peito queimava de ódio. Como aquele capitãozinho de meia-pataca tinha a ousadia de mirar um fuzil para sua cabeça? Iria pagar com a vida se ainda estivesse lá quando voltasse. Desejando encontrar os companheiros, sentia um repetido cutucar em sua testa. Estavam bem à frente. Corria e saltava de carro em carro, cada vez mais rápido.

Patrícia tinha acabado de encontrar o carro dos bandidos e passava dois fuzis pela porta quando ouviu a explosão. Os quatro entreolharam-se.

— O que está acontecendo aí fora? — perguntou Pinheiro pelo rádio.

Só estática. A cara enrugada do capitão de polícia acentuou um ar de preocupação.

Patrícia passou um fuzil para ele e outro para Alexandre. Ainda estava com o braço estendido quando começou a sentir um cutucar na testa ao pensar em Raul. Imaginava que o amigo estava a salvo e ao menos um deles sobreviveria àquela madrugada. Ficou com os olhos na extensão do túnel. Na escuridão acinzentada viu uma silhueta surgindo distante, vindo rápido, feito bicho, saltando de carro em carro.

— Santo Deus! — murmurou a garota.

Bruno e o policial ergueram as armas.

— Calma. Não atirem! É o Raul que tá chegando!

O vampiro continuou vindo em saltos e saltos até cair no asfalto no meio do grupo. Estava mais pálido do que nunca e seus olhos estavam maiores e ainda mais rubros. Estava diferente. O vampiro primeiro encarou os amigos, depois fitou o policial no meio do trio. Aproximou-se lentamente, curvado e com olhos injetados de fúria. Inspirou fundo.

— Sinto o cheiro do medo em você, humano. Quem é você?

Raul grunhiu e arreganhou a boca, exibindo suas presas.

Patrícia se interpôs ao capitão da PM e ao amigo.

O capitão Pinheiro sentiu seus músculos estremecerem. Aquele ser era diferente dos outros. Quase não tinha fisionomias humanas e suaves como a de seus companheiros e o simples fato de olhá-lo nos olhos causa profunda aflição e temeridade.

— Ele ficou aqui para nos defender, Raul. Ele não é um dos criminosos, ele é um aliado. — avisou a garota.

— Essa jaqueta?! O que você está fazendo com essa jaqueta? — perguntou Alexandre, boquiaberto, reconhecendo a jaqueta com o símbolo da gangue de Sétimo.

— Não se preocupe com minha roupa, garoto. Eles estão vindo, dos dois lados. Cuidem da boca de lá que eu cuido da boca de baixo. Vou prendêlos lá na frente. Deixem que alguns passem para cá antes de eu voltar. Vamos brincar um pouquinho. — falou Raul, de forma fria. Seus olhos ficaram fixos no capitão da polícia militar.

O vampiro andou lentamente até o homem mais uma vez, fungando o ar de forma bestial.

— Um amigo. Sei. — disse o estranho Raul, chegando ainda mais perto. — O cheiro de medo aumentou. Será que vai ajudar mesmo?

O capitão nada falou. Aquele sujeito era a criatura mais grotesca que já tinha botado os olhos na vida. Era um monstro com formas de gente.

Raul saltou para cima do Palio que estava ali próximo e voltou-se para os amigos.

— Defendam essa parte que eu cuido do resto! — gritou, voltando a saltar na direção de onde veio. — O Exército vai conhecer o inferno essa noite.

Raul acelerou e retornou. Via as luzes escapando de uma dúzia de capacetes. Homens marchando. Um *flash* assaltou sua mente. Soldados montados em cavalos. Brasões da coroa portuguesa. Já tinha feito isso antes. Encurralado num estreito cânion. Derrubando árvores. Raul pulou para o asfalto com tanto ímpeto que seus pés e mãos racharam o chão.

— Aqui está bom. He, he, he. Eles não vão chegar nem perto.

Raul abaixou-se e agarrou a lataria de um Uno. Tombou o veículo. Empurrou um velho Lada para junto do Uno e depois tombou um Ford Fusion. Aplicou um murro no tanque de gasolina do Fusion e fez o mesmo com o Uno. O cheiro de gasolina infestou o ar e poças começaram a se formar. Rapidamente o vampiro foi empurrando e tombando mais veículos e repetindo o ritual de estourar seus tanques de combustíveis. Acionou meia dúzia deles, que ainda tinha chaves no contato e apertou os acendedores de cigarros. Um atrás do outro, quando os aparelhinhos saltavam no painel, Raul ia atirando-os nas poças de gasolina. Os dois primeiros não surtiram efeito, mas então, no terceiro a bomba relógio do astuto vampiro teve o estopim detonado. Raul saltou para longe e mesmo assim foi arremessado pelo violento deslocamento de ar seguido da explosão. Uma parede de fogo formou-se no túnel. O vampiro retrocedeu lentamente, admirando as labaredas famintas que subiam pelas laterais e chegavam vivas e com força ao teto do túnel, devorando os exaustores e correndo pelo concreto como serpentes incandescentes. Ao seu lado havia duas enormes portas metálicas que funcionavam como saída de emergência, ligando aquela pista a um túnel paralelo. Certamente aquela saída estava sendo vigiada e seria usada para vencer a parede de fogo. Raul tornou a empurrar e tombar carros e desferir socos e a pressionar acendedores de cigarros.

Patrícia surgiu às suas costas, estava espantada e boquiaberta com a agilidade e força do amigo que tinha sido deixado desmaiado na cama em seu apartamento e que agora erguia e empurrava veículos como se fossem feitos de papel.

— Raul...

O garoto não deu ouvidos. Apanhou os acendedores e, de novo, no terceiro, a explosão aconteceu.

Ele e Patrícia chocaram-se contra a parede do túnel. A vampira levantou-se primeiro e balançou a cabeça e sentiu os ossos do ombro estalarem. Encarou o amigo exibindo seus dentes pontiagudos e toda sua raiva.

— Cara... o que aconteceu com você?

— Curtiu a ira?

— Não vou mentir que isso tá ajudando, mas você está muito esquisito, cara!

— Chega de lengalenga, Patrícia. Deixa-me cuidar do outro lado antes que eles cheguem aqui.

Mal completou a frase, o vampiro subiu no corredor lateral do túnel destinado ao eventual trânsito de pedestres e disparou em nova corrida.

Patrícia, ainda com a pistola na mão, assistiu Raul virar uma sombra e desaparecer. Ele estava, definitivamente, mudado. A vampira voltou até o grupo. Olhou para cima. Línguas de fumaça começavam a correr pelo teto. A fumaça ajudaria a escondê-los ainda mais. Um tico de esperança brotava em seu coração morto, poderia se esgueirar para fora daquele lugar. Dariam um jeito. Levaria o fuzil com a plaqueta encravada na coronha de madeira. Diria a todos a coisa que passava em sua cabeça. Ignácio não era um benfeitor porcaria nenhuma. Era um bandido. Aquela arma estivera na missão anterior e agora estava ali, no túnel e tinha servido aos ladrões de bilheteria. Ignácio era um falso e era ele quem colocava o turno da noite em perigo. Com Raul agindo daquele jeito teriam a oportunidade de se organizar e acertar as coisas com o sacana veterano. Seus olhos ficaram presos nos padrões de desenhos formados pela fumaça negro-acinzentada. Lembrou-se do humano entre eles. Se a fumaça aumentasse muito... o capitão da PM estaria em maus lençóis.

Bruno olhou para a amiga aproximando-se. Novas explosões fizeram o túnel estremecer.

— Ei, o Raul tá com a corda toda. O que aconteceu com ele? É algum truque da Cartilha da Escuridão?

Patrícia deu de ombros.

— Isso tá me cheirando a coisa do Ignácio.

— Ele nem sabe que a gente tá aqui.

— Ah, sabe, sim, Bruno. Pode apostar o que tiver. Aquele velho vampiro sabe exatamente onde estamos e não deve estar nada contente com nossa participação.

— Por que diz isso?

— Hum. Descobri que tenho muita coisa pra contar, meu amigo. Ignácio não é o que a gente pensa.

Bruno ergueu as sobrancelhas, intrigado, apoiou-se no capô de um Peugeot e deixou o rifle preparado. Patrícia estava falando sério. Já conhecia a amiga o suficiente para saber quando estava apreensiva ou de brincadeira.

Metros à frente, Raul caprichava em sua nova barricada. Alexandre tinha se juntado a ele e auxiliava empurrando mais carros para perto do parceiro. Não sabia que bicho tinha mordido Raul, mas estava gostando pra cacete. Que idéia! Raul tombou duas pick-ups, tombou uma Kombi, uma Carnival e empurrou mais uma dúzia de veículos para debaixo da imensa poça que se formou.

— Essa aqui vai arrepiar! — bradou, eufórico. — Aquele capitão não vai esquecer essa madrugada! Ah! Ah!

— Pode crer. — emendou Alexandre.

Raul vasculhou os carros acionando aqueles que ainda estavam com chaves e repetiu o processo de afundar os acendedores de cigarros.

— Ei! Acho que isso vai ser mais legal! — gritou Alexandre, arremessando um isqueiro Zippo para o amigo.

— Vamos nos afastar, Alê. Tem gasolina pra caramba dessa vez.

Os vampiros começaram a retroceder, indo em direção aos amigos que aguardavam quando os primeiros tiros do lado de lá começaram a chegar. Os militares do grupo de contenção tinham encontrado a muralha de carros. Meia dúzia deles deixou o asfalto e começou a caminhar pela lateral, pela área de pedestres da via que estava desobstruída.

— Vai, Raul! Não vacila!

— Quem disse que eu estou vacilando, irmão? Olha isso aqui!

Raul girou a pedra do Zippo que se incendiou. Arremessou o isqueiro que foi deslizando rente ao asfalto.

Quando os soldados na canaleta lateral perceberam o que acontecia, deram meia-volta e começaram a correr.

O Zippo chegou na primeira poça de gasolina e uma chama laranja cresceu. O ar zuniu e o oxigênio foi sugado na reação em cadeia. Buuuum! A maior explosão até então fez tremer todo o Túnel Ayrton Senna. Alexandre e Raul foram arremessados a dezenas de metros de distância, enquanto os soldados que estavam despreparados para o impacto foram alvejados por estilhaços de vidro e metal que se desprenderam dos veículos e foram deslocados com violência. Meia dúzia deles atravessaram pára-brisas, afundaram os corpos nas portas dos veículos e tiveram ossos partidos pelo impacto brutal. O Túnel Ayrton Senna ardia tomado por chamas e labaredas que serpenteavam pelas paredes e avançavam pelo teto. Tudo estremecia e escombros soltavam-se do alto e das paredes do túnel. Dois imensos exaustores desprenderam-se, caindo perigosamente ao lado de soldados ainda tontos com a explosão. O fogo ia avançando rapidamente, engolindo outros carros e alcançando novos tanques de gasolina, alimentando-se furiosamente, produzindo novas explosões que enchiam os tímpanos da soldadesca e minavam qualquer resquício de coragem. Os homens do Serviço de Contenção não estavam preparados para aquele confronto e debandaram horrivelmente.

Patrícia que, mesmo a mais de cem metros, tinha-se desequilibrado com a explosão e a reação canalizada pela estrutura do túnel tinha tapado os ouvidos, caiu recostada na lateral de um carro. O capitão ao seu lado respirava prolongadamente e tossia em curtos espaços de tempo já afetado pela fumaça. Foi ele que, olhando para cima, exclamou:

— Oh! Oh!

Patrícia olhou para o teto do túnel. Raul tinha sido eficiente em criar os muros de fogo e manter os soldados afastados para ganhar tempo, contudo tinha trancado o turno da noite numa ratoeira, uma ratoeira prestes a ser inundada. Dos veios de rachaduras causadas pelas explosões, começava a verter colunas de água. Água vinda do lago logo acima de suas cabeças. O "lago do Ibirapuera" queria entrar.

— Estamos perdidos. — murmurou Bruno, também caído, ao lado de um dos cadáveres dos bandidos e espantado com as rachaduras que cresciam no teto do túnel.

A placa luminosa, apagada desde o corte de energia, onde se lia "Lago do Ibirapuera" não tinha mais uma goteira ao seu lado. Ela tinha-se soltado do lado esquerdo e pendia, balançando junto de uma genuína cascata de metro e meio de largura. A estrutura do túnel estava entrando em colapso.

Brites continuava do outro lado do muro de fogo. As labaredas ardiam, impedindo que se aproximasse. Vampiros desgraçados! Estavam fazendo seu time de soldados de palhaços. Contudo, por mais ousado e poderoso que fosse aquele último elemento que surgira no meio daquela fuzarca, ele tinha cavado sua própria sentença. Brites tinha escutado as repetidas explosões e tinha-se comunicado com o pelotão do outro lado. O vampiro tinha feito outro muro de fogo. Seus homens não poderiam entrar, mas os vampiros tampouco poderiam sair. Em poucas horas o sol nasceria e eles cairiam em suas garras. Uma noite que entraria para os anais da cidade. Um dos mais tradicionais túneis de São Paulo tomado e incendiado por vampiros. Era tudo o que Brites precisava para manter-se no controle e continuar com sua cruzada em busca do fim daquela raça à sua maneira, sem intervenção de medidas provisórias, sem o bedelho de Delvechio e seu preciosismo para com eventuais achados históricos no meio daquela corja de assassinos.

— O que faremos agora, capitão? — perguntou um sargento.

— Fogo contra fogo.

O sargento arqueou as sobrancelhas sem entender a resposta do superior.

— Eles estão encurralados. Estão presos. Podemos esperar que amanheça e os apanhamos indefesos ou podemos explodir esse muro de carros em chamas e damos um fim nesses quatro de uma vez por todas. Somos o Grupo de Operações Especiais. Somos o Serviço de Contenção do Exército Brasileiro. Eles são apenas quatro vampiros encrencados até o pescoço. Vamos pôr um fim nisso de uma vez por todas. — bradou Brites para o soldado.

O rapaz olhava para o chão e depois olhou para cima, atraindo a atenção do capitão. Um chiado estranho começou a vir do meio da muralha de fogo. Brites arregalou os olhos vendo fios d'água passando por baixo da fogueira ardente e transformar-se em vapor. O capitão olhou para o teto. Rachaduras pequenas, gretas finas, mas extensas o suficiente para deixar escorrer água em grande quantidade.

— O lago, senhor... — balbuciou o soldado incrédulo.

Os homens do Serviço de Contenção, sem ordem expressa do capitão, começaram a dar passos para trás, retrocedendo, assustados.

— O túnel vai desmoronar! — gritou um deles.

Brites permaneceu na sua posição. Não deixaria seu contingente debandar. A água apagaria o fogo e daria chance de atravessarem a barreira infernal e dispararem contra o quarteto de infectos. Não era hora de correr. Mais uma vez a voz de Calíope sussurrou em seus ouvidos. *"Esta noite vai se encontrar com quatro vampiros nas portas do inferno"*.

— Vampira duma figa. Como ela sabia que isso ia acontecer? — perguntou-se o incrédulo capitão.

Patrícia, Bruno, Alexandre e o transformado Raul estavam acocorados, juntos, ao lado do capitão Pinheiro que tossia, cada vez mais sendo sufocado pela fumaça. O asfalto já estava coberto de água e começava a subir o nível da inundação, tendo agora uns três dedos de altura. Como as explosões encadeadas não cessavam na parte norte, os tremores também não davam trégua e o resultado é que as rachaduras se ampliavam minuto a minuto. O quarteto de vampiros estava quieto, aguardando a sucessão de acontecimentos. De um jeito ou de outro encontrariam uma forma de escapar.

✠ ✠ ✠ ✠ ✠ ✠

Marcelo jogava *Counter Strike* via rede mundial de computadores no seu moderno *notebook*. A irregularidade no horário de trabalho abria caminho para ser punido por dois motivos. Primeiro que conectava seu *notebook* através de um cabo da torre de controle. Segundo porque enquanto dava um couro nos terroristas, jogando com um time de amigos da Internet seus olhos fugiam dos monitores de tráfego do Campo de Marte. Mas estava num plantão chatíssimo e monótono e as telas de tráfego aéreo não entusiasmavam seus olhos como o joguinho. Marcelo também estava relaxado por causa do horário avançado e pelo fato do amigo Jorge estar lendo uma revista ao seu lado e jogando uma olhada ou outra aos radares e monitores e cuidando da conversa no rádio com as pequenas e poucas aeronaves com planos de vôo controlados. Difícil seria jogar *Counter Strike* cuidando do comando da torre de Cumbica ou Congonhas, mas ali, no Campo de Marte era baba. O compenetrado jogador tinha acabado de desarmar o explosivo dos contrabandistas quando tomou um tiro na cabeça e gritou meia dúzia de palavrões. Seu esquadrão que estava ganhando todas as partidas viu a mensagem de vitória dos terroristas aparecer na tela pela primeira vez nas últimas duas horas. É claro que daria o troco imediatamente no infeliz que o tinha tirado da partida. Já escolhia as armas e um novo uniforme quando viu Jorge baixando a revista e aproximando o rosto da tela do radar. A expressão no rosto do colega de trabalho era tão esquisita que não teve como não se interessar. Afastou o *notebook* displicentemente e empurrou a cadeira de rodinhas até ficar ao lado de Jorge.

— O que tá pegando?

— Não sei. — respondeu o amigo, com a voz meio apagada. — Essa marca apareceu agora, do nada. Eu estava olhando para a tela no momento e apareceu de repente.

— Defeito?

— Pode ser.

O fato é que viam um ponto detectado pelos radares do aeroporto do Campo de Marte movendo-se da região central para a região sul numa velocidade anormal e fora de qualquer rota permitida.

— É um helicóptero? Deu na Internet que um helicóptero caiu.

— Comentário besta, Marcelo. Não é um helicóptero. Tá rápido demais. E seja o que for, isso aí não caiu.

— Parou.

— Gozado. Tá parado.

— Falei que era helicóptero.

— Não é helicóptero.

— Vou falar com o Cindacta 1. Será que tão pegando esse ponto também?

— Sumiu.

Os dois funcionários da Infraero ficaram de olhos colados no radar por mais alguns minutos. O restante dos pontos monitorados estava dentro da normalidade. Só aquele "intruso" tinha feito tudo de anormal. Um helicóptero da polícia militar se aproximava para pouso, em velocidade adequada. Mas aquele ponto, que coisa maluca! Tinha a velocidade de um jato, tinha simplesmente parado sobre o nada e, agora, desaparecido.

Jorge afastou-se e digitou efemérides num teclado ao lado. Sabiam de todo o alvoroço no Túnel Ayrton Senna. Os helicópteros águias da PM tinham saído dali. Talvez por essa razão o homem tenha ficado mudo por mais um tempo e feito mais uma de suas caras esquisitas repuxando a boca e olhando calado para Marcelo.

— O que foi?

— Ele estava parado em cima do lago do Ibirapuera.

Marcelo arregalou os olhos e correu para a frente do monitor. De repente as telas do Campo de Marte ficaram milhares de vezes mais interessantes que o *Counter Strike*.

✠ ✠ ✠ ✠ ✠ ✠

Acima das nuvens, uma esfera violeta se deslocava em velocidade impressionante. A criatura alada desceu, cruzando as nuvens ligeiras e apontou para baixo. Desejou e sua esfera de luz não se desfez. Intensificou seus poderes celestiais transformando a esfera em uma armadura. Tinha invocado aos irmãos de luz a canalização do poder das preces, precisaria de toda a energia e determinação para socorrer seu irmão de carne. O céu ficou violeta e quem olhasse para cima veria uma espécie de estrela cadente caindo espantosamente. Um dos efeitos do pedido de canalização de energia era esse. O anjo poderia ficar tão poderoso que seria visto pelas pessoas crentes no poder da luz. E seus atos ostensivos convergiriam e ele atuaria também no plano material. Ao bater contra o lago do Ibirapuera o anjo lançou uma cortina d'água para o céu e fez um brilho intenso expandir-se pelo leito. Encontrou concreto e depois rochas e tudo foi sendo varrido da sua frente como se houvesse uma barreira de manteiga tentando deter o gume quente de uma faca afiada.

✠ ✠ ✠ ✠ ✠ ✠

Instantes atrás, dentro do túnel, Raul foi o primeiro a escutar. Olhou para o teto do túnel.

— Está tudo desmoronando! — berrou.

— Deus nos ajude! — pediu o policial quase inconsciente, cobrindo a boca e tossindo.

Patrícia segurava o humano que tossia convulsivamente e mantinha sua cabeça elevada para que não se afogasse na água fria que começava a subir de nível no asfalto. A garota olhou para o teto do túnel. As rachaduras foram se alargando cada vez mais e agora a água que caía causava turbilhões e ensopava suas roupas e tudo ao redor. Seriam esmagados por toneladas de água. Um barulho crescente vindo de cima fazia também crescer em seu peito a certeza de que tudo acabaria. Então seus olhos viram um clarão violeta. O que era aquilo? Pedaços de rocha deslocando-se lateralmente ao invés de cair sobre suas cabeças. Um imenso globo violeta irrompeu do teto e a água não mais pôde ser represada desabando para dentro do túnel e varrendo todos os lados. Num segundo o nível da água chegou até o teto, mas, para eles, o turno da noite, tudo continuava estático. De algum modo estavam protegidos, dentro de uma redoma violácea. Patrícia e seus amigos olhavam incrédulos para um ser magnífico, de pele acobreada e peito largo trajando uma túnica azul celeste cintilante. Seus olhos pareciam chamas e sua face resplandecia, emanando paz. A criatura tinha asas que estavam estendidas, como que se fossem elas que sustentassem aquela cúpula de luz e os protegesse das toneladas de água do lago do Ibirapuera. O ser estendeu a mão para Patrícia.

— Segure-se.

— E eles?

— Confia.

— O policial, por favor!

— Confia. — tornou o anjo mais arrojado.

Patrícia não retrucou ao anjo de luz. Levantou a mão até alcançar os dedos cor de cobre da criatura. A luz violeta explodiu em seus olhos e ela nada mais viu.

✠ ✠ ✠ ✠ ✠ ✠

Brites berrava para que seus homens aguardassem o fogo arrefecer para invadirem de uma vez por todas. Mas os pedaços de concreto caindo do teto do túnel e a água que começava a subir e cobrir seus coturnos, aumentando de nível rapidamente e já ensopando seus joelhos minou completamente a coragem do Serviço de Contenção.

O capitão berrou ao rádio, ordenando que mantivessem suas posições. Aquele percalço seria vencido. A água pararia. Era impossível que um túnel inteiro desmoronasse por culpa de um vampiro!

Foi enquanto berrava que um ronco grave encheu a passagem subterrânea, parecendo o resfolegar de um dragão gigante. A água que subia de nível virou correnteza e nem o determinado capitão Brites conseguiu manter-se em sua posição. A força da água agigantou-se em fração de segundos e então carros e soldados começaram a ser expurgados por uma enxurrada violenta.

Brites foi encoberto pela água do lago e quando conseguiu se ver livre do turbilhão já estava do lado de fora e era arrastado no meio da avenida, assistindo impotente àquele infernal balé se repetir com soldados e policiais à boca do túnel. A água esparramou-se pelas ruas do bairro, sendo dragada por bocas de lobo até que o corpo do capitão ficou parado, caído, vencido e ensopado no meio do asfalto, iluminado e no centro de um potente facho de luz de um outro helicóptero de reportagem que teimava em circundar a área.

Brites virou-se de costas e bateu a cabeça no asfalto, sentido seu cabelo empapado pela água por baixo do elaborado capacete. Respirou fundo. Todo o cansaço, todas as horas mal dormidas, todo o estresse com o Serviço de Contenção. O capitão bufou. O túnel tinha desmoronado e entendia as proporções da tragédia. O lago do Ibirapuera tinha invadido o túnel e posteriormente as ruas. Levantou-se determinado, guardando todo o desânimo e exaustão corporal num dos bolsos de seu traje de caçador de vampiros e empunhou a única arma que ainda tinha. Sua liderança. Bradou uma dúzia de ordens encadeadas ao rádio. Pediu reforço imediato tanto de unidades do Exército, homens que estivessem à disposição no quartel Ibirapuera a poucas quadras dali e também aos policiais militares. Os vampiros estavam desprotegidos. Cada segundo contava. Ou tinham sido presos e destruídos pela força da água, uma vez que estavam no centro da tragédia ou teriam sido igual aos humanos, expulsos do túnel pelo jato d'água. Brites estabeleceu um perímetro de seis quadras ao redor do evento. Tinham de encontrar aqueles quatro demônios. Tinham de pôr fim, em bons termos, no espetáculo que o Brasil tinha assistido naquela noite. Os infelizes não iam simplesmente escorrer de seus dedos.

O capitão caminhou até a boca do túnel. A força da água que ainda saía era moderada, fazendo com que fosse possível avançar em direção ao túnel, mas com certa dificuldade.

Brites viu um cenário dantesco. A água tinha tomado o túnel até o teto. Se quisessem entrar para procurar os corpos dos vampiros precisariam de mergulhadores. O capitão rangeu os dentes, arrancou o capacete e arremessou-o contra a água aos seus pés.

No meio daquele pandemônio ninguém notou o homem negro, careca e muito bem vestido entrando no Mustang negro deixado no meio da rua. O homem manobrou o carro cautelosamente, desviando de soldados, pessoas atordoadas e veículos abandonados a esmo e, tomando a primeira rua à direita, desapareceu fazendo os pneus levantarem uma cortina d'água. O motorista tinha um sorriso nos lábios. Sabia que o patrão também sorria a uma hora dessas. Seu quarteto era realmente algo de arrebentar.

✠ ✠ ✠ ✠ ✠ ✠

Quando Patrícia abriu os olhos novamente estava deitada num chão gramado, coberto de folhas secas que se desprendiam das árvores com o bater do vento. Ela viu aquele sujeito estranho. O vampiro que a encarara no bar. Patrícia sentou-se rapidamente e recostou-se no caule grosso de uma árvore. O silêncio só era quebrado pelas folhas secas que esmagava com o movimento de seu corpo. Ela puxou a pistola de trás das costas e apontou para o vampiro.

— Você... você é o cara do bar. — disse, ainda atordoada.

Samuel aquiesceu com a cabeça.

A vampira olhou ao redor. Arrepiou-se novamente ao ver, distante, eclipsado no meio de galhos e árvores a figura do anjo que tinha surgido milagrosamente na hora mais crítica no cerco do túnel. Ele era de verdade. O milagre não fora prodígio de sua imaginação em agonia. A vampira respirou, como se precisasse. Olhou em volta. Não viu Bruno nem Alexandre e muito menos Raul.

— Você aprendeu a fechar sua mente? Eu ia te dar mais tempo, mas parece que Ignácio está com pressa, está rolando os dados antes da hora.

— O bilhete? Como conseguiu colocar na minha jaqueta?

— Dentro do bar, enquanto vocês me procuravam aqui e ali. Sou bom com as sombras e com as mãos, vampira Patrícia.

Patrícia tirou os cabelos desarrumados da frente dos olhos e estreitou as pálpebras.

— Eu não estou ficando louca, não é?

Samuel sorriu e suas presas pontiagudas ficaram expostas por um instante.

— Aquilo... ele... é um anjo? Um anjo de verdade, igual escreveram na Bíblia?

— Sim. Gregório é um anjo.

— Não pode ser.

— Eu sou um vampiro. Meu irmão é um anjo. É simples assim.

Patrícia baixou a pistola. A arma parecia pesar uma tonelada. Suspirou fundo.

— Por que o anjo... que você chamou de irmão, nos tirou do túnel? Como você conheceu Ignácio? Cadê meus amigos e o policial? O coitado do PM só queria nos ajudar... não parecia bem, no final.

— Uma resposta de cada vez, garota. A conversa vai ser longa, mas só será longa se me responder uma coisa. Você aprendeu a bloquear a mente dos outros vampiros?

— Isso é você que tem de responder.

Patrícia fechou os olhos e concentrou-se. Fez uma imagem mental de uma coroa de espinhos cercando sua cabeça e depois se transformando num capacete de ramos secos e filetes aguçados, recobrindo todo o crânio, como uma carapaça espinhosa. Nada atravessaria seu encanto.

Samuel ficou olhando-a fixamente.

— Diga-me o nome de meu último namorado.

Samuel continuou compenetrado. Nada.

— Está funcionando comigo, garota. Mas é bom que funcione com Ignácio também. Você precisa manter a mente fechada o tempo todo em que estiver perto dele ou de seus pupilos.

Patrícia assentiu.

— Onde estão meus amigos?

— Muito perto daqui. Eles não podem ouvir o que tenho a dizer. Não por enquanto. Ignácio sondaria as mentes deles com facilidade. Lá no bar já foi difícil conectar com sua mente. Quase não consegui entrar em nada. Mas chamei sua atenção. Você deve ter um dom nato para isso, para fechar seus pensamentos. Já deve ter lido naquela Cartilha da Escuridão que a vampirização nos desperta certas qualidades... não somos todos iguais como todo mundo pensa.

— Vai ver. — respondeu a vampira, levando os olhos novamente ao bosque adiante, onde seguiu por mais alguns instantes o anjo com os olhos.

Gregório andava de um lado para o outro, com sua espada flamejante desembainhada, pronta para qualquer confronto. Samuel tinha dito que o vampiro era poderoso e tentaria a todo custo manter aqueles filhotes de Sétimo sob seu jugo. Deveria ficar alerta e protegê-los enquanto conversavam.

— O sol não tarda a se levantar e até nosso próximo encontro deve se fechar completamente. Não dê vacilo, garota, se Ignácio sonhar que estivemos juntos, que te contei certos segredos, ele vai incinerar você. Talvez só deixe vivo Raul, que foi testado esta noite.

Patrícia lembrou-se de Raul chegando ao túnel, totalmente transtornado e transformado, vestindo a jaqueta negra com a cruz nas costas. Ignácio tinha feito alguma coisa com o colega.

— Ignácio não é um senhor bonzinho que ampara vampiros desprotegidos. Ignácio quer vocês quatro porque são praticamente os únicos filhos de Sétimo que restaram na face da terra e ele vai precisar da fúria original de Sétimo para destravar seu tesouro. Ignácio precisará de guerreiros de primeira linha para confrontar os guardiões de Jó. Ele já tentou uma vez com Calíope e com Isabela e tantos outros e foi vergonhosamente batido. Ignácio é poderoso demais, pense nisso. Como é possível algum ser vivo neste planeta ser mais forte que o antigo Ignácio?

Patrícia deu de ombros. Não fazia idéia do que o vampiro estava falando.

— Ignácio queima um inimigo com o olhar, se quiser. — continuou Samuel. — Não é à toa que está transtornado por não ter vencido os guardiões da última vez que tentou. O veterano chegou à conclusão de que somente com vampiros selvagens, descendentes do pior dos piores que ele já conheceu, conseguiria tal feita. Ficou escondido e calado durante os dias em que os sete vampiros de Rio d'Ouro transitaram por estas terras. Temia ser descoberto pelos sete. Temia ter sua dívida cobrada pelos monstros do d'Ouro. Ficou muito grato quando o Exército deu cabo dos vampiros e quando a breve aventura teve fim. E ficou mais grato ainda ao perceber que após a efêmera passagem dos vampiros do d'Ouro, alguns deles tinham deixado para trás algumas crias, neófitas, ingênuas e cruas. Crias que fortaleceriam a chave para destravar seu tesouro. Um tesouro escondido nos confins do Brasil, trazido há séculos no bojo de uma das caravelas de Cabral. Um vampiro, amigo de Miguel, que tantos conhecem pela alcunha de Gentil. Foi Ignácio quem selou Jó para cruzar os mares. Foi Ignácio que o tempo todo fingiu ser bom amigo dos vampiros no final de seus tempos em Portugal e ludibriou-os. Tanto fez contra Jó, que o vampiro amigo de Miguel acabou tornando-se uma pedra em seu sapato. Jó pagou caro por não se aliar a Ignácio e foi salvo graça aos vampiros do d'Ouro que tinham a seu favor uma linhagem de boas bruxas e conseguiram salvar Jó de todas suas agruras e com feitiços de cura mantiveram seu corpo vivo, mas em completa suspensão. Quando retornou ao Brasil para reanimar o amigo dos vampiros do d'Ouro tinha deixado os anos passarem para que nada mais se falasse ou se ouvisse dos sete demônios. Mas Jó, mesmo selado e adormecido, atraiu a atenção de protetores. Guardiões que da noite para o dia surgiram da mata e profanaram seu sepulcro levando embora para os confins das florestas o vampiro trazido por Cabral, nem mesmo o dedicado lacaio de Jó conseguiu deter esse episódio. Por décadas o destino de Jó era desconhecido. Obstinado, Ignácio lançou de todos os meios e fortuna para reencontrar pistas do paradeiro de seu tesouro. O feitiço de cura das bruxas e a hibernação do vampiro protegiam-no de ser detectado pelo cutucar. Mas agora Jó não era mais um cadáver ressequido, um vampiro desprotegido. Embora seu caixão nunca tenha sido aberto, estava protegido por entidades que o vampiro não conhecia, não entendia e não seduzia. Entidades da floresta encontraram tanto poder encerrado naquele caixão que decidiram deixar aquele poder longe das mãos do homem e dos vampiros para que o equilíbrio das coisas fosse mantido. Ignácio não desistiu facilmente. Preparou-se treinando vampiros, criando o que chamou de O Turno da Noite, para alimentar vampiros com o sangue da pior escória que existisse no planeta, para fazer com que esses monstros sanguessugas fossem aos poucos acumulando a vileza, o ódio e a crueldade de suas vítimas. Aposto que isso ele não explica em sua Cartilha da Escuridão. Aposto que chega com bolsas iguais a de bancos de sangue para confortar seu quarteto na hora da fome. Sangue de canalhas. Sangue de gente ruim. Impregnando suas mentes, transformando o seu caráter.

Patrícia, atarantada com tanta informação, deixou o queixo cair.

— Cada ser que matamos, Patrícia, cada gole de sangue que ingerimos traz para nós traços de nossas vítimas. Esses traços podem ser descartados, mas também podem ser agregados a nosso ser, se temos desejo.

— Desejo de poder.

Samuel balançou a cabeça positivamente.

— Isso mesmo. Quando queremos melhorar, quando queremos ser melhores caçadores, retemos o que o sangue nos traz.

— O sangue que eles nos dão todos os dias, servidos em bandejas... é por isso que estamos cada vez mais agressivos e mais encanados em sair matando gente.

— Exatamente, Patrícia. É o que acabei de dizer e, infelizmente, tenho mais revelações a fazer...

— O quê?

— A agência Jugular realmente existe, por séculos ela existe. Mas Ignácio presta serviços a seu bel-prazer, sem medir bem e mal. Ele quer que os humanos se danem. Só usa os vampiros para completar serviços, executar pessoas que outras pessoas têm interesse em ver riscadas do mapa. Ignácio só quer a grana que os malditos têm a oferecer para aumentar seu controle, seu poder.

— Não, Samuel. Nisso você está errado. Ignácio disse que os alvos que executaríamos eram malfeitores. Nossa decisão de nos aliarmos a ele foi totalmente baseada nessa premissa. Não queremos matar gente de bem.

Samuel levantou e deixou o corpo ereto. Seu rosto fino era salpicado pelo brilho suave que vinha do céu. Seu rosto duro e imóvel fez brotar um terror no peito da vampira.

Patrícia levantou-se e lágrimas brotaram em seu rosto.

— Nós não matamos gente boa, Samuel!

O vampiro sorriu brevemente.

— Eu sabia que você era boa. Cada um de nós tem lá suas qualidades e seus defeitos.

— Boa? Do que você está falando?

— Eu não te disse meu nome. Você entrou em mim, sem pedir, sem que sentisse. Você sabe o meu nome.

Patrícia ficou calada. Não sabia o que responder, estava zonza, emotivamente desgastada.

— Aquele primeiro ataque que você fez. Eu li nos jornais. Eu sabia que era coisa do Ignácio.

— O assassino de mendigos? Ele era um crápula, um desumano, tinha mesmo de morrer.

— Oscar era um bom homem. Partilhava migalhas, parte de seu ganho, comprando dúzias de marmitex todas as noites e passando pelas ruas do centro de São Paulo tentando aliviar a desgraça dos desvalidos. Às vezes, querida, tudo o que se quer para existir ao fim de mais um miserável dia é um prato de comida antes de dormir.

O anjo aproximou-se dos dois. Seu rosto cor de cobre emanava uma fina camada de luz. Seu rosto estava desprovido de emoção, mas algo escapava de seus olhos, uma certa tristeza. Patrícia ficou hipnotizada pelo garboso par de asas que se agitavam de tempos em tempos. O anjo era a coisa mais linda que já tinha visto em toda sua vida. Um anjo irmão de um vampiro.

— Eu vi as pessoas morrendo depois que ele foi embora no Doblô azul. Ele envenenou aqueles coitados.

Samuel riu.

— Aqueles coitados que você viu no endereço predeterminado por Ignácio? Aqueles coitados que estavam na hora certa e no lugar certo para serem assistidos por vocês quatro? Humpf. Ignácio é muito forte mesmo, conseguiu embotar seu julgamento e seu poder mental. O turno do dia conhecia a rotina de Oscar e tinha mapeado seus trajetos. Ignácio armou direitinho. As pessoas que caíram depois de comer foram contratadas por Bert, um dos homens de Ignácio.

— Quer dizer que...

— Quero dizer que Ignácio mente para vocês. Isso já foi dito e vocês não enxergaram. Enquanto travavam suas conversinhas em cantos escuros ficou claro que Ignácio mente. Ninguém viu. Ninguém notou. O vampiro faz um bom trabalho.

— Mas por que alguém ia querer aquele senhor Oscar morto?

— Oscar trabalhava no ramo de construção civil e estava ganhando licitações que estavam incomodando certos políticos vis e inescrupulosos. Para eles, matar um aqui ou ali para alimentar sua sanha por dinheiro fácil e público não é uma questão moral, é uma questão meramente processual, uma etapa, simples como mandar protocolar documentos num cartório. Os verdadeiros vampiros desse país, querida Patrícia, os grandes sanguessugas assassinos estão lá, nos escritórios públicos, enfiando punhados de merda no bolso de todo mundo, tirando dinheiro que deveria aliviar a miséria do povo sofrido, para investir na Educação da população, eles furtam na mão grande para poder zanzar de banana *boat* com a família no Caribe, e aparecem depois, todo-sorridentes, bronzeados, no horário eleitoral, com cara de santinhos e com promessas e parecem e convencem que são homens de bem. Uns falam de Deus, outros de igualdade, mas a grande maioria quer o poder para usurpar os cofres públicos, para defender com unhas e dentes e assassinatos seus impérios ridículos e passageiros que virarão pó quando forem para debaixo da terra. Na verdade são um bando de covardes, que não temem e não se enxergam como os bandidinhos que são, piores que trombadinhas, o lixo do lixo. Esses, sim, deveriam estar na sua lista, Patrícia. Uma lista gorda e farta que não acabaria em cem anos. Brasília é o rumo dos vampiros que querem justiça.

— O traficante que...

— Era um policial infiltrado num dos raros trabalhos da Inteligência. As investigações dessa unidade eram uma pedra no sapato de um traficante de verdade, que estava perdendo mercado e sentindo-se cercado. Com a morte do policial o recado foi dado, as forças foram minadas, assim ele vai agir mais folgadamente... graças a quem? Ao turno da noite da agência Jugular.

Patrícia caiu de joelhos e pôs a testa no chão. Chorava copiosamente. Era uma vampira. Uma vampira desgraçada. Uma idiota que servia de joguete nas mãos de um vampiro ancião. Um vampiro que conhecia Sétimo, que viera de Portugal e que era provavelmente o verme sanguessuga mais antigo da face da Terra.

O anjo Gregório tocou os ombros da garota que se sentiu coberta por uma carinhosa e bem-vinda sensação de amparo. Patrícia olhou fundo nos olhos do anjo. Ele tinha os mesmos olhos de Samuel. A mesma face de Samuel. Os irmão eram idênticos em suas fisionomias, distintos em seus destinos.

A vampira levantou-se. Só agora percebia quão perto de casa estava. As árvores, os bosques eram do parque Villa-Lobos. Pensou em Bruno, seu fiel e mais caro companheiro na jornada das trevas. Um cutucar começou em sua cabeça e, enquanto ela girava o corpo tentando localizar a torre onde residia, esse cutucar passou para o meio da sua testa. Bruno estava lá, a salvo, em seu apartamento.

— E o policial Pinheiro?

— Deixamos aquele senhor em lugar seguro também. A cidade virou um pandemônio. Muitas ruas em torno do Túnel Ayrton Senna foram alagadas. Creio que isso não será boa propaganda para nossa causa.

— Nossa causa?

— A vida noturna é uma vida solitária, menina. O principal jogo dos vampiros é manter o anonimato. Esse sempre foi o defeito de Inverno e Sétimo. Eles eram pavões que amavam exibir-se. Quando abriram a caixa de prata, dito e feito, a primeira coisa que providenciaram foi um circo sem precedentes. O espetáculo mais bizarro da terra foi encenado diante dos olhos de todos. E nos dias de hoje, com televisão, satélite, Internet, as notícias voam. Vampiros antigos prezam o anonimato e a quietude da ordem. Esse capitão Brites virou um *pop-star*, vai ser o paladino da causa. Vai buscar o rastro de fumaça atrás de cada cara pálida que ele encontrar pelo caminho.

— Como você sabe tanta coisa, Samuel? Você não vem de Portugal.

O vampiro sorriu novamente. A garota era boa mesmo.

— Eu existo para a escuridão a menos de dez anos. Sou um novato, mas com uma certa ginga no riscado. Sei me defender, sei arrumar comida sem ser espalhafatoso e tenho meus amigos. Ouvindo um vampiro aqui e outro ali começo a juntar as peças.

Samuel deu uma volta ao redor da garota.

— Quando me tornei vampiro, em Belo Verde. — disse, olhando agora para o anjo que também o encarava. — Afastei-me de minha fazenda, minha família. Não queria fazer mal a quem eu tinha apreço. Percebi que seria impossível não matar a todos se não me afastasse. Quando cheguei aqui, Ignácio percebeu que eu tinha algo mais, não era um vampiro comum. Era um original, coisa rara. Em sua sanha por vampiros poderosos, tentou dissuadir-me a participar de seu turno da noite. Recusei inúmeras vezes até que ele mesmo, numa espécie de última cartada, contou-me muitas coisas. Suas desventuras no d'Ouro. A fantástica batalha de luz e trevas que se abateu sobre a vila e a vitória dos cães naquele infeliz evento que originou tantos e tantos vampiros. Contou sobre os sete e o pacto maldito que seis fizeram para arranjar poderes superiores e deter um tal caçador Tobia. Um homem que traja uma armadura de prata e tem uma vontade de aço. Ele não temia vampiros e, com ajuda do rei, foi dizimando um a um. Os vampiros com poderes de congelar o ar, dominar as nuvens e transmutarem-se em lobos viraram alvos prediletos do caçador. Os vampiros viviam isolados em seu castelo, ora fugindo de Tobia, ora lançando medo e terror sobre Portugal. Um vampiro enfraquecido por ferimentos causados por Tobia e seus homens bateu na porta do castelo e encontrou Miguel. Miguel era muito amigo de Jó. O doce Gentil vendo seu querido conterrâneo definhando dia após dia sem que nem sangue nem qualquer cuidado tivesse resultado, voltou a ter com as bruxas curandeiras, criaturas que ele particularmente detestava, posto que descendiam da bruxa que invocara o demônio e trouxera danação a seu irmão Sétimo. Mas era melhor falar com elas do que perder Jó. As bruxas deram-lhe uma receita, a única alternativa para tentar manter o morto-vivo ainda neste lado do mundo. Um pedaço de cada coração foi costurado no peito do vampiro.

Patrícia levantou-se e passou a mão pelos braços como se sentisse frio. Na verdade via-se transportada para um mundo passado e morto que talvez nunca chegasse aos nossos dias se a história não fosse contada de boca em boca. Segredos dos vampiros do Rio d'Ouro.

— Miguel convenceu seus irmãos. Cada qual, durante um ritual da bruxa, teve o peito aberto e pedaço do coração cortado com cuidado e, ao final, a bruxa maldita juntou as seis tiras dos músculos mortos dos vampiros e as costurou intercaladas no coração de Jó. Isabela me contou que o vampiro continuou como um morto, um cadáver. Se não fosse um vampiro, obviamente teria apodrecido e desaparecido. Contudo ela me disse que Ignácio e os vampiros do d'Ouro viram o vampiro secar, até ser carne e osso. E a bruxa então fez as recomendações a Miguel. Que o vampiro fosse enterrado e seu sepulcro vigiado até que seu corpo estivesse pronto para receber o sangue, o sangue dos seis corações. Inverno, Gentil, Tempestade, Acordador, Espelho e Lobo. Em novo ritual, cada qual serviu em um jarro uma generosa porção de sangue escuro, feito os canopos egípcios que guardam vísceras, e esse tesouro de seis jarros foi colocado sob a tutela e vigilância de Miguel, o vampiro Gentil. Os irmãos do d'Ouro, enfraquecidos com os requisitos da bruxa, partiram cada qual em uma jornada, um exílio que durou anos. Separados, seria muito mais difícil que Tobia apanhasse a todos.

— Nossa. Estou ficando completamente tonta com tudo isso. Não fosse eu cria de um deles, juro que jamais acreditaria que tão fantásticos e inconcebíveis desdobramentos aconteceram e que tão exóticas e improváveis criaturas andaram sobre a terra. Ao ouvido comum e cego soa tudo como uma grande mentira.

— Mentira? Quem inventaria tanto? Quem ousaria criar tantos detalhes, aventuras e desventuras sofridas por coitados portugueses que numa noite de grande infelicidade tiveram suas almas roubadas por cães do inferno, cães espectrais que venceram anjos numa batalha e ganharam o ponto. Os demônios tiraram as almas, arrancando-as com suas garras dos peitos dos pobres infelizes, para com elas construir mais demônios e, para trás, ficaram os corpos esquecidos nas camas ou sentados, bêbados, nas cadeiras, que entraram em colapso e, todos em curto espaço de tempo, morreram. Uma mortandade nunca vista naquelas paragens. A vila foi dada como amaldiçoada e os rumores diziam que fora ali que surgira a peste negra em Portugal. Isso tudo que te digo, menina, é a mais pura verdade. É assim que nascemos para essa vida de trevas e de horror. Quando anjos e demônios lutam, é bom que os anjos ganhem... — murmurou o vampiro, com o semblante sério, acinzentado, olhando para Gregório com o canto dos olhos.

O anjo de túnica azul-clara farfalhou as asas e olhou para a garota.

— Somos desgraçados, não somos imortais. Somos filhos das sombras. Assassinos. E Ignácio quer manipular a todos os neófitos. Quer estender suas garras sobre aqueles que surgem e alimentam nossa raça. Desde a primeira vez que pus meus olhos no alto e magro fidalgo senti imenso repúdio. Era como reconhecer mil demônios num só lago castanho. Refutei sua oferta. Recusei unir-me à sua agência. Sou um solitário e assim sempre serei.

Um solitário. Apesar de Ignácio ser poderoso e manter sua mente fechada para qualquer sondagem, ele não demonstrou tanta engenhosidade para preencher as entrelinhas de seu conto. Ignácio não é de confiança e esse sentimento me basta.

— Mas por que está interferindo agora? Se sempre quis se manter afastado de Ignácio...

— Agora tem algo diferente. — os olhos de Samuel queimaram os olhos de Patrícia. — Eu... vocês são filhos de Sétimo. A história toda do vampiro se confirmou com o surgimento das nevascas no sul e em Osasco e depois a aparição da gangue de Sétimo. Conheci você. — a voz de Samuel mudava de tom quando falava em Patrícia.

A vampira percebeu que ele hesitava, aproximou-se de Samuel guardando a pistola nas costas e tocou-lhe a mão.

— Eu acredito em tudo o que você disse, Samuel. Eu agradeço a sua ajuda. Você nos salvou lá atrás. Antes de ser uma vampira, sou uma pessoa justa. Sei o quanto se arriscou. Vou pagar sua bondade. Também compartilho esse pressentimento...

— Do que fala?

— Desde a primeira vez que pus meus olhos em Ignácio, sabia que ele não era flor que se cheire. Havia algo de errado em tantos cuidados e tantos prêmios. Ele estava nos comprando de um jeito impossível de recusar.

— Não estou aqui por pura bondade. Estou aqui, fazendo isso, por você. Não quero você com ele, sendo uma marionete dele. Já vi muitas vampiras, Patrícia, mas você tem alguma coisa de diferente. Eu quero defender você de Ignácio. Se vocês decidirem deixar a Jugular para trás ele virá atrás de vocês, ele não vai deixar barato. Vocês vão precisar de alguém para ajudar a cuidar de sua retaguarda, alguém mais experiente, como eu.

— O que temos de fazer para nos livrar de Ignácio?

Samuel zanzou de um lado para outro e colocou a mão no cabelo.

— Não sei. Ele é poderoso. Não tenho medo, mas ele vai ficar doido da vida. Pode usar o turno do dia para acabar com a nossa raça.

— Posso fingir que nada sei.

— É arriscado. Ele vai te sondar a todo instante.

— Tomarei cuidado.

— Não terei paz até saber que você está salva.

Patrícia sentiu um calor em suas faces de vampira. Aquilo era o quê? Uma mera preocupação ou Samuel estava prestes a fazer uma declaração.

— É muito arriscado, mas quero que peça ajuda, se precisar. O cutucar na sua testa. Pense em mim e siga esse cutucar, vai me achar. Leve o número de meu celular. A qualquer sinal de perigo, me chame, vou voando te socorrer. Meu leão-de-chácara é o melhor do pedaço. — disse sorrindo e apontando para Gregório, que novamente tinha-se afastado e vigiava o bosque escuro.

Sem saber por que, Patrícia abraçou Samuel. Era a primeira vez desde a noite em que virara vampira que sentia carinho por alguém, que sentia confiança em alguém. É bem verdade que Bruno aos poucos fora ficando seu colega mais chegado, mas com Samuel era algo diferente. Samuel não era seu chegado. Samuel era o seu cão de guarda, com um anjo violeta pendurado no ombro.

— Aposto que o próximo passo de Ignácio, tomando por base o que ele fez com Raul seja querer encontrar uma bruxa. Só uma bruxa poderosa poderá ativar o tesouro de Miguel, a chave de Jó. Talvez seja essa a próxima missão do turno da noite.

— Você acha que ele irá atrás de Jó, agora?

— Ignácio é meticuloso e paciente. Não é fácil prever seus movimentos. Ele está por aqui há tanto tempo que a relação de perto ou longe dele para nós é muito diferente. Mas você, mocinha, certamente fez algo que ele não esperava.

— Eu? — indignou-se a vampira.

— Interferir naquele assalto... isso não era coisa do turno da noite, era?

— Era. Tanto é que nós fomos lá e acabamos com aqueles palhaços. — disse, com os olhos ficando vermelhos e lembrando-se do fuzil com a inscrição bíblica, Ignácio, de alguma forma, tinha armado aqueles bandidos.

— Já está infectada pelo ódio de Sétimo. É isso que ele tanto gosta em você.

Patrícia conteve-se.

— Mesmo com o ódio de Sétimo, pensei nas pessoas presas e nos bandidos dando uma de machões.

— No sangue dos bandidos.

Patrícia confirmou.

— Você chamou a atenção de Deus e o mundo indo para aquele túnel. Ignácio, vendo vocês encurralados, fez alguma coisa com Raul. Isso não é do feitio do sempre discreto e prudente vampiro. Tenho certeza de que ele teve de queimar etapas ao fazer aquilo, ao alimentar aquele espetáculo. Para ele seria mais fácil deixar que vocês três perecessem e não arriscar com

Raul daquela forma, derrubando um helicóptero e destruindo um túnel e o mais famoso lago da cidade. Mais uma vez assisto Ignácio apostando todas as fichas em alguém. Para ele ter arriscado tanto, exposto a nossa raça dessa forma é porque realmente acredita que vocês vão conseguir. Vocês não estão prontos para os guardiões de Jó e, mesmo assim, ele vai tentar. O assunto "vampiro" está fugindo das rédeas. Hoje é manchete e realidade no Brasil, ninguém vai querer que seja realidade no mundo. E quando essa hora chegar, ele quererá ter Jó bem debaixo da sua fuça, sob seu comando.

— Então Jó não é um vampiro comum, como eu e você?

Foi a primeira vez que Samuel deu uma risada estrondosa.

— O que é comum aqui nesse bosque, vampira? Ah! Ah! Ah!

Patrícia fechou a cara, ficando emburrada. Não esperava aquela risada em sua cara. Estava deveras intrigada com o assunto do vampiro trancafiado num caixão por tanto tempo.

— Tá aqui o número do meu celular. A qualquer sinal de perigo, por menor que seja, me chama. Cuida do teu bloqueio mental. Não conte nada a seus amigos ainda. Apenas deixe claro que Ignácio não é flor que se cheire, como me disse há pouco. A seu tempo eles irão descobrir tudo sozinhos. Ignácio, pela primeira vez, está de olho nos ponteiros do relógio... ele vai se embananar e nós vamos descobrir um jeito de desarmá-lo e, se tivermos sorte, de destruí-lo.

A vampira concordou.

— Só mais uma coisa.

— O quê?

— Posso ir até seu apartamento?

— É claro que pode. — respondeu Patrícia, sem pensar, mas um segundo depois, como se tentáculos invisíveis sondassem a mente do vampiro colocado à sua frente, sentiu um arrepio percorrer-lhe a espinha. Patrícia deu um passo para trás, hesitante. — Por que você precisa da minha permissão?

— Isso é engraçado, não é? A maioria dos nossos não precisa. Eu não posso entrar em casa alguma sem permissão... posso até entrar, mas não posso fazer mal algum sem que a permissão seja concedida.

Patrícia engoliu a seco. Agora era tarde para refletir.

— Vai, anjo negro. O sol não tarda. Meu irmão vai me tirar daqui. E, por tudo que é sagrado, querida vampira... tome cuidado. Ignácio não é um malandro... Ignácio é maquiavélico. Proteja-se.

Num piscar de olhos o vampiro desapareceu de sua frente. No segundo seguinte, Patrícia viu o anjo alçando vôo, carregando o irmão vampiro. Passaram rente à torre de concreto do parque e foram subindo, sentido ao rio. De repente o anjo tornou-se uma esfera de luz violeta e desapareceu entre as nuvens, deixando um magnífico rastro luminoso.

Patrícia olhou em volta. Um segurança, com a lanterna acionada, se aproximava. A vampira, vestida de negro, ficou imóvel. Ele não a tinha visto. Patrícia ficou olhando-o fixamente. O segurança passou pelo caminho cimentado e bailava a lanterna somente à sua frente. A vampira desejou não ser vista, olhando-o fixamente. O segurança não se virou para o lado um segundo sequer, continuou firme e em frente sem nunca saber o quão perto da morte tinha chegado. A vampira finalmente se locomoveu e começou a correr em direção à cerca do parque que beirava seu edifício. Mil pensamentos fervilhando em sua cabeça. Mil novidades entaladas no peito. Samuel seria real? Samuel seria mesmo um aliado? Isso não tinha certeza. A única coisa certa é que Ignácio era um filho de uma mãe, mentiroso. As armas que tinham recuperado na missão anterior eram as mesmas armas que estavam com os bandidos naquele túnel. Ignácio não era uma ferramenta do bem. Ignácio era um mentiroso. Patrícia escalou o concreto do prédio usando as unhas e sua agilidade vampírica. O sangue da vadia morta no túnel ainda esta vigoroso em seu corpo. Alcançou a janela da área de serviço e esgueirou-se para dentro. O apartamento estava silencioso. Foi até a sala, as grossas cortinas bordôs estavam cerradas. Nos quartos os irmãos já haviam sucumbido ao transe. Sentou-se ao lado de Bruno e acariciou-lhe a face. No outro quarto, Raul também havia adormecido. Seu rosto estava diferente, inchado, a pele mais pálida ainda e, em alguns pontos, parecia mais grossa. Viu estranhos machucados em seu peito. A garota olhou para o chão acarpetado e encontrou a jaqueta negra. Apanhou-a e ergueu. A cruz vermelha nas costas. O símbolo da gangue de Sétimo. De onde aquilo teria surgido? Raul a teria escondido esse tempo todo?

Patrícia moveu-se silenciosa até seu quarto. Entocou-se na reentrância preferida entre o guarda-roupas e a parede, sendo tomada pelas sombras. Lá fora o sol anunciava a chegada de um novo dia. Uma nova Aventura se instaurava na Terra. Patrícia cerrou seus olhos e deslizou para o sono dos vampiros. Suas mãos, ato-reflexo, cruzaram-se sobre o peito. Mais uma vez a vampira adormecia com a certeza de que o turno da noite corria perigo.

CAPÍTULO 42

Yuli despertou sobressaltada. Era noite. Sua cabeça fervia de pensamentos. Olhou para seu corpo. Tinham-lhe colocado dentro de um sobretudo negro de couro, um número maior que o seu. Levantou-se e apertou a tira de couro marcando seu corpo cinturado. Gosto de sangue na boca. Tinha virado fera novamente na noite anterior. Yuli sentou-se e abraçou os joelhos. Tudo voltava à sua mente agora. Tinha arrastado o soldado o quanto pôde. Não queria que ele morresse. De alguma forma foram encontrados por aquele maldito helicóptero e soldados estavam em cima da ponte, como se soubessem que ela passaria por ali. Agora, longe daquela agonia, era só somar dois com dois. O soldado deveria ter algum tipo de localizador escondido. Algum dispositivo que delatou sua posição. Yuli suspirou. Olhou ao redor. Um cômodo antigo e abandonado. Seria para sempre assim agora? Despertaria sempre em lugares solitários e lúgubres como aquele? Pensou mais uma vez no namorado. Ele gostaria de estar ali com ela, no Rio Grande, de volta à sua terra natal. Lembrou-se dos homens que os perseguiram desde o *shopping* em Osasco. Estava grata por ter sobrevivido a mais uma tocaia. Mais cedo ou mais tarde chegaria a hora de seguir a palavras derradeiras de seu namorado. Viver hoje, vingar-se amanhã. Yuli deixou o cômodo. Estava agora num corredor escuro que terminava numa câmara maior. Uma antiga e enferrujada caldeira, enorme, jazia no meio do salão. Canos carcomidos subiam pelas paredes enquanto ratos fugiam para os cantos à sua passagem. Yuli encontrou uma escada enquanto voltava a pensar na noite anterior. Não queria que o soldado tivesse morrido. Não queria. Tinha pegado até certo apreço pelo infeliz. Chegara a acreditar com toda fé que salvaria a ambos na noite anterior, deixando o corpo dele num pronto-socorro, porta de hospital ou qualquer coisa que lhe valesse. Passou a mão no punho machucado onde estivera a algema. Lembrava de sua mão doendo gigantemente, enquanto os dedos reduzidos e humanos passavam pela mutação, virando pata de bicho. As algemas não tinham deixado espaço suficiente para sua carne, e quando Yuli virou lobo chegou ao mundo como fera ferida. Mordeu a mão do soldado e cuspiu-a próxima ao corpo, uma espécie de cuidado bruto e paradoxal. Seguiu-se todo o tiroteio e sua deliciosa selvageria. Parecia que quando virava loba não sobrava um traço da frágil e desamparada Yuli. Quando era loba, todos ficavam pequenos e transformavam-se em alvos de sua boca colossal. De verdade não foi difícil estraçalhar aquele bando de soldados. O que tinha dado trabalho mesmo fora o helicóptero. As balas de grosso calibre machucavam e o sangue dos soldados não parecia suficiente para curar seu corpo. Teria morrido se não fosse a precisa e oportuna interferência do casal. Um tinha feito o céu encher-se de neve enquanto a mulher tinha descido o penhasco para acalmá-la e socorrê-la.

Yuli chegou a um novo corredor e andou em direção à decrépita porta principal. Conhecia aquele lugar. Tinha visto fotos antigas. Estava na recepção do que fora um promissor hotel em Amarração. O Luxor Hotel. Seus olhos só viam agora madeira apodrecendo, papéis de parede faltando ou manchados e um impressionante cheiro de bolor e velhice impregnando todo o ambiente.

— Bem na hora. — soou a voz feminina.

Yuli, apesar da escuridão, não teve dificuldade para enxergar o corpo da vampira descendo a escada principal que levava aos quartos dos andares superiores.

— Eliana! — exclamou Yuli.

— Perdoe-me, mas eu não sei seu nome.

A vampira oriental andou até perto da escadaria e estendeu a mão para a mulher.

— Yuli. Eu era...

— Da matilha de Leonardo, sabemos disso. Por isso que te socorremos prontamente. Leonardo foi um forte aliado na batalha contra Sétimo, que despertou no mesmo porão onde você esteve há pouco.

— Ah. — balbuciou a menina, continuando a olhar ao seu redor.

— Venha, preciso te mostrar uma coisa e te arranjar roupas novas. Esse sobretudo está muito grande pra você.

— Bá, não se preocupe tanto comigo. Vocês já fizeram muito por mim ontem, nem sei como agradecer.

Yuli seguiu Eliana pela escadaria, depois por um corredor até chegarem a um quarto. Ali havia mais ordem e as coisas estavam aparentemente no lugar. Um enorme e antigo guarda-roupas. Uma cama de casal inteira e com lençóis limpos. Penteadeira antiga, com um espelho enorme e salpicado de ferrugem, o chão acarpetado não cheirava tanto a mofo.

Eliana abriu uma parte do guarda-roupas e tirou algumas peças. Uma calça *jeans* clara, camiseta preta, um par de botas marrons e também uma blusa grossa de moletom com um capuz. Yuli, sem pudor, trocou-se na frente da outra vampira. Vestiu-se rapidamente e colocou, por fim, a blusa com o capuz negro, que acentuava ainda mais sua palidez. Foi até o espelhou e ajeitou o cabelo.

— Está ótimo, Eliana. Muito obrigada.

— Agora venha. Tiago nos espera.

Yuli foi conduzida para o andar de baixo. Ao que parecia, o ambiente que entraram era onde tinha sido a cozinha do hotel. Tiago estava de costas e mexia em alguma coisa. Quando Yuli avançou mais, pôde ver do que se tratava. Mais uma vez seus olhos se umedeceram tomada de emoção e um dó crescente. Era o corpo do soldado Diego, disposto sobre uma grande mesa. Tiago, grosseiramente, mas com um cuidado comovente, tinha arrumado agulha e linha forte para costurar a mão do rapaz de volta ao braço.

— Ele morreu? — perguntou Yuli, com a voz quase sumindo.

— Você tomou o sangue dele? — rebateu o vampiro.

Yuli fez que sim com a cabeça. Tirou a toca de moletom da cabeça e deixou seus cabelos negros livres.

— Precisei. Do contrário estaria morta agora. A culpa foi dele mesmo... prendeu uma algema de prata no meu braço e no dele. Uniu-nos na morte.

Tiago apanhou o cadáver nos braços, agora com a mão costurada ao braço e dirigiu-se até a mirrada oriental.

— Tome. Carregue-o até o jipe.

Yuli segurou o corpo grande em vista ao seu com facilidade. Suspirou profundamente olhando para a face cinzenta de Diego por um momento.

— Eu tentei de tudo, com todas as forças. Eu queria salvá-lo, sabe?

— Agora não dá mais. — retrucou Eliana.

Os três desceram a escadaria e chegaram mais uma vez ao *hall* de entrada do Luxor. O jipe estava parado em frente ao hotel.

— Eu não sou muito religioso nem nada. — começou Tiago, enquanto entrava no jipe e dava partida no motor. — Mas vamos fazer uma coisa que os vampiros do Rio d'Ouro me ensinaram. Disseram que quando matamos um inocente não devemos deixar seu corpo abandonado. Precisamos cuidar dele.

— Entendo.

As vampiras embarcaram no jipe e Yuli carregou seu morto nos braços. Estava acostumada às feições do rapaz. Infelizmente ele não tinha resistido a tantos maus-tratos, do contrário teria uma boa duma história para contar para seus netos quando envelhecesse.

Minutos mais tarde, quando alcançaram o centro da pequena cidade litorânea de Amarração, Tiago conduziu o jipe até a frente da igreja. Àquela hora da madrugada as ruas estavam desertas.

Yuli desceu, carregando o cadáver nos braços. Seus pais costumavam ir à igreja aos sábados. Ela mesma já estivera naquela igreja de Amarração para um casamento e dois ou três batizados durante sua infância. Não sabia quando nem porque tinha-se afastado de Deus. Só sabia que igrejas era um lugar que não freqüentava mais.

Depositou carinhosamente o corpo do soldado em frente à porta do santuário. Ele seria encontrado pela manhã e, de acordo com que Tiago falara, sua alma seria devidamente encaminhada para a Aventura, seguindo toda tradição a que o morto tinha direito. Antes de se levantar, de joelhos no chão, olhou para o rosto do jovem. Como era novo! Por que tinha de ter morrido daquele jeito? Quantos sonhos ele não teria ainda a realizar? Teria namorada ou filhos? Queria seguir carreira militar até o final da vida? Yuli suspirou. Tomara que fosse isso que quisesse. Ser um militar até o fim de seus dias, pois assim, ao menos isso, teria conquistado, morrendo bravamente durante uma missão. A vampira fez o sinal da cruz e também fez o credo na testa do defunto. Não saberia explicar a razão de estar fazendo aquilo, só se sentia mais confortável. Inclinou o corpo e beijou a face de Diego uma última vez.

— Vai, anjo negro. Segue tua viagem. Desculpa-me se não consegui te salvar, mas eu fiz o que pude.

Yuli desceu as escadas em silêncio e não olhou para trás.

Quando o jipe percorria as ruas escuras, acalentadas pelo som das ondas, a vampira fez um pedido ao casal.

— Vocês poderiam deixar-me em Roda Velha?

Tiago e Eliana trocaram um olhar. O plano não era esse, mas se aquilo, de alguma forma, consolaria a visível tristeza que compungia e transbordava de seu semblante, não custava nada atender a esse desejo.

Tiago dobrou para a esquerda e em poucos minutos rodava pelo asfalto da rodovia.

CAPÍTULO 43

Calíope com sua mortalha branca de algodão descia caminhando a estrada que a levaria até a Fazenda São Jorge. O punhal que sangrara o peito de seu amado Mariano vinha na mão direita, o punhal que entrara quatro vezes em sua carne, o punhal que ceifara sua vida de gente e lhe entregara nos braços do padrinho. O padrinho que a carregara do terreiro para debaixo da árvore longe da fazenda. O padrinho que bebera seu sangue e depois perguntara se ela queria vingança. É claro que Calíope queria vingar-se. É claro que suplicaria pela chance de carregar aquele punhal com o sangue seco e de porções misturadas, sangue dela e do amado Mariano.

A nova vampira estava encantada com a noite. Tudo era muito mais belo do que antes. Até o nevoeiro que antecedia a curva da porteira, quando o terreno rebaixava e se aproximava do rio, era diferente. Era atraente. O nevoeiro enrodilhou seu corpo negro e sua mortalha. Calíope girou o tecido prendendo-o feito um vestido. E a vampira andou. Andou no meio da névoa, sem errar os passos, sem perder a visão. A escuridão não existia mais. O pio das aves noturnas, o arrastar de serpentes no mato. Tudo era escutado por seus ouvidos de defunta caminhante. Calíope ergueu os ferros que selavam o caminho da Fazenda São Jorge. Passou pela porteira. Seus pés mais frios que as madeiras do mata-burro. O chão de terra não afundava com seus passos. Calíope olhou para trás. Era como se fosse um fantasma. Sua passagem não deixava pegadas no chão fofo. Ninguém saberia de onde teria vindo nem para onde teria ido seu corpo enfeitiçado.

Inspirou fundo e ainda muito longe da casa-grande sentiu o cheiro da morte. Cheiro de cravos e de velas. A vampira aproximou-se lentamente do casarão. Tochas rodeavam a casa. Meia dúzia de charretes, um bom número de cavalos amarrados e traquitanas mostravam que muita gente tinha vindo até a Fazenda São Jorge naquela noite. Calíope pisou na varanda deserta enquanto um vento forte começou a soprar e a erguer poeira. A vampira, desviando-se de uma ou outra pessoa sonolenta que aparecia nessa ou naquela porta ou janela, postou-se a um canto da varanda, imóvel, silenciosa, quase invisível. Aproximou-se do vidro da janela e olhou para a grande sala. O caixão de Mariano estava lá, rodeado por castiçais que iluminavam seu corpo branco, pálido e morto, recoberto por flores e cercado por familiares. Calíope viu a viuvinha sem ser esposa, pranteando como mãe nova à beira de caixão de natimorto. A viuvinha não tinha tido Mariano como ela o teve. Era ela, a negra de senzala, quem deveria prantear à beira do caixão. A vampira era a dona daquele coração morto e parado para todo o sempre, aquele coração gelado no peito do jovem Mariano. Calíope olhou ao redor e sorriu. O vento forte e constante lhe trazia uma surpresa. O nevoeiro, comumente parado na curva da estrada, na beira do rio, estava vindo, arrastando-se, como que lhe perseguindo cortesmente para lhe encher de favores. Lindo nevoeiro, linda escuridão, que tapava os olhos humanos e os dela não. Deixa a vampira com a faca entre os dedos zanzar pela fazenda, sentir os novos cheiros. Deixa a vampira, ex-escrava, escondida na neblina, esperando ao lado do tronco, a passagem de um desavisado.

Calíope, encoberta pelo bem-vindo nevoeiro, andou novamente pela larga varanda da casa.

Dentro da sala, um senhor que estivera até agora há pouco parado na porta, entrou com os olhos esbugalhados. Benzeu-se olhando para o crucifixo prateado junto à cabeça do defunto. Olhou mais uma vez através da porta. Sensação ruim. Nunca tinha visto tanta neblina na Fazenda São Jorge e nem sentido vento quente depois do sol cair. Benzeu-se mais uma vez e andou até perto do joalheiro Osório, que também viera prestar o pesar ao pai do noivo morto. O velho Osório estava secundado por seu neto Basílio e, mais ao lado, via-se Castiço, outro joalheiro e ourives da região de Belo Verde. O homem pediu licença e puxou conversa quando Osório acendia seu inseparável fumo de corda.

— Está um nevoeiro feio lá fora, de dar medo, seu Osório.

O velho joalheiro, acompanhado do olhar dos mais próximos, observou a janela. Nuvens rasteiras e corrediças, sopradas pelo vento forte, nublavam a visão do terreiro defronte ao casarão e faziam as tochas acesas tremularem e virarem pontinhos que pareciam flutuar no nada, arrancando delas um chiado semelhante a gemido de gente, acelerando o seu crepitar.

Osório tossiu e apurou a visão. Andou com seu jeito manso e lento até a porta por onde entrava agora um outro senhor em terno preto. Mas não era isso que lhe chamara a atenção. Osório podia jurar que tinha visto uma dama de branco se afastando pelo terreiro de frente a casa. O velho levou uma eternidade para pisar na varanda de tábua corrida. Andou até perto do primeiro degrau vendo as curvas femininas de uma mulher. Balançou a cabeça negativamente. Seria possível? Podia jurar estar vendo aquela negra... Sua boca balançou muda e o cigarro caiu-lhe dos lábios batendo em seu colete riscado e soltando fagulhas até cair no chão da varanda. A essa altura o velho já era ladeado pelo neto e pelo concorrente e amigo joalheiro. Ambos viam o ancião Osório, parecendo aqueles sujeitos de idade avançada que vão ficando gagás aos poucos, com o braço estendido para a frente, para o meio do impressionante nevoeiro que rodeava a casa-grande sem entender o que ele queria mostrar. Não dava para ver nada! Só uma língua vermelha aqui e ali onde deveriam pender tochas para iluminar os caminhos da fazenda, mas que agora eram lançadas de lado, sopradas por aquele barulhento vento e escondidas pela já comentada névoa. Não havia nada ali. Só o nevoeiro que aumentava e, de tão denso, parecia possível apalpá-lo, ali, na varanda.

O velho Osório, ainda com a boca aberta e cativo daquela sensação, mantinha o braço estendido e o outro pousava a mão sobre a testa enrugada tentando acurar a visão por trás dos óculos. As nuvens pesadas que cobriam a varanda escondiam o assoalho, mas tão compenetrado estava o velho que não teria olhado para baixo de qualquer jeito. Basílio, o neto, e Castiço estremeceram quando ouviram o grito e o barulho do pesado corpo rolando. O joalheiro, que andava para a frente como gente enfeitiçada, não tinha enxergado a beirada da escada e, dragado pela névoa, rolou os degraus.

— Vovô! — berrou o neto, olhando para baixo.

Por onde o corpo caiu o nevoeiro tinha-se revolvido rápido, mas com o vento logo se refez e se adensou novamente. O rapaz tateou com os pés enquanto xingava a maldita bruma procurando o começo da escada.

— Vovô? — tornou a chamar.

Resposta alguma veio. O neto sentiu os pêlos de seu braço se arrepiarem. Teria sido sério?

— Vovô?

Basílio chegou ao final da escada sem encontrar o avô, certamente ferido e desmaiado. O que ele teria visto. Basílio girou sobre os pés procurando coisa que pudesse ter chamado a atenção do avô. Nada via. Só as línguas das tochas estugadas pelo vento.

— Traz uma tocha, homem! — gritou afobado na direção que acreditava ser a casa-grande e onde o joalheiro mais jovem deveria estar ainda boquiaberto.

Castiço saiu do estado de catatonia ouvindo a voz do neto de Osório vinda do meio do nevoeiro. Virou-se para a varanda e com certa dificuldade arrancou a tocha do suporte. Baixou-a quase ao nível do chão. O clarão se movendo chamou a atenção de muitos na sala que vieram ver o que acontecia. Castiço conseguiu iluminar um pouco à sua frente, mas o vento corrente e agressivo levantava poeira e fazia arder-lhe os olhos quando mudava de sentido e trazia a fumaça da tocha para os olhos.

Homens e mulheres que, mordidos pela mórbida curiosidade, abandonaram a beira do caixão e aos poucos foram tomando a varanda deixavam numerosas exclamações escaparem da boca ao perceberem-se isolados naquela casa, sem conseguirem enxergar as carroças e charretes deixadas a poucos metros da casa. O nevoeiro corrediço tolhia toda a visão.

— Deus Pai, o que é isso?

— Santa Mãe! — benzeu-se uma mulher, fazendo o sinal da cruz.

Basílio tinha estacado. Sabia o que era aquilo. Estava no meio do pátio e sabia que estava morrendo de medo. Estava com um medo lascado porque acreditava que a casa-grande da fazenda estava bem na sua frente, mas ouvia as exclamações das pessoas vindo de longe e do seu lado esquerdo. Virou-se nesse sentido e apurou os ouvidos. A voz das pessoas e a tocha que deveria ter sido providenciada por Castiço lhe guiariam em retorno da frustrada e incompreensível expedição em busca de seu avô desacordado. Pobre avô, pensava o rapaz, andando para a frente. Parou mais uma vez e arrepiou-se novamente. As vozes e passos das pessoas sobre o chão de madeira da varanda vinham de tão longe, e não mais de sua frente. Estavam às suas costas! Como podia ser? Basílio tremia. Girou sobre as botas mais uma vez. Finalmente viu o brilho vermelho da chama da tocha.

— Jesus Cristo, Castiço! Não demora homem! Alumia aqui! Não achei seu Osório. Ele deve ter desmaiado.

Basílio, mesmo cego com o nevoeiro, caminhava firme na direção de Castiço que segurava a tocha e a movia para a esquerda e direita, certamente procurando seu Osório.

Basílio estava a poucos metros da tocha encoberto pela neblina quando parou pela quarta vez. Seu coração batia rápido. Seu sangue foi injetado com adrenalina. Olhou em todas as direções. Agora via luzes borradas e distantes. Retângulos iluminados e longes de onde se encontrava. Eram as janelas iluminadas por velas do casarão! Tornou a virar-se na direção da tocha que Castiço manejava. Foi nesse instante que seu sangue gelou na veia. Não era Castiço segurando a tocha! O nevoeiro estava rareando e indo embora. Era ela! Basílio deu um grito a plenos pulmões de horror e medo absoluto. Era ela! Segurando uma faca e com a cabeça decepada de seu avô em uma das mãos! O rapaz deu dois passos para trás e perdeu o equilíbrio, caindo de mau jeito e machucando as costas. Quando foi segurado pelos punhos pela maldita assombração, gritou novamente, e remexeu as pernas tentando entender em que havia tropeçado. Os braços que tentavam domar seu horror não eram dela. Eram os braços de Castiço que tinha estendido a tocha a outro e acudia o garoto que tinha tropeçado nas botas do avô e caído de costas na escadaria da casa-grande.

Basílio levantou-se suarento e impressionado. Tinha andado tanto! Como podia ser? Era como se sempre tivesse estado ali, aos pés da escada da casa-grande. Arfava e respirava entrecortado, ainda tomado pelo pavor da aparição. O terreno estava limpo. Nem sombra de névoa nem de ventania. Retomando o controle dos sentidos, voltou os olhos para os degraus. Caído sobre eles jazia seu avô, ainda com o braço estendido, a perna dobrada num repugnante L invertido deixando clara a fratura e a preocupante imobilidade de Osório.

Castiço abaixou as pálpebras do cadáver e murmurou baixinho para os que os cercavam.

— Manda avisar o padre que o seu Osório também morreu.

✠ ✠ ✠ ✠ ✠ ✠

Na senzala, instantes atrás, a velha Pagô foi até a porta. Sentiu o vento quente em seu rosto enrugado e antigo que já tinha sentido muito vento naquela vida. Viu o nevoeiro infestar a fazenda e nesse instante suas pernas começaram a tremer.

— Aruê acordou ela. — murmurou com a voz sumida.

Pagô correu até as palhas onde dormia Naná e acordou a tia de Calíope.

— Acorda, Naná. Calíope está voltando. Eu falei pra vosmecê.

Naná acordou agitada, passando as costas das mãos pelos olhos.

— Que bobagem é essa, sua velha maluca?

Pagô puxou Naná pela mão e só quando a mulher foi até a porta ela sossegou.

— Já viu o nevoeiro do rio sair lá da curvinha alguma vez na vida? — perguntou a velha.

— Não.

— É ela. É a noite dando boas-vindas para a tua Ondinha.

Naná benzeu-se.

— O que a gente faz, Pagô?

— Eu não sou besta, Naná. Fiz todas minhas rezas e dei ajuda pra Calíope. Mas também plantei nela e em quem jogou essa desgraça nela uma praga de proteção.

A velha Pagô foi até um canto do cômodo da senzala e apanhou uma cabaça. Virou o conteúdo em sua mão. Eram grãos de café colhido na São Jorge, misturados a pequenos grãos de mostarda. Espalhou uma grande quantidade nas duas portas daquele cômodo.

— Se a Ondinha vinhé até a gente, Naná, dessa porta ela não vai passá.

— O que a senhora tá falando, Pagô? A Calíope está morta! Morta e enterrada!

— Se ela contar cada sementinha eu derrubo mais. Até o sol raiar eu vou ter semente pra derrubar e a Ondinha vai ter semente pra juntar. É nossa defesa contra ela e contra quem botou aruê dentro dela.

Naná agarrou a negra benzedeira pelos ombros.

— Você está tendo um pesadelo acordada, Pagô. Desperta, mulher de Deus!

— Não acredita em mim? Eu sei que ela vem se vingá. Maltrataram demais a menina Ondinha e, as veis, quando Deus não nos dá um anjo da guarda, fia, o coiso capeta dá. Anjo negro vem nos vingar! Anjo negro vem nos vingar! — gritou a velha apontando para a porta.

Naná passou a mão pelos cabelos e olhou para o terreiro tomado pelo inacreditável nevoeiro. Achava que a velha tinha bebido cachaça demais, acordando-a de sobressalto e esparramando sementes e grãos nas portas do cômodo da senzala. Mais quatro negras que ocupavam o cômodo acordaram assustadas com os berros da negra Pagô, enquanto Naná permanecia estática, olhando para a névoa que corria ligeira e não permitia enxergar o tronco sequer, que estava a poucos metros dali. Que era estranho, era!

Naná fechou a porta e voltou para o seu canto, ficando sentada, sem coragem de dormir naquela madrugada. Sabia que o corpo do senhorzinho estava sendo velado na sala da casa-grande e os negros só poderiam prestar condolências quando o caixão fosse posto para fora, em cima do carroção. Nenhum deles poderia ficar na casa durante o velório, só as duas criadas de cozinha, para fazer café e cuidar para que não faltasse pão e biscoitos para as carpideiras e os condolentes. Naná não acreditava que a menina Ondinha fosse andar nessa terra de novo. Calíope tinha ido embora para sempre, mas, como morria de medo de alma penada, não pregaria o olho até o sol raiar. Diacho de nevoeiro dos infernos. Aquilo era coincidência. Só para atazanar seus pensamentos e fazer a negra Pagô ficar agitada daquele jeito. Agora ela estava lá, na segunda porta, com as outras negras penduradas no seu ombro, ouvindo a história todinha de novo. Ela falava que Calíope viria vingar-se. Calíope vingaria a todos eles e não passaria na porta da senzala se quisesse fazer mal. Pagô e suas sementinhas não iam deixar. Naná benzeu-se ao ouvir o conto novamente. Sabia que era tudo mentira da negra benzedeira.

✠ ✠ ✠ ✠ ✠ ✠

Nas primeiras horas de sol o cortejo partiu para a vila com destino à mesma igreja que há coisa de uma semana estivera preparada para o casamento daquele mesmo um que vinha fechado no caixão. Imponente, na frente do carroção, com as rédeas na mão e com chapéu preto enfiado na cabeça e os olhos vermelhos e melancólicos ia Galdino, levando o filho morto. Só ele, o assassino, sabia que o jovem moço tinha morrido com a faca enfiada por sua mão. O pai que um dia injetara vida naquela alma fora o mesmo que extinguiu o sopro da vida dos pulmões da criatura. Galdino não dissera palavra desde que o corpo do filho entrara na sala da fazenda. Não dissera nada quando lhe contaram da inesperada e horrenda morte do joalheiro Osório na escadaria da São Jorge. Estava mudo para o mundo repleto de tragédias. Tudo culpa da negra Calíope. Tudo culpa de sua raiva em deixar o filho se apaixonar por uma qualquer de senzala.

Com o carroção parado na frente da igreja, os integrantes do cortejo, exceto os negros escravos, foram entrando e tomando lugar na casa santa. Enquanto os escravos sentavam nos degraus da escadaria, descalços e tristes com a morte de um homem branco de boa índole, enquanto senhores e senhoras, donos de pele clara, podiam ser recebidos debaixo dos braços do senhor Jesus Cristo para uma oração de boa partida ao corpo encomendado.

Exatamente às nove horas da manhã as primeiras pás de terra e flores foram jogadas ao fundo da cova aberta no chão de terra, onde Mariano descansaria ao lado de dona Clarice, sua mãe.

Não se falava em outra coisa na cidadela a não ser do enterro do infeliz noivo que não casou e do estranho acontecido com seu Osório bem na hora em que a vila foi tomada pelo mais inexplicável nevoeiro que se abateu por aquelas bandas. O neto, ainda em estado de choque, explicou tão pouco quanto o Castiço pôde. O joalheiro de outras bandas da região disse que o velho Osório simplesmente evaporou diante os olhos incrédulos dele e do neto e que, finda a neblina, estavam neto e avô caídos ao final da escadaria em frente à varanda da casa-grande. Basílio não dizia coisa com coisa e o pobre Osório, com a perna quebrada e invertida, jazia morto. Castiço tinha-se ajoelhado ao lado do finado e, enquanto cerrava as pálpebras do bom colega notou um estranho machucado no pescoço do velho. Como se um bicho o tivesse mordido. Calou para não jogar mais lenha naquela funesta fogueira. Agora, no entanto, com o corpo do homem sendo velado em seu casarão na vila, pegava-se pensando nas estranhas perfurações. Castiço nem quis ficar muito mais no velório. Já tinha agüentado cheiro de defunto por demais na casa de Galdino e não suportaria passar outra madrugada velando outro cadáver. Era demais para agüentar. Na manhã seguinte, passado o tempo de corpo velado, certamente o velho Osório trilharia o mesmo caminho por onde ia agora o bom Mariano, talvez o jovem rapaz, sempre cortês e prestativo, sentasse em algum toco no começo do caminho para a grande Aventura e aguardasse o velho conhecido. Talvez do outro lado do manto, com os pés no trilho, o velho Osório não se apresentasse tão velho e com menos manias e maior agilidade do que a sua tão afamada e achincalhada vagareza.

Mariano esperaria Osório e iriam caminhando. Que o bom Deus os acolhesse com calor e piedade. Eram esses pensamentos que tomavam a cabeça de Castiço quando montou seu cavalo de pêlo vermelho, cumprimentou um ou outro de cima da cela e tomou rumo para fora daquela vila assombrada.

✠ ✠ ✠ ✠ ✠ ✠

Galdino acordou de madrugada. A luz da lamparina tremeluzia sobre a cômoda de seu quarto. A casa toda quieta, como ele gostava, era agora coisa estranha. Nos últimos dias tinha tanta gente em todos os cômodos e tantas vozes e barulhos que o velho fazendeiro chegava quase a sentir falta. Primeiro pelo motivo alegre e festivo da aglomeração. Por receber a bela mocinha Isabela, de cabelos cor de fogo e sua família da capital. Depois a aglomeração mórbida. Os amigos de toda a vida tinham vindo para se despedir de Mariano. As vozes não tinham mais tom vívido e comentários de prosperidade e começo. As vozes naquele segundo momento eram carregadas de pesar e solenidade. As mulheres com terços nas mãos. A sala mais escura do que o comum, com tanta gente de luto. Ele, o pai assassino, sentindo-se tonto e com vontade de gritar e tocar todo mundo dali porque alguma coisa estava errada. Não era possível que Mariano estivesse morto. Morto por suas mãos. Galdino sabia que era conhecido por ser enérgico e colérico, mas não era um homem ruim. Não era um homem perverso. Tratava bem seus negros, seu gado e todos os outros bichos. Tratava melhor ainda seu cafezal, seus amigos e seu cavalo. Era senhor da São Jorge. Fazenda com nome de santo guerreiro. Galdino só tinha matado dois homens nessa vida. Um bandido que enfrentara coisa de vinte anos atrás e, por amarga ironia do destino, seu filho. Sentado na cama, acabrunhado e amuado, com a coluna tão curvada que parecia carregar o peso de um burro nas costas, ou duas sacas de café como muitas vezes fazia seus negros carregarem em dia de despacho para a estação. O peso da morte do filho envergava-lhe cada vez mais, tirando sua estatura e seu garbo de senhor. Lembrava de Mariano correndo pela sala e pela varanda e da valentia do menino em montar em cavalo com menos de quatro anos completos.

O velho ouviu passos no corredor e endireitou o corpo. Ouviu o rangido da madeira pisada por alguém. Nenhuma criada estaria ali naquela hora da noite. Apanhou a lamparina e foi até a porta. O corredor estava escuro e vazio. Duvidava muito que o velho mulato Clemente estivesse fora do leito onde convalescia. Era mais certo que Clemente saísse daquela casa para o cemitério do que de volta ao posto de feitor. O médico dizia que suas costelas tinham estourado e que provavelmente o pulmão estava enchendo o peito dele de ar. Não deu muitas expectativas. Prescreveu compressas, paciência e orações.

Mesmo assim o coronel caminhou pelo corredor e foi até o quarto de hóspedes onde fora acomodado o enfermo. Abriu a porta devagar e fitou a cama. Clemente dormia, com o peito inchado, subindo e descendo vagarosamente. Uma candeia colocada ao lado da cama, numa banqueta, iluminava parcialmente seu rosto. Um jarro de barro com água estava num criado-mudo de madeira maciça ao alcance de sua mão. Clemente não tinha despertado desde o fatídico acidente e era tratado durante o dia pelas negras da fazenda que aplicavam compressas de água fria sobre as costelas feridas e em sua testa suarenta e ficavam ali, jogando comida goela abaixo do feitor e dando-lhe água para beber quando gemia.

Galdino deu mais alguns passos na direção do empregado e ergueu mais a lamparina iluminando melhor o quarto. Foi quando sentiu um vento gelado e um arrepio que lhe subiu pela coluna. A porta bateu a suas costas fazendo-o saltar assustado.

— Virgem Maria! — gritou o homem, virando para a porta.

Seu coração bombeava acelerado, querendo saltar do peito. Sentiu o suor brotar nas têmporas imediatamente. Ainda estava com a mão erguida e o olhar fixo na porta fechada quando foi assaltado por outro susto.

— Senhor! — gemeu forte a voz de Clemente.

Com a casa tão vazia e tão quieta, o gemido pareceu um urro a suas costas. Dessa vez, Galdino quase derrubou a lamparina das mãos.

Baixou a luz e fitou o empregado. Clemente estava com os olhos fechados e tremia os lábios.

— Senhor...

Galdino aproximou-se vagaroso, ainda assustado com a batida da porta.

— Ela esteve aqui... senhor... ela veio aqui.

Galdino engoliu a seco.

— Quieto, homem. Tá delirando de febre.

— Ela veio e disse que vai levar tudo a gente.

— Do que você tá falando, Clemente?

— A negra, senhor. A negra Calíope.

Galdino estremeceu da cabeça aos pés como atingido por um balde d'água. Era claro que Clemente estava tendo uma alucinação! E parecia estar sangrando pelo ouvido, posto que uma mancha de sangue se juntara no seu lençol. Galdino lembrou da porta batendo e correu até o corredor. Alcançou a sala, com a lamparina erguida. Tirou a trava de madeira da porta dupla do casarão e girou a maçaneta. Tirou da cinta seu revólver colocado bem ao lado da porta num aparador de cobre e saiu para a varanda.

Um vento fraco envolveu seu corpo fazendo os poros se contrair com o frio repentino. O pátio da fazenda estava tomado por um nevoeiro que rapidamente foi rareando. As luzes das tochas balançaram sete vezes com açoites mais fortes do vento. Em menos de um minuto toda a neblina desapareceu. Galdino inspirou fundo e voltou para dentro de casa.

✠ ✠ ✠ ✠ ✠ ✠

— Ele disse que a negra esteve aqui.

— O quê? — perguntou o médico, tirando o ouvido do cone de cobre e virando a cabeça para o coronel Galdino.

— Ele... ontem de madrugada, disse que a negra veio aqui.

O médico tinha feito a ausculta do coração do paciente. Acelerado, fora de ritmo, enfermo. A situação não era nada boa para o lado do feitor.

— Por isso que eu te chamei, doutor. Ele acordou e disse que a negra tinha vindo aqui, no quarto.

— Que negra, senhor Galdino? Não estou entendendo...

— A negra Calíope.

O médico guardou o cone em sua maleta de couro preto e passou a mão pelo cabelo ensebado, arrumando-o para trás. Respirou fundo e abriu mais os olhos ao questionar o coronel.

— A negra que o senhor deixou morrer no terreiro da senzala?

— Isso. Aquela desgraçada.

— Se ela morreu, o senhor pode me explicar como ela veio aqui?

Galdino deu de ombros.

— O senhor é que é médico. O senhor é que deve explicar como ele acordou e falou isso.

— Hum. — gemeu o doutor, com ar de graça e levantou-se desdobrando as mangas. — Eu explico, sim. Isso se chama dor na consciência. Ele teve um momento de lucidez, deve ter tido um sonho antes com a pobre negra que ele açoitou tantas vezes...

— Chega!

— O senhor pediu para eu explicar. Estou explicando. Sou médico, não sou curandeiro nem benzedor. Esse homem está com a cabeça corroída pela culpa e agora que sabe de uma forma ou de outra que está caminhando para a derrocada, quer ter a alma redimida.

— O sangue no ouvido? Como explica?

— Isso é estranho, senhor Galdino. O sangue que o senhor viu não saiu do ouvido. Eu examinei. Mas venha ver o que encontrei.

O coronel moveu-se com o peito estufado e as botas batendo no chão de madeira. Curvou-se perto donde o dedo do médico apalpava.

— Encontrei essas feridas. Mas olhei aqui em volta e não achei nada com que ele pudesse ter-se flagelado. É comum pacientes em devaneios machucarem-se sem querer... feito os sonâmbulos, sabe?

Galdino olhou para os dois pequenos buracos no pescoço do empregado.

— Parece uma mordida.

— Não. — descartou o médico. — São incisões agudas, como se duas facas tivessem penetrado aqui... não sou bom nisso, senhor, vou pesquisar se há insetos na região que possam ter feito esses buracos. Parasitas se alojam com facilidade em corpos debilitados.

— E o que eu faço com ele?

— A receita de hoje, bom patrão, é que dê um banho nesse homem e lhe troque as vestimentas. Faz mais de uma semana que está desse jeito. Está fedendo.

— Mas e as costelas estropiadas... não vai doer, não vai piorar?

— Vai doer com certeza, piorar... acho difícil. Temos de torcer para que o Clemente tenha um vigor poderoso que contorne essa tragédia. Sem vigor ele não passa mais uma semana, não, senhor. Peça que as negras reforcem a sopa que lhe servem, veja se conseguem beterraba na vila. Vai ajudar a repor o sangue perdido.

— Só isso?

O médico suspirou novamente.

— Não, senhor Galdino. Encomende na igreja uma missa de sétimo dia para a pobre da negra. Ela também era filha de Deus. Morreu que nem cachorro sarnento. Quem sabe com uma missa ela não pára de aparecer nos pesadelos do seu Clemente.

O coronel fez um muxoxo com a boca e saiu resmungando. O médico balançou a cabeça e sorriu, divertindo-se com o gênio teimoso do homem. Ele mesmo passaria na igreja e pediria uma missa ao padre em nome da negrinha. Não custava nada tratar das pessoas vivas e das mortas. Um médico quando não cura o enfermo vivo às vezes tenta dar alívio ao enfermo morto. E esse alívio só com a ajuda de Deus.

✠ ✠ ✠ ✠ ✠ ✠

A velha benzedeira despertou de madrugada. Ouviu ruídos na porta, como se um rato estivesse ali, roendo a madeira, querendo entrar. Mas rato nenhum precisa roer a madeira. Havia mais de dois dedos de espaço por baixo da folha de madeira para os desgraçadinhos se espremerem e entrarem sem muito esforço. Pagô olhou para o lado e viu a boa Naná sentada também, com os braços rodeando os joelhos e os olhos arregalados. Naná apontou para a porta.

— Faz uma hora que estou ouvindo isso aí.

A velha Pagô balançou a cabeça negativamente.

— Ela não vai entrar, fia. Ela não consegue.

A benzedeira levantou-se e ajeitou a roupa.

— O que a senhora vai fazer? — perguntou Naná, cheia de medo.

— Nada, ué. Só vou ver.

— Não abre a porta, Pagô. Por tudo que é sagrado, não abre a porta! — implorou a mulher.

— Suncê acha que é a porta que deixa ela do lado de fora? Ah! Ah! Ah! — riu a negra velha. — Vem vê.

A benzedeira aproximou-se da porta da senzala e tirou suavemente a lingüeta da trava. Puxou a porta de ripas de madeira e abriu totalmente. A luz fraca do candeeiro pendurado na parede iluminou uma figura humana acocorada à beira da porta. A figura, com contornos de mulher e braços finos, levava as mãos aos grãos de café, de milho e sementes de girassol colocados aos bocados pela negra Pagô no batente das portas de toda a senzala. Todos estranharam, mas ninguém ousou desfazer a mandinga feita pela velha. Agora, Naná com os olhos esbugalhados, assistia a menina Ondinha, acocorada e catando grão por grão e colocando-os na palma da mão. O terreiro, do lado de fora, era varrido por uma neblina rala, nem sombra fazia ao misterioso nevoeiro que tinham assistido naquela outra noite.

— Calíope... — murmurou a mulher, com a voz engasgada.

A mulher parou de apanhar os grãos e olhou para dentro da senzala.

— Boa Naná. Me deixa entrar.

— Calíope! Ainda é cedo pra vos suncê entrar, menina Calíope. Não sei se suncê virou cria boa ou cria ruim.

Calíope encarou a velha Pagô. A benzedeira sentiu um arrepio danado em seus braços e pernas. Os olhos da menina Calíope tinham virado outra coisa. Eram a coisa mais linda de se olhar. E se ela pedisse com jeitinho era bem capaz dela mesma, a Pagô teimosa e conhecedora das velhas rezas e superstições de seu povo, varrer os grãos da porta e derrubar a proteção que tinha rogado sobre Calíope.

Naná viu a mão da morta encher-se com os grãos, então alguns deles caíram e se misturaram aos que já estavam lá. Calíope grunhiu nervosa e raspou as unhas na areia do terreiro.

— Maldição, Pagô! Maldição! — reclamou a vampira.

Naná viu Calíope começar tudo de novo. Apanhar grão por grão e ir enchendo a palma da mão. Parecia que não ia sossegar enquanto não apanhasse todos os grãos e sementes. Naná olhou para a velha Pagô.

— A senhora tem mais sementes na cabaça?

A velha sorriu e acenou que sim.

✠ ✠ ✠ ✠ ✠ ✠

Galdino foi correndo ao chiqueiro, chamado pelo negro Anastácio. Não podia acreditar naquilo. Todos os quarenta porcos estavam mortos. Ceifados numa noite só por uma doença que não conseguia vislumbrar qual era. Talvez tivessem sido envenenados. Só podia ser isso. Para morrerem todos.

— O que a gente faz, coronel?

— Pela todos eles. Pendura para tirar o sangue pro chouriço e corta as carnes. Vamos ver o que eu ainda consigo vender na vila.

— Afe! Patrão! Esses porcos morreram de maldição. O senhor vai vender a carne deles?

— Por que tá dizendo que morreram de maldição?

— Porque os porcos do negro Bala e do negro Olímpio estão sãos. Nenhum porquinho deles morreu.

Galdino bufou. Os negros teriam a ousadia de terem envenenado seus porcos? Não seriam tão burros. Tinha como saber. Bufou mais uma vez.

— Pela esses porcos, homem. Tira o sangue e a carne e depois vamos ver. Guarda as barrigadas que eu vou saber se foi veneno ou maldição.

Um dos escravos que não tinha perdido tempo discutindo e já obedecia o patrão, interrompeu nesse momento. Ele havia pendurado pelos calcanhares, em cravos pontiagudos, em troncos semelhantes aos de castigo pelo menos quatro porcos. Passou o facão na garganta de dois leitões e nos dois maiores, abismado com o resultado, tinha-se aproximado de Anastácio e Galdino.

— Não carece abrir a barriga, não, patrão. Veja isso.

Galdino olhou para os porcos pendurados e as bacias logo embaixo de suas gargantas. Não precisou perguntar para o empregado a razão da estranheza. As bacias estavam secas. Os porcos... os porcos não sangravam.

✠ ✠ ✠ ✠ ✠ ✠

Clemente estava tonto. Sentia uma pontada infernal em seu peito do lado esquerdo. De olhos fechados aqueles últimos dias, havia flutuado entre momentos de consciência e total torpor. Tinha ouvido coisas. Tinha ouvido sobre suas costelas quebradas e seu pulmão doente. Por isso era tão difícil respirar. Mas foi num estalo que se lembrou dela. Da visita. A negra Calíope tinha passado em seu leito e tinha-lhe acariciado a testa. Seus olhos estavam diferentes. Não pareciam olhos de morto nem de alma penada. Eram olhos lindos e agradáveis, que atraíam a atenção de um jeito impossível de desviar a vista. Clemente se remexeu, incomodado com a dor e a lembrança. Percebeu que não conseguia se virar. Seus olhos se abriram. O quarto estava na penumbra. A leve luz da candeia tremeluzindo com o vento que passava leve pela janela. Não conseguia se virar nem respirar direito. A visão foi melhorando. Então entendeu. Ela estava ali! Estava em cima dele. Abraçando seu peito com as pernas, colocando todo o peso de seu corpo de defunta em cima de seu tórax ferido. Clemente tentou gritar, mas não conseguia puxar ar para os pulmões. Faltava-lhe até força para rechaçar a assombração. Tentou empurrar Calíope de cima de si, mas ela era forte. Dominou seus braços com uma mão e a outra tapou a boca do feitor.

— Foi difícil, Clemente. Difícil de achar. — disse a vampira, com sua conhecida voz encantadora e morna. — Mas eu achei.

— Achou... achou o que, Deus do céu? — sussurrou o feitor.

Como resposta ele viu surgir entre os dedos da assombração um grosso anel de ouro. O anel que ele tinha tomado da negra quando ainda viva.

— Pode levar, Calíope. Pode carregar esse seu anel daqui. Eu não quero mais ele.

Calíope balançou a cabeça negativamente e com a mão estendida pôs um dedo nos lábios do mulato.

— Não, não, não. Você se sacrificou tanto para achar o meu tesouro. Você revirou minhas cumbucas, me acorrentou na senzala. Já me chicoteou tanto para me ensinar suas lições de disciplina, feitor. Eu não sou uma ingrata.

Foi a vez de Clemente balançar a cabeça negativamente, inúmeras vezes.

— Você merece esse anel. Quero que o carregue para a cova com você, pobrezinho.

Calíope apertou as bochechas de Clemente obrigando a separação da mandíbula. Com a outra mão enfiou o anel na boca do feitor e depois, com os dedos firmes e decididos empurrou a peça de ouro goela abaixo do maldito feitor.

— Você, desgraçado, matou minha mãezinha, marcou a ferro meu tio Anastácio e teria feito o mesmo comigo se Mariano não tivesse aparecido na joalheria. — rosnou Calíope, encostando nariz com nariz na face contorcida do agonizante feitor. — Eu vou dar cabo da sua vida, demônio do inferno. Queria tanto meu anel! Fica com ele, seu filho de uma égua!

Clemente lutava para puxar ar para o peito estourado, mas as pernas firmes de Calíope imobilizavam seus músculos e o anel entalado na garganta travava seu sistema respiratório. No meio da agonia, agarrou a mulher com toda a força, mas não conseguiu movê-la um centímetro, apenas conseguiu afastar mais sua cabeça e arregalar seus olhos vendo que quem montava em seu colo não era a negrinha da senzala e, sim, um monstro, com dentes longos e afiados e os olhos queimando, vermelhos como fogo. Num último esforço de luta de vida ou morte o feitor conseguiu finalmente encher o peito de ar e soltar um berro animalesco e desesperado e quando tentou respirar novamente, para aumentar sua aflição, sentiu o anel movimentar-se e tapar ainda mais sua garganta.

Galdino acordou assustado com o grito que o arrancou do sono. Pulou e calçou as botas rapidamente, sem esquecer de apanhar um de seus revólveres na cômoda do quarto. Sem saber por que, antes de deixar o aposento, apanhou também um crucifixo. Correu pelo corredor, maldizendo-se por ter esquecido a lamparina. Via a luz tremeluzir e refletir no corredor, vinda do quarto de Clemente. Do quarto que deveria estar fechado e de onde, certamente, tinha vindo aquele grito infernal. Galdino chegou até a porta e entrou empunhando o revólver. O ar estava abafado. O cheiro da morte no ar. Clemente em seu leito, com os braços erguidos, os dedos repuxados e os olhos esbugalhados. Imóvel. Só se mexiam as sombras gozadoras ao sabor da chama na candeia. Morto e acabado. Galdino, engoliu a seco, foi pé ante pé até o defunto. Benzeu-se. Pôs o crucifixo no peito do funcionário morto. A boca roxa e os olhos vidrados. Foi se afastando do leito e virou-se para o corredor. Uma mão ligeira derrubou seu revólver e um vento repentino apagou a candeia no quarto. Galdino ficou sem ação, assustado. Uma mão fria apertava seu pescoço e o empurrava contra a parede. Galdino fechou os olhos e começou a tremer da cabeça aos pés. Não conseguiu segurar a urina que desceu pelas pernas e chegou até as botas. Com a boca trêmula e um medo crescente assolando seu peito, Galdino começou a gaguejar e a proferir a oração que sua mãe tinha-lhe ensinado quando menino e que ficara gravada no seu inconsciente tão fortemente que acabara por batizar a fazenda com o nome do santo:

— Eu andarei ves... vestido e armado com as armas de São... São Jorge para que meus inimigos, tendo pés não me alcancem, tendo mãos não me peguem, tendo olhos não me enxerguem, e nem em pensamentos eles possam me fazer mal... — Galdino, com os olhos selados de pavor não teve coragem de abri-los nem quando sentiu a mão que lhe agarrara soltar seu pescoço. — Armas de fogo o meu corpo não alcançarão, facas e lanças se quebrarão sem ao meu corpo chegarem, cordas e correntes se arrebentarão sem ao meu corpo amarrarem. Jesus Cristo, proteja-me e defenda-me com o poder de sua santa e divina graça. Virgem Maria de Nazaré, cubra-me com o seu sagrado e divino manto, protegendo-me em todas as minhas dores e aflições, e Deus, com sua divina misericórdia e grande poder, seja o meu defensor contra as maldades e perseguições dos meus inimigos. E o glorioso São Jorge, em nome de Deus, em nome de Maria de Nazaré, em nome da falange do Divino Espírito Santo, estenda-me o seu escudo e as suas poderosas armas, defendendo-me com a sua força e com a sua grandeza, do poder dos meus inimigos carnais e espirituais, e todas as suas más influências, e que debaixo das patas de seu fiel ginete meus inimigos fiquem humildes e submissos a vós, sem se atreverem a ter um olhar sequer que me possa prejudicar. Assim seja, com os poderes de Deus, de Jesus e da falange do Divino Espírito Santo. Amém!

Galdino permaneceu parado. Só ouvia o barulho de sua própria respiração agitada. O ar escapando da garganta e do nariz, mexendo seu bigode. Permaneceu não se sabe quantos minutos escorado na parede, sem mexer um dedo, com medo de cair. Abriu os olhos e nada viu no negrume do corredor. Pé ante pé arrastou-se até seu quarto. Encostou a porta e pela primeira vez, em anos depois da falecida ter ido para o cemitério, postou a trava de madeira nos batentes da porta. Galdino passou as mãos pelo rosto e praticamente caiu de costas na cama. O galo cantava anunciando a alvorada. Só sairia dali quando a luz do sol tivesse tingido o céu e o medo tivesse deixado seu coração.

Quando o dia raiou, Galdino banhou-se com água fria e pôs roupas limpas. Chamou os escravos e despachou ordens para a vila para que as medidas cabíveis fossem tomadas acerca do enterro do feitor. A notícia da morte de Clemente chegou rápido à senzala e foi motivo de alegria para todos os escravos da Fazenda São Jorge. Diziam que o homem fora encontrado de madrugada pelo patrão, morto, com os olhos esbugalhados e as mãos retorcidas, como se tivesse visto e lutado contra o capeta no seu momento final.

A velha benzedeira tinha espalhado pela senzala que a negra Calíope era o anjo vingador dos negros. Fora sua assombração que trouxera a neblina na noite do velório do amado. Fora ela que dera cabo de Clemente no leito de morte. Era ela a negra que vagava de madrugada, que um ou outro comentava ter visto um vulto na estrada durante as horas escuras. Até gente na vila dizia que ao despertar com a quentura da noite, ao olhar pela janela, já tinha visto o tal vulto da negra escrava vagando na rua da igreja.

Os ditos da negra Pagô não demoraram a cair nos ouvidos dos escravos de dentro e, com isso, chegaram aos ouvidos de Galdino. Mesmo incrédulo naquela bobageira de fantasma de negra morta, o coronel cedeu ao tormento. Afinal de contas, podia jurar que tinha sentido uma presença na casa na noite anterior, logo após achar o defunto. Tinha sentido uma mão fria agarrando o seu pescoço e depois de fazer a oração de São Jorge viu-se na casa vazia. Isso era coisa de assombração ou seria sua mente impressionada e cansada? Sua cabeça pregando-lhe peças por estar sobrecarregado com a culpa de tantas mortes? Até o velho Osório não teria morrido se não viesse ao velório do filho que ele havia assassinado. Seria ele culpado pelas quatro mortes? Pelas quatro passagens? O filho Mariano e Calíope sujavam suas mãos com sangue todos os dias. Mas e Osório e o feitor Clemente? Eram esses defuntos fruto de suas atitudes? Galdino estava inquieto e cansado. Montou seu cavalo branco e partiu pela estradinha e só parou sete quilômetros depois, perto da mangueira na qual os negros disseram ter encontrado o corpo de Calíope na manhã seguinte à sua morte. Ninguém sabia quem a teria carregado até ali. Melhor dizendo, ninguém contava a verdade para o senhor da São Jorge. Ele que se afogasse em seus fantasmas.

Galdino galgou o morro que beirava a estrada de terra e caminhou até a cruz que os escravos ergueram demarcando a sepultura de Calíope. Caminhou devagar. O vento começou a bater forte e a balançar os galhos da árvore fazendo as folhas secas se soltarem e revolutearem junto com a poeira da estrada. Galdino tirou o chapéu ao se aproximar. Era a sepultura de uma negra assassinada por suas mãos, mas havia uma cruz marcando o solo que fazia daquele pedacinho debaixo da mangueira também um campo santo. O fazendeiro chegou perto da terra fofa. Seus olhos ficaram presos na grama revolvida e na terra escura toda remexida. Aproximou-se mais. Sentiu o sangue esquentar nas veias. Tinha um buraco no meio da cova. Um buraco como de bicho. Poderia ser um tatu papa-figo que tinha-se enfiado ali para comer o corpo morto de Calíope. Ou poderia ser o caminho que assombração fazia para sair de noite. Galdino rezou um pai-nosso e pediu que a alma da negra descansasse em paz. Com o solado da bota foi empurrando terra para o buraco, tapando a trilha, selando mais uma vez a cova. Afastou-se da mangueira um tanto transtornado. Seria possível? Seria possível que a negra realmente fosse agora alma-penada a atazanar a vida de quem tinha sobrado na Fazenda São Jorge?

Galdino desceu atordoado o morro da mangueira. Montou no cavalo e partiu a galope de volta para a fazenda. Não parou na casa-grande, apeando na frente da senzala. Os negros trabahavam àquela hora do dia, mesmo sem feitor, para estugar seus ânimos. Mas a velha tinha de estar na senzala. A velha não agüentava mais erguer peso e era poupada dos serviços braçais mais exigentes. Velha imprestável! Hoje lhe valeria de alguma coisa. Galdino entrou num dos compartimentos da senzala. Xingou quando, sem olhar para o chão, esparramou grãos de café pelo chão de terra batida. Que droga era aquela? Olhou para o batente da porta. Grãos de café, grãos de milho, sementes. Coisa de negros macumbeiros! A velha não estava ali.

— Dona Pagô! — gritou o senhor.

Foi até outro cômodo e repetiu o grito.

Estava saindo quando viu a velha saindo por outra porta, ela residia então numa das pontas da senzala abafada. Ela veio andando devagar, com auxílio do bastão que usava para caminhar.

— Senhor patrão! Adescurpa a demora, mas é que esses ouvidos de velha nunca ouviram vosmecê chamar pelo meu nome.

Galdino aproximou-se e mirou a benzedeira de cima aos pés.

— Dizem que a senhora é curandeira e benzedeira...

— O que aflige o patrão?

— A senhora bem sabe o que tão falando.

— E vosmecê veio perguntar o que para essa velha?

— Se é verdade?

A velha, cuja boca faltavam dentes, apertou os lábios e ficou com os olhos amarelados fitando o patrão.

— Já ouviu essa coisa de que foi ela que matou o feitor?

— Ouvi, sim, senhor.

— Lingüiça de padre! Conversa fiada! Morto não levanta.

— Isso não é verdade, patrão. Quando cheguei nessa terra...

— Baboseiras... mentiras...

— Ensinaram essa velha que Jesus se levantou.

— Rei do Céu, dona Pagô. Levantou vivo. Não era um morto.

— Talvez a negra Calíope não esteja morta tamém.

— A escrava morreu, dona Pagô. Eu furei o bucho dela.

— Rasgou a coitada e a largou no terreiro.

— Ara! Foi de ódio. Ela matou meu filho.

— A tua raiva impregnou na morte dela.

— Tá falando o que agora, mulher?

— O senhor tá com muito ódio no peito.

— Diacho! A negra mata meu filho e tenho de tá feliz?

— O senhor botô raiva no sangue dela.

— Senhora Pagô, acha mesmo que é ela?

A benzedeira bateu com a bengala de galho seco algumas vezes no chão do terreiro. Suspirou fundo.

— Eu senti uma coisa ruim enquanto rezava para que a menina Calíope descansasse debaixo da mangueira, coronel. Senti aruê nela.

— Do que a senhora tá falando, mulher. Pára de lançar enigmas a todo instante e me responde logo. O fantasma que o povo tá falando... é da Calíope?

— Tem tudo para ser, senhor. Tem tudo para ser.

— Ouvi dos negros que a senhora sabe se defender de assombração. Se sabe defender essa negrada imprestável, deve saber defender um homem de bem como eu.

A benzedeira olhou para o batente da porta por onde Galdino tinha entrado, os grãos esparramados, chutados sem atenção. As palavras ríspidas do patrão ressoando em seus ouvidos.

— Sei, sim. Sei proteger vosmecê.

Galdino coçou as mãos.

— Então diz, mulher. É reza? É benza?

— Não. Não, senhor. É coisa mais besta desse mundo lidar com essa assombração.

— Besta? Vai dizer que é assombração besta para o coitado do feitor ou para o seu Osório. Ela já matou dois aqui na São Jorge, dona Pagô.

A velha entrou na senzala e voltou com a mão fechada.

— Da cá a tua palma.

O coronel ficou reticente. Tirou a mão do cinto e encarou a velha benzedeira.

— Sou preta, mas não sou doença, seu Galdino. Minha mão não vai machucar a de vosmecê.

O coronel estendeu a mão e a abriu a pedido da negra.

A benzedeira depositou um punhado de grãos de milho na mão do coronel. Fechou os olhos enquanto fechava a mão do homem e começou uma reza com a voz baixinha, sussurrada, sem que o homem entendesse as palavras. Galdino teve vontade de puxar a mão, temendo que a velha estivesse falando coisas de macumbeiros e lançando uma mandinga, mas o medo de confrontar o espírito atormentado da escrava morta falou mais alto. Quando a velha fez um sinal da cruz no fim da reza, o coração do homem se apaziguou um tanto. Era uma prece católica ao menos.

— Põe três grãos de milho em cada batente de porta e em cada janela da casa grande, patrão. Esses grãos vão fechar o caminho da assombração.

— Ela já matou dois homens na minha casa, preta velha. É bom que isso funcione, se não o teu couro vai ser o primeiro a arder quando o novo feitor chegar. — ameaçou o fazendeiro dando dois passos para trás com o punhado de milho benzido na palma da mão.

Galdino ficou olhando para a velha Pagô e seus olhos amarelados de negra idosa. Deu as costas e partiu em passadas firmes na direção do cavalo. Um grão de milho caiu no meio do terreiro.

A negra Pagô levantou um sorriso vendo o patrão se afastar. Se Calíope tinha matado dois, quem era ela para impedir a vingança do anjo negro. Três mortos cabia muito bem naquele ajuste de contas.

— Vai-te embora e que o capeta te acompanhe na tua trilha, homem tinhoso. — murmurou a benzedeira vendo o patrão se afastar. — Nem enterrou um já tá pensando nas maldades que o próximo feitor vem pra fazer.

A velha voltou para a sombra da senzala, claudicando, apoiada pela bengala. Assim que Naná chegasse, ia pedir para que ela infestasse o batente com os grãos chutados pelo coronel Galdino. A porta teria de continuar selada.

✠ ✠ ✠ ✠ ✠ ✠

Galdino sentiu um desconforto tremendo quando tomava uma xícara de café na cozinha.

Uma das negras acabava de falar alto com a outra, dizendo que o sol já estava no horizonte e para apressar as coisas porque já anoitecia.

A noite não era mais coisa comum do dia-a-dia para o coronel. Desde a morte de seu filho a noite tinha virado outra coisa. Como se fosse um território. A noite era agora uma coisa a se enfrentar. Uma batalha a cada ciclo da terra. A noite soltava os bichos notívagos e as almas penadas. Se a história que diziam no povoado era verdade, se Calíope estava inquieta e buscava vingança, certamente continuaria rondando a Fazenda São Jorge.

— Acendam as tochas, crioulas. Deixem a varanda iluminada! — berrou o patrão, para as criadas que saíam da cozinha.

As duas se olharam e sorriram. Só quando se afastaram cochicharam umas com as outras. O coronel passara a ter medo do escuro desde a morte do feitor.

Dentro de casa, Galdino começou a acender as lamparinas. Quatro na sala, duas no corredor. Mais quatro em seu quarto e uma na cozinha. Onde quer que fosse, teria uma lamparina à mão. Aquele fantasma escuro, que lhe pregara um susto dos diabos na outra noite não conseguiria repetir a façanha. Foi até o quarto e apanhou o punhado de grãos de milho que a escrava benzera. Obedeceu a ordem da preta velha e colocou três grãos no batente da porta da sala, mais três grãos em cada batente de janela e, finalmente, três grãos nas portas dos fundos do casarão, que davam acesso para a cozinha. Pronto. Se a benzedeira falava a verdade, sua casa estava selada contra a assombração. Deu-se por satisfeito, mas sem conseguir pregar os olhos. Quando caiu na cama por volta das oito da noite, ficou rolando de um lado para o outro, como se sentisse aquela mão gelada novamente em seu pescoço. Uma sensação asquerosa infestava seus sentidos. Como sentir o andar gelado de uma lagartixa no braço ou a barriga fria de uma inoportuna barata passeando em suas costas. Galdino, o senhor de tantas terras, o homem de tanta marra estava com medo da noite. Vencido pela insônia, levantou-se e foi até a sala iluminada. Verificou o querosene das lamparinas. Certificou-se também de que as candeias estavam abastecidas. Sentou-se em sua poltrona patronal e ficou olhando para as sombras dos objetos da sala morta. Parecia que não havia mais vida naquela casa. Inquieto. O tempo passando. O silêncio crescendo. Galdino não agüentou e apanhou fumo de corda para retomar o vício largado durante muitos anos. Tirou da cinta um canivete de lâmina longa e afiada e passou a raspar o fumo sobre a mesa. O cheiro era bom. Quando enrolou numa palha recortada acendeu pelo orifício da lamparina e deu uma boa tragada. Na segunda tossiu longamente. A garganta ardia. Levantou-se e fez as botas e esporas estalarem no chão da sala. Parecia ser aquele o único barulho do mundo. Galdino tirou a trava horizontal da porta, colocando a madeira de lado. Abriu as portas duplas e deixou o ar frio da noite entrar. Seus olhos não gostaram do que viram. Aquela névoa agourenta mais uma vez. Bem rala, mas estava ali, correndo ligeira pelo chão, empurrada por vento fraco e constante. Galdino soltou algumas baforadas de fumaça. Olhou para o batente da porta. Os três grãos de milho ali. Era aquilo que a benzedeira mandara em sua ajuda. Três porcarias de grãos de milho. Ficou olhando para os dentes amarelos jazendo no chão, juntinhos, selando a porta contra uma assombração. Por um instante um esgar de sorriso brotou no rosto. Que porcariada! Não era homem de acreditar nessas coisas! Que besteirada! Tinha era de mandar rezar uma missa para aquela negra dos infernos!

— Nem céu nem inferno, seu Galdino. — disse a voz grave e feminina, bem ali na sua frente.

— Diacho! — berrou o homem, assustado, dando passos para trás e erguendo o revólver.

Era ela!

Galdino, tão assustado e nervoso com a visão e a invasão da voz conhecida em seus ouvidos, tropeçou numa mesinha que aparava uma das tantas lamparinas e caiu sentado. A negra Calíope! Era ela! Estava parada no pátio na frente da casa quando lhe deitou os olhos num repente. Agora, sentado no chão de madeira da sala, com o fogo do querosene da lamparina queimada se espalhando pelo assoalho, e sentindo uma dor dos infernos nos quartos, via o vulto da mulher, envolta por um lindo vestido branco que arremetia a um traje de noiva, andar em direção da escada.

Galdino levantou com uma das mãos nas costas que acabara de entrevar por conta da queda. Bateu com a bota no fogo que se espalhava, contendo as chamas. Repetiu tantas vezes quantas foi preciso até livrar a sala do perigo do fogo. Agora seus olhos, com o revólver na mão, olhavam para a varanda. Galdino não conseguia mirar na assombração. As balas serviriam para afugentar o espírito atormentado de Calíope? Não pensou. Mas não apertou o gatilho tampouco. Sua mão tremia tanto. Precisava concentrar-se. Precisava controlar o medo, a paúra de estar diante, pela primeira vez na vida, de um fantasma. Ficou olhando abobalhado para a negra de branco, aproximando-se passo a passo.

— Coronel Galdino, coronel Galdino... você sempre foi homem tão valente. Por que caiu sentado? Feito moço moco, bobalhão? Está com medo de mim?

As perguntas da assombração entravam no ouvido do homem. Os olhos do coronel ficaram um momento nos olhos de Calíope. A negra que sempre tivera os olhos mais lindos que ele viu numa escrava, olhos que pareciam ainda mais belos, dois sóis brilhantes no meio de um rosto negro esmaecido. Um rosto de negra morta. Ele assistiu o fantasma atravessar a varanda. Foi então que notou que ela parou antes do batente.

— Lembra do gosto da minha carne, coronel? Que o senhor ainda provou salgada do castigo. Lembra das curvas das minhas ancas?

Galdino engoliu a seco.

— Vem cá pra fora, coronel. Deixa-me te dar um pouquinho de mim. Meu corpo agora sente saudade do seu.

— Sai de retro, Satanás! — berrou o fazendeiro. — Vai embora daqui assombração do inferno.

— Tsc. Tsc. Tsc. — censurou Calíope, estalando a língua. — Já te disse. Não sou nem de cima nem de baixo. Por culpa de vosmecê estou presa, aqui no meio. Presa e com uma fome danada, coronel.

Galdino viu Calíope se aproximar mais da porta. O homem sentia o coração tão acelerado que começou a ter tontura e por um momento sua visão enegreceu. Deu mais dois passos para trás, cambaleando. Viu a negra morta abaixar-se junto ao batente e ficar olhando para os grãos que a velha Pagô benzera para selar as portas da São Jorge.

Calíope apanhou o primeiro grão. Seus olhos estavam fixos naquele pequeno empecilho. Ela não sabia a razão daquilo, mas os grãos colocados à beira da porta simplesmente consumiam sua atenção. Chegou a esquecer da vítima por um minuto. Depositou o grão na palma da sua mão, enquanto começou a contagem em voz alta:

— Um, dois e — finalmente apanhando o último e colocando-o ao lado de seus semelhantes — três.

Galdino firmou a visão. Incrédulo, viu a vampira levantar-se e dar um passo para dentro de sua casa.

— Tão pouco, Galdino. O senhor, tão abastado... economizando em grãos. Eu poderia passar a noite inteira entretida com eles. Três eu conto muito rápido. E guardo muito rápido. — disse, colocando-os num bolsinho do vestido.

Galdino puxou o gatilho, fazendo uma explosão infernal encher a sala. Engoliu a seco, vendo a vampira de pé, na sua frente. Ela não caiu com o tiro. Sabia! Não dava para acertar tiros em fantasma. Ela era um espírito! Mas como tinha erguido os grãos de milho? Como trajava vestido? E no meio do rebuliço de suas perguntas uma resposta surgiu. Um fio de sangue, escuro e grosso, escapou do peito do fantasma.

Calíope colocou a mão sobre a ferida e abriu a boca, exibindo duas presas longas e pontiagudas. Exprimiu um gemido fino, indefinido, sem deixar saber se sentia dor ou prazer.

— Morre, bicho do inferno! — gritou o fazendeiro, puxando mais duas vezes o gatilho.

Dessa vez o corpo da vampira tombou.

Galdino aproximou-se vagarosamente da negra abatida. Respirava descompassado. Atordoado. Era melhor chamar os negros. Os escravos. Eles levariam aquela aberração dali. Era bom chamar o padre e o prefeito. Todo mundo tinha de saber daquilo. Que dentes horríveis eram aqueles? O que tinha acontecido com Calíope?

O coronel chutou a perna da morta duas vezes com a ponta da bota.

— Morreu de novo. — suspirou, baixando o revólver com o cano ainda fumegante e apontando para a cabeça da escrava morta.

— Meus parabéns, coronel!

Galdino deu um pulo e virou-se. Dos fundos da casa, saindo da cozinha, vinha um vulto sombreado pelas chamas das lamparinas. O sotaque lusitano lembrava alguém. Então, quando o corpo ganhou mais luz, Galdino reconheceu aquele que lhe pregara novo susto.

— Dom Braga? O que faz aqui?

Galdino engoliu a seco enquanto o homem caminhava lentamente em sua direção. Percebeu que ele brincava com alguma coisa nas mãos. Seu sangue gelou nas veias quando notou que o sempre elegante comprador de escravos passava três grãos de milho de uma mão para outra. Dom Braga, sempre muito magro e muito branco, sempre pareceu a figura de um fantasma.

— Vim ver minha afilhada.

— Calíope?

— Isso.

Galdino olhou para o cadáver no chão. Calíope estava com os olhos abertos e a boca de lábios sensuais levemente entreaberta. Os dentes longos e pontudos podiam ser vistos.

— Ela morreu. Acabei de matá-la.

Dom Braga arqueou as sobrancelhas. Aproximou-se de Calíope enquanto guardou rapidamente os grãos de milho no bolso e tirou os óculos do bolso do paletó, presos a uma fina correntinha de ouro. Postou as lentes sobre os olhos e examinou o corpo da afilhada.

— Parabéns! O senhor é um homem de sorte. Não é todo mundo que mata um desafeto duas vezes na vida, não é mesmo?

Galdino ficou olhando para dom Braga com a boca retorcida, sem entender como o lusitano fora parar dentro da sua casa e nem para quê. O coronel estava ainda mais incomodado com os fatos daquele homem estranho ter vindo carregando os milhos das portas da cozinha e de ter agora aquele estranho sorrisinho no rosto diante de caso tão hediondo.

— Posso sentar-me? — perguntou o homem, polidamente.

Galdino balançou a cabeça sem entender e ampliou ainda mais a contração de sua face.

O lusitano foi até sua poltrona favorita e ficou olhando-o nos olhos, enquanto mexia nos grãos mais uma vez.

— Curioso, coronel. Como consegue esse feitiço? Nunca antes tive interesse por grãos. Agora eles selavam a porta. Curioso.

Galdino sentiu um frio na barriga. Perto da lamparina o sujeito parecia ainda mais estranho. Tinha veias escuras junto ao pescoço, e podia jurar por Deus que tinha visto num lampejo dentes pontiagudos iguais ao da negra deitada no chão da sala. Galdino ergueu a arma na direção do inusitado intruso.

— Eu não quero perder por nada nesse mundo o que está para acontecer. Quero assistir sentado. — concluiu dom Braga.

Galdino torceu a cabeça.

— Ver o que, homem de Deus?

Ao mesmo tempo que fez a pergunta, o coronel sentiu outro frio no espinhaço. Ouviu o frufru de um vestido e percebeu um vulto crescendo nos contornos das sombras desenhadas na parede. Virou-se lentamente e seus olhos encontraram os olhos brilhantes de Calíope. Antes que ele pudesse erguer a arma outra vez, esta voou de sua mão em resposta de um tapa potente. Em seguida a mão gelada da negra agarrou sua garganta e junto com seu grito de pavor viu a boca da negra se escancarar e depois sentiu a dor, a fisgada. Os dentes longos e pontudos tinham furado sua pele. Torpor. Prazer. Medo. A negra estava sugando seu pescoço. Galdino não tinha mais os pés no chão. Galdino não via mais as luzes das lamparinas. Sua visão escureceu pela última vez naquela noite.

✠ ✠ ✠ ✠ ✠ ✠

O homem acordou sentindo o corpo frio. Alguém jogava água em seu rosto.

Galdino estava com a roupa empapada e ouvia vozes distantes.

— Patrão! Desperta, homem de Deus!

Finalmente conseguiu abrir os olhos. Levantou-se num repente e apanhou o revólver caído a seu lado.

Os escravos que lhe acudiam gritaram e correram. Só Naná ficou do seu lado.

— Pára com isso, seu Galdino. A gente tá lhe acudindo, homem.

O coronel levantou-se. Estava na sala. Olhou para todos os lados. Nem sinal dela. O sol cortava as janelas e já ia alto no céu.

— Onde está ela? — perguntou, correndo até a cozinha.

Galdino olhou o corredor e também seu quarto. Abriu o guarda-roupas procurando alguém escondido. Os escravos ficaram mais assustados.

— Onde está ela? Onde está?

— Quem o senhor procura?

— Calíope! — gritou.

Os escravos pararam. Então era verdade. Calíope estava aparecendo para os brancos para assustar e matar e para os negros para proteger e vingar. Os escravos ficaram mudos.

— Vocês a esconderam? Ela não está na cova! Onde está ela? — perguntou, dessa vez apontando o revólver para a cabeça de Naná.

A negra ajoelhou-se e começou a chorar.

— Calíope está morta, coronel! O senhor a matou!

Galdino engoliu a seco. Baixou o revólver e desengatilhou.

— Mentira. Ela não está morta coisa nenhuma. Ela e aquele dom Braga dos infernos. Eu mato aquele português duma figa.

Galdino foi até a janela e perscrutou a paisagem. Nem sinal de Calíope e seu vestido branco. Olhou para o batente da janela. Três grãos de milho.

Saiu feito foguete da São João, voando pela varanda, perseguido por Naná e mais dois escravos. O homem quase corria. Nem deu atenção ao doutorzinho que apeava do cavalo nesse exato instante.

O médico, vendo o homem em plena corrida, teve impulso de subir novamente no cavalo e partir. Ele não estava mal coisa nenhuma. Parecia um atleta. Foi só pensar que viu Galdino parar e escorar-se numa mureta. Curvado, cansado, imediatamente debilitado. Caminhou em sua direção e não teve tempo de alcançá-lo. O homem começou outra caminhada rápida e determinada. Ao final de alguns minutos cruzou o terreiro do tronco de castigos. Parou na porta da senzala.

Galdino olhou para a soleira da senzala. A porta estava infestada de grãos. Centenas. De tudo que era tipo, café, milho, sementes de flor e de frutas. Chutou a porta e ergueu o revólver efetuando um disparo. Tornou em sentido à casa-grande, mais uma vez passando pelo doutorzinho como se ele não estivesse ali.

Naná não seguiu o patrão dessa vez. Foi até a senzala e entrou no cômodo. Seus gritos eram ouvidos a distância.

Novamente na mureta, Galdino curvou-se. O calor em sua cabeça descoberta. A fraqueza em suas juntas. A desgraçada tinha-lhe adoecido o corpo. Seus olhos apagaram novamente.

Galdino despertou minutos mais tarde em sua cama. Agora era o médico quem deitava um pano frio e umedecido em sua testa. Estava com as mangas arregaçadas.

— Por que o senhor fez uma barbaridade daquelas, coronel? O que a velha fez para o senhor para merecer um balaço na barriga?

— Na barriga? Eu mirei na cabeça! Estava tão tonto que quase não acertei a filha duma égua.

— Deus do céu, seu Galdino!

— Doutor Edgar, doutor Edgar… aquela filha duma égua me queria morto. E eu quase morri! Acordei ainda pouquinho e não sei te dizer como, diacho, acordei vivo.

— Acordar morto é que não iria, não é seu Galdino.

— Sei, não, doutor. Sei, não. Vi uma coisa que deixa aqui minhas dúvidas.

— E essa ferida no pescoço? Igualzinha a do teu feitor. Que bicho te mordeu?

Galdino levou a mão ao pescoço e a lembrança dos dentes de Calíope veio à sua memória. Levantou-se num impulso. Ficou zonzo por conta do movimento brusco.

— Fique deitado, coronel. O senhor está fraco e abatido. Provavelmente, igual ao feitor Clemente, deve ter perdido sangue pela ferida. Não encontrei nada aqui no lençol da sua cama.

— Foi ela, doutor Edgar. Foi a negra morta. A Calíope que se levantou da tumba para vir me buscar.

O médico benzeu-se.

— Então é verdade?

— É verdade, doutorzinho. Juro que a vi aqui, ontem. E que dei três tiros no peito da maldita e mesmo assim ela levantou-se do chão e me atacou. Aquele sujeitinho esquisito sentado na minha sala, fazendo gozação.

— Que sujeito?

— Não posso ficar deitado, homem. Não posso. Ela quer o meu fim.

— O que vai fazer, seu Galdino?

— Vou sumir. Vou embora daqui. Ela quer me levar pra cova, só porque a matei.

— "Só porque"… isso soa estranho, coronel. Matar alguém não é um "só porque". — ponderou o médico.

Galdino parou e ficou olhando para o rapaz.

— O senhor está cheio de graça, doutorzinho. E tem razão. A filha duma égua tem um motivo mais que justo pra vir pra cima deu. Vou embora daqui. Também tenho razão. Se vai me ajudar, agradeço, mas se for continuar com escárnio, desapareça daqui e reze para nunca trombar com essa moça.

Galdino olhou pela janela e ficou com os olhos presos nos negros que zanzavam com ferramentas nas costas, voltando precocemente da lida diária.

— Mas antes que o doutorzinho desapareça, quero te pedir um favor.

O homem foi até o escritório e sentou-se à mesa. Apanhou o tinteiro e uma pena e começou a escrever cativando um olhar curioso por parte do médico da vila.

Mais tarde, quando o cavalo do doutor Edgar já levantava poeira na estrada para o vilarejo, Galdino foi até o terreiro da senzala. Os negros, com caras tristes e inconformados com o descabido assassinato da negra Pagô, encararam o fazendeiro que se aproximava.

— Chega de desgraças nessa fazenda! — gritou. — Este terreiro impregnou-se de sangue derramado, de sangue amaldiçoado e agora o inferno está regurgitando desgraças sobre nós.

Os negros ficaram calados um instante. Achavam que o fazendeiro viria e começaria a gritar e mandar todos para o campo continuar o trabalho, no entanto estava falando de morte e desgraça como se não fosse ele algoz e protagonista de boa parte daquilo.

Galdino viu-se cercado por seus escravos. Sabia que a morte da anciã pesaria no julgamento deles. Agiu por impulso, por ódio. Era uma velha macumbeira que tinha armado para cima dele. Tinha seus motivos para ter feito o que fez, mas agora não poderia contar com a compreensão dos escravos.

— Eu vou abandonar esta fazenda amaldiçoada, assombrada pela negra morta que anda! Ela virá matar a todos nós!

— Ela veio atrás de você, seu velho duma figa! — gritou Naná.

— Sei que estão todos nervosos. Eu estava fora de mim quando atirei na velha benzedeira. Culpa da negra que me atacou na noite passada. A senhora mesmo, dona Naná, foi uma das que me encontraram desmaiado na casa-grande.

— A gente não devia ter acudido o senhor. Só fez mais maldade.

— Não vou ficar desculpando-me para uma cambada de negros. Só vim dar um aviso. Vou embora da São Jorge. Vou vender tudo que aqui tenho. Mas vocês, negros, vão-se embora. Estou dando a liberdade a todos vocês.

Parvos e surpresos, os novéis ex-escravos trocaram olhares incrédulos. Seria possível aquele milagre?

— Estamos livres, então? — perguntou Anastácio.

— Sim, negro. Estão todos livres. O doutorzinho saiu daqui com uma carta igual a essa pro capitão de polícia, avisando que eu dei liberdade a todos vocês. Essa aqui eu entrego pro barão da comarca de Belo Verde quando passar na cidadela, a caminho da capital. Em São Jorge não há mais negro cativo. O doutorzinho vai espalhar essa notícia.

Anastácio passou a mão sobre as letras F saltadas no seu peito e na testa. Marcas feitas pelas mãos de Clemente, a mando do coronel Galdino.

— Eu só quero a ajuda de uns bons homens para encher meus carroções. Vou levar o que puder do meu café. O resto se vê depois.

Os negros, pegos de surpresa, começaram a atender as últimas ordens do coronel. Galdino perfilou os carroções e gritava comandos, vendo cinco veículos serem carregados de sacas de café da melhor qualidade.

Galdino trotou até a casa-grande. Apeou e subiu para a sala, dando uma longa olhada naquele lugar que fora palco de grandes alegrias para sua família. Agora era uma casa condenada à solidão e à assombração. Não passaria ali nem mais uma noite. Foi até seu quarto e, debaixo da cama, puxou uma arca. Tirou o cadeado da caixa negra e abriu para conferir. Um bom tanto de dinheiro em notas graúdas. Parte de seu patrimônio. Títulos emitidos pela Coroa. Daria para se virar por muito tempo até vender todas suas terras. Suspirou fundo. Ia viver de quê agora. Não era homem de corpo mole. Daria um jeito. Compraria outro lugar em outro estado, num canto onde aquele demônio nunca mais o achasse.

A voz de um negro chamou Galdino até a frente. Um rapaz jovem, forte e de sorriso branco estampado no rosto avisava que a carga estava toda posta. O fazendeiro aquiesceu com a cabeça. Olhou para o céu. O sol ainda estava alto.

— Dá tempo de encher mais duas carroças, Alberto. Manda os homens continuarem enchendo as sacas e carrega mais pros carroções. Quanto mais café eu levar, melhor.

— Sim, senhor. — respondeu o escravo, com um sorriso na boca.

Bento pensava que podia encher mais duzentos carroções aquela tarde, não importava. Era a última vez que trabalhava para Galdino. Era a última vez que o ex-dono mandava nele. Galdino tinha dito que eram homens livres. Homens libertos. Correu em direção ao pátio de trabalho. Encheria aquelas carroças o mais rápido possível.

Por sua vez, Galdino ralhava consigo mesmo mentalmente. Não podia deixar a ganância tolher seus pensamentos. Tinha de partir o quanto antes. Talvez mais um carroção fosse o suficiente. Mas não demorariam tanto assim para carregar dois. Quanto mais café, melhor. Venderia para o amigo Jessup, de Belo Verde. O imigrante era bom de negócio. Não precisaria carregar aquela montanha de carga até a capital. Tinha de se afastar da São Jorge o mais rápido possível antes que a noite chegasse. Carregou a arca para fora e enfiou no alforje preso ao cavalo. Deu dois passos para trás e examinou o animal. O alforje não podia chamar a atenção. Especialmente se continuasse na estrada depois do anoitecer. Ouviu passos a suas costas. Sorriu para Anastácio que se aproximava. O negro exibiu um bastão de berro. Antes que Galdino alcançasse a coronha da arma, foi atingido na cabeça.

— Hoje quem não deixa vosmecê sair fugido, é eu. — disse Anastácio, tirando uma corda da sela do cavalo e prendendo as botas do coronel.

O negro tomou as rédeas da montaria branca e caminhou em direção à senzala, arrastando o corpo do ex-patrão.

✠ ✠ ✠ ✠ ✠ ✠

A cabeça latejava quando o coronel despertou. Um calor intenso irradiava de algum ponto à sua direita. Galdino, com dificuldade, abriu os olhos. Não conseguiu se mover. Estava de joelhos e com as costas doloridas arrojadas contra o tronco de castigos. As mãos para trás, presas em grilhões. Quando a visão melhorou, viu uma fogueira à sua direita. Ainda tonto olhou para o terreiro. Os negros estavam juntos. Os carroções de café carregados em sua capacidade máxima. Tinham feito tudo o que ele tinha ordenado. Só não entendia como podia estar preso por aqueles ingratos no humilhante tronco de castigo.

— Me solta! — disse com voz fraca.

Anastácio surgiu na sua frente. O negro, de cabelos grisalhos e pele marcada abaixou-se até o nível de seus olhos.

— Solto não, senhor.

— Deixa de besteira, homem. Dei a liberdade pra toda a negrada. Segue teu caminho e deixa-me seguir o meu.

Os olhos de Galdino foram para o céu roxo. Crepúsculo. Queria já estar longe dali.

— Negro maldito. Ela vai me apanhar no meio do caminho. Está anoitecendo.

— O senhor queria fugir da fazenda, não queria?

Galdino não respondeu e, baqueado, deixou a cabeça pender para frente.

— Nós vamos embora, patrão. E vamos deixar o senhor em paz. Só que eu não podia deixar um branco fujão sem o castigo merecido.

Galdino abriu os olhos e viu Anastácio tirar a barra de ferro com que atingira sua cabeça do meio das brasas da fogueira. O ferro vermelho de tão quente emanava um calor apavorante.

— Não, Anastácio! Não faz isso! — pediu o homem.

O negro inclinou-se de lado pondo a mão em concha sobre o ouvido.

— Hã? Não entendi, senhor patrão.

— Não faz isso, pelo amor de Deus!

Anastácio fez um sinal erguendo o queixo. Alberto chegou por trás e agarrou as orelhas de Galdino, levantando a cabeça do fazendeiro.

— Segura firme porque ele vai se chacoalhar.

Em seguida arrojou o ferro quente contra a testa do fazendeiro, fazendo a pele chiar com a pressão do ferro em brasa e um cheiro de carne queimada subir no ar. A ponta do ferro escureceu, esfriando na carne do coronel. Quando Anastácio puxou o bastão voltou com um pedaço de pele, e sangue começou a derramar da ferida.

O homem preso no tronco chorava de soluçar.

Anastácio se aproximou de Galdino e falou no seu ouvido.

— Nós tamo indo embora agora, patrão. Teus carroções vão ficar aí no pátio pro senhor levar tudo embora quando se soltar desse tronco. A gente não é ladrão, não, viu? — o negro fez uma pausa, ouvindo os soluços e os gemidos do homem. — Sabia que teus soluços e tuas lágrimas são iguaizinhos aos meus? O senhor até que gritou mais bonito um tiquinho... mas a gente é tudo igual no fim das contas, viu? Come, caga, tem medo de ferro em brasa na testa da gente... fica com Deus, patrãozinho. E boa sorte no caso dela vinhé antes do senhor se soltar do tronco.

Juntando as últimas forças, Galdino lançou uma cusparada que acertou o pé do crioulo.

— Vai pro inferno, Anastácio!

— Um dia a gente se vê por lá, patrãozinho. O senhor vai chegar primeiro, guarda meu lugar na senzala do capeta. E cobre a testa quando entrar, dizem que ele detesta fujão no inferno. — completou Anastácio, gargalhando e escarnecendo do dono da São Jorge.

Os negros formaram uma coluna e começaram a caminhar em direção à casa-grande. Em breve passariam pela última vez em frente à casa e estariam rumando para a estrada, a pé, deixando de vez aquela vida de prisioneiros. Ao longe era ouvido o canto entoado pelo grupo retirante. Um canto melancólico, ritmado e cativante. São Jorge nunca mais dormiria sob o embalo africano.

Enquanto as horas passavam e o latejar em sua testa diminuía gradativamente, Galdino alternava períodos de lucidez, de devaneios e de total inconsciência. A lua ia alta no céu quando ouviu os bois presos aos carroções se agitarem e seu cavalo branco começar a relinchar. O barulho trouxe Galdino de volta ao mundo dos vivos e seus olhos e ouvidos se fixaram ao redor. De repente seus olhos encontraram o vulto alvo vindo andando, cruzando o terreiro. Mais para trás um homem magricela e alto, um varapau, também se aproximava. Calíope e dom Braga.

— Ora, ora, ora. O que temos aqui?

A voz carregada de sotaque lusitano trouxe ainda mais lucidez ao prisioneiro.

Calíope aproximou-se de Galdino e mirou sua testa. Estava ferida, vermelha e uma bolha crescia ao redor de uma marca indiscernível. A negra começou a rir. Já tinha visto carne negra daquele jeito.

— Te marcaram com uma letra F, senhor Galdino? — perguntou a negra, com voz melosa. — Tadinho.

A vampira olhou para os carroções cheios de sacas de café.

— Não vai me dizer que o senhor planeja fugir? Isso eu nunca vi na minha vida. Um branco fujão. Ah! Ah! Ah! — gargalhou.

Dom Braga também riu do comentário da afilhada. Olhou para as carroças e inspirou fundo. Afastou-se em silêncio.

Galdino encarou a assombração que estava parada na sua frente. O mesmo vestido branco, com os buracos dos tiros que ele havia dado na noite anterior. Não era um pesadelo. Aquele inferno era real.

— Não me morda, negra! Não me morda!

Calíope soltou um grunhido e rodeou o homem preso.

— Eu quero o seu sangue, coronel! Eu quero vingança!

— Pelo amor de Deus, Calíope! Já não teve o bastante?

— Você matou minha mãe. Matou Mariano. Matou gente do meu povo. Matou a mim. Quanto bastará, senhor Galdino? Diz o senhor.

— Basta, negra! Basta!

Calíope ficou atrás de Galdino e ergueu sua cabeça, enfiando a mão em seus cabelos e puxando com força. A ferida na testa do homem sangrou novamente quando ele franziu o couro involuntariamente e soltou um grito de dor.

Calíope mostrou a Galdino o punhal com a lâmina que havia perfurado o peito de Mariano e depois tirado sua vida humana. Num movimento rápido a negra abriu a garganta do homem num rasgo só. Caminhou lentamente para a frente da vítima. Ficou hipnotizada, olhando a sangria lavar o pescoço e empapar a camisa do senhor de cafezal.

— Agora basta, seu Galdino.

O homem, moribundo, soltou um suave borbulhar pela boca, sem conseguir emitir palavra, só aquele sinistro som de morte.

Calíope arremessou o punhal contra o tronco e lá deixou a lâmina cravada.

Dom Braga circulou o comboio de café abandonado. Seu faro não lhe enganava. Abaixado, num canto, assustadiço e tremendo, um negro observara toda a cena.

— Como é teu nome, rapaz.

O jovem negro levantou-se, exalando perigosamente o sedutor cheiro do medo.

— É Alberto, dom Braga.

— Viu o que a Calíope fez?

— Vi, sim, senhor.

Dom Braga balançou a cabeça positivamente.

— Bom. Muito bom. — fez uma pausa enquanto andava para perto do negro. — Conte para todos seus irmãos, meu rapaz, que agora existe um anjo negro, vingador dos da tua raça.

O jovem ficou hirto com a proximidade daquele homem tão estranho. Só sua cabeça balançava, reflexo de seu pavor.

— Vejo seis carroças de café, Alberto. Você sabe quanto vale cada saco desse aí?

— Sei, sim, senhor?

— Sabe chegar ao mercado?

— Sei.

— Pois então vá até o mercado de café com essas seis carroças. Negocie pelo melhor preço. Quero ver se você tem tino para lidar com números.

— Tenho vontade de aprender, senhor. Sou bom com a lida do café e conheço a qualidade dos grãos. Mas sou só um negro. Não me deixam negociar no mercado.

Dom Braga foi até o cavalo e vasculhou o alforje. Era claro que o fazendeiro não se evadiria sem levar boa soma em dinheiro. Encontrou a arca e, usando só a mão, arrancou o cadeado com um puxão. Abriu a arca e tirou um punhado de notas, voltando até o negro.

— Alberto, vá amanhã até o alfaiate Donizete. Diga a ele que é meu funcionário livre e pago. — depositou a vultosa soma na mão do rapaz. — Peça que lhe corte um bom terno e meia dúzia de camisas. Vá cedo e peça que faça um terno o mais rápido possível, situação de emergência. Pague o dobro do preço que ele pedir para que fique pronto ainda amanhã. Compreendeu?

— Sim, senhor, Braga.

O fidalgo lusitano tirou um anel de sua mão. Ouro com um rubi incrustado. Enfiou a jóia num dos dedos do negro.

— Com os trajes de senhor e esta jóia nos dedos vá até o mercado e diga que representa dom Braga, homem que não aceita desvantagens na lida com funcionários negros. Eles conhecem muito bem meu gênio e minha índole. Farão bom negócio com você, jovem Alberto. Venda pelo melhor preço. Encontre-me quando tiver o dinheiro do valor de quatro carroças na pensão do mestre Franco.

— Quatro... quatro carroças, senhor?

— É claro, rapaz. Quatro carroças.

— Mas... mas eu vou levar seis carroças.

— Ora, pois. Não estou a dizer que me representará como funcionário livre e ordenado. Traga-me o dinheiro de quatro e fica com o valor de duas carroças para os seus bolsos. É tua paga por esse favor.

O garoto engoliu a seco. Era muita coisa para poder acreditar.

— Faça tudo direitinho que terei muito trabalho para você, rapaz. Digamos que eu levo uma vida muito agitada.

— Sim, senhor.

Acertado tudo com Alberto, dom Braga voltou até Calíope que ainda observava o, agora, cadáver de Galdino.

Vamos embora, menina Ondinha. Seus olhos não têm nada mais para apreciar por aqui. Vamos encantar outras vilas, outros ares. O mundo é muito mais interessante do que Belo Verde.

Os vampiros deixaram a Fazenda São Jorge sem olhar para trás.

Brites pressionou uma tecla e interrompeu o *player* eletrônico que tinha reproduzido o longo depoimento de Calíope que tinha perdido para atender o evento do Túnel Ayrton Senna.

Havia de concordar com o inoportuno professor Delvechio que a vampira era algo precioso nas mãos certas, desde que devidamente contida. Sua forma de contar, sua voz, suas pausas eram encantadoras. Os detalhes dos fatos acontecidos eram envolventes, dignos de uma novela das oito ou de um filme macabro. Ele mesmo não duvidava mais de que a vampira tinha vivido cada uma daquelas palavras que colocava para fora, daqueles dias antigos que ilustrava. De alguma forma até mesmo a vampira parecia comovida em prestar aquele depoimento extenso, ficando, de alguma maneira, mais íntima dos presentes, expondo até mesmo certas vulnerabilidades. Brites inspirou fundo. A vampira podia estar meramente encenando um jogo. Criando uma arapuca.

A narrativa era no todo sombria e apavorante. Calíope contou meticulosamente o que vira e também o que ouvira da boca de sua sempre amiga, negra Naná, para formar todo o quadro que se formou em seus derradeiros momentos na Fazenda São Jorge. Não tirava a razão da vingança que engendrou, mas seus atos reforçavam todos os aspectos negativos da natureza de um infecto. Eram perversos e implacáveis. Calíope e seus semelhantes tinham de ser localizados e detidos a qualquer preço.

CAPÍTULO 44

Lusco-fusco. Patrícia abriu os olhos em seu canto escuro. Sua cabeça ainda rodava. Quando se moveu para fora do esconderijo, assustou-se com um movimento nas sombras. Dom Ignácio estava ali, em seu quarto, de pé, olhando-a fixamente. Patrícia sentiu seu corpo inteiro queimar. Mentalizou a coroa de espinhos que enrodilhou espectralmente sua cabeça imediatamente. Concentrou-se nessa imagem enquanto ao mesmo tempo tentava dissimular o espanto com a presença de Ignácio, bem ali, em seu quarto.

Ignácio, com o rosto sério, moveu-se tão lentamente em direção à garota que parecia deslizar sobre o chão acarpetado. Mexeu em seus óculos e ajeitou-os no lugar antes de encará-la novamente.

— Por que acha que pode agir a qualquer momento, Patrícia? Com que direito colocou minha operação em tremendo risco ontem à noite?

A vampira permaneceu calada. Pensou em Bruno e sentiu um cutucar ao lado de sua cabeça. Ao que parecia o amigo estava por perto. Espantou pensamentos e focou na pergunta do vampiro.

— Você me chamou para acabar com gente ruim, Ignácio. Você me apontou o caminho. Simplesmente segui meus instintos.

— A Jugular não está aos seus serviços, Patrícia. Serve aos meus propósitos.

A vampira caminhou lentamente até a porta. Sentia algo perturbador. Ignácio não a estava acalmando mentalmente, como sempre fazia, toda vez que chegava ao meio do quarteto em crise. Sua mentalização parecia surtir efeito, posto que o veterano não conseguia entrar em sua mente para nublar seu julgamento. Então era sabido presumir que ele não se sentia confortável com a situação.

— Por falar em propósitos, Ignácio, você me seduziu prometendo uma lista negra, gente podre e serviços para aliviarmos o mundo de malfeitores, de bandidos.

— Sim. Exatamente, minha querida vampira cheia de princípios. Era isso que você precisava ouvir para começar a agir. Acreditar que estava fazendo o bem.

— Eu acreditava em você, Ignácio. E acredito que estou fazendo o bem.

— E por que não acredita mais em mim? — perguntou o vampiro, alterando um pouquinho seu tom de voz e aproximando-se da vampira. — Será que algum passarinho violeta andou te soprando coisas no ouvido? Será que um certo vampiro renegado que quer o meu fim a qualquer preço andou inventando histórias malucas para envenenar seu julgamento?

— Nem passarinho, nem vampiro, Ignácio. "O Senhor é meu pastor", isso me envenenou.

— Um amigo que eu tive costumava falar muito disso quando vivi nos campos da Itália. Tentava me convencer de todas as formas que meu infortúnio, mesmo sendo trazido pelas mãos e obras daqueles que estão tão próximos do pastor não passa de uma meta, uma provação colocada em minha vida. O bom pastor queria saber até quando esta ovelha seca e doente seria capaz de ter fé. Francisco era a paciência encarnada. Aprendi muito com ele.

— As armas, Ignácio... As armas que tiramos dos contrabandistas na missão passada... em poucas horas, Ignácio, foram parar nas mãos dos bandidos que roubaram o *show* sertanejo. Como, Ignácio? Como as armas que entregamos para Bert, que acreditávamos piamente que seriam destruídas ou resguardadas do mundo da bandidagem estavam nas ruas novamente? Bruno quase morreu naquela noite. Eu fui baleada. Raul voltou aos trapos. Tanto trabalho para sermos apunhalados pelas costas. Consegue me dar um motivo para não te dar as costas e nunca mais acreditar em uma palavra que saia da sua boca?

Ignácio, pela primeira vez que falava com a vampira fora pego de surpresa. Seu assombro só aumentou quando Patrícia deu um passo à frente e colocou um dedo petulante no meio de seu peito e empurrou-o para trás.

— Quem é Sofia? — perguntou a garota.

Ignácio não conseguiu esconder a perturbação. Andou de volta às sombras, quase desaparecendo contra a parede, como se, por um esgar de segundo, uma fração infinitesimal de tempo, tivesse se assustado.

— Muito boa, Patrícia. Você é boa até demais. — tornou a voz seca do vampiro, agora saindo das sombras e, ao erguer a mão, fez Patrícia voar de encontro à parede oposta. — Não consegui penetrar nessa sua cabecinha de novata nem por um instante e, como se não bastasse, fui assaltado por seus pensamentos. Não é a toa que Sétimo era um dos piores demônios. O sangue de Sétimo desprendeu suas melhores qualidades. Destilado em suas veias, o poder ancestral do vampiro concedeu-lhe uma força mental admirável.

Patrícia não tinha chegado a cair, mas sentiu como se o ar tivesse virado rocha por um instante e perdeu completamente o equilíbrio quando o vampiro ergueu a mão. Agora tinha-se recolocado de pé e olhava nos olhos castanhos de Ignácio.

— Quem é Sofia? — repetiu a vampira.

Num supetão a porta foi aberta. Patrícia virou o rosto ligeiramente e instintivamente seus olhos brilharam vermelhos. Uma vampira de profundos olhos azuis estava parada no corredor e a encarava de maneira fria. Demorou uma eternidade até que a vampira entrasse e abrisse um sorriso, exibindo presas curtas, agudas e curvas.

— Ora, ora, se não estou diante da tão falada Patrícia.

Isabela, a vampira ruiva de voz grave, aproximou-se da novata. Isabela era mais alta que Patrícia, que batia em seus ombros. A ruiva levou as mãos ao rosto da menina e acariciou suas bochechas.

— Tão pequena... — fez uma pausa enquanto seus olhos cintilaram rapidamente. — Mas tão poderosa.

Isabela tirou a mão do rosto de Patrícia e olhou para o mestre.

— Ignácio não pára de falar de seus dotes, seus encantos de cria nova. E também desse seu poder particular. — disse, deixando a fala um tanto mais ácida no final.

Patrícia reforçou a mentalização da coroa de espinhos. Reforçou a necessidade de se manter concentrada e fechada. Isabela tinha entrado naquele quarto, daquela forma tão repentina muito provavelmente para intimidá-la e drenar sua atenção enquanto Ignácio manter-se-ia firme no intuito de vasculhar seus pensamentos. A novata arfava e isto era visto pelos dois vampiros anciões. Patrícia estava dando-lhes um pouquinho do gosto da vitória, demonstrando que a presença dos antigos estava sufocando-lhe, minando-lhe a bravura.

— O bom dom Ignácio me enche de ciúmes com palavras tão nobres e tão bem escolhidas para descrever sua figura, minha amiga da noite. Só há elogios para ti desde que esse velho fidalgo português acolheu vocês quatro. Quando me falou de seus três amigos não levou uma hora para apontar todas as virtudes, de todos. Dos três. — reforçou, enquanto acariciava o cabelo da garota e andava até o magro e alto vampiro. — Mas quando abriu a boca para descrever aquela que ele acreditava ter surgido para ser a líder desse bando, quando inspirou fundo para escolher as palavras certas para enaltecê-la e pediu que eu sentasse em uma antiga e elegante poltrona logo à frente dele... foram horas, Patrícia. Horas de blablablá. Parece até ter esquecido de nós, suas velhas amigas. — arrematou a venenosa figura.

Patrícia ficou estática, fitando a criatura. A veterana trajava um sobretudo de couro branco, com peles cheias e leves que se projetavam do colarinho balançando suavemente ao menor movimento da dona. Pareciam pequenos tentáculos flutuantes, tão alvos que se confundiam com a pele da vampira ruiva. Seus cabelos estavam soltos, longos e ondulados. Calçava um par de botas brancas de bico fino e salto alto que se mimetizava ao encontrar a barra do sobretudo. Como era bela a vampira! Não podia distrair-se. O que Isabela tinha de formosura e atrativos também teria de presas e poderes. Reforçou sua mentalização. Tinha de sair dali.

— Você está diferente esta noite, Patrícia. — deixou escapar Ignácio. — É praticamente um mistério para mim. Antes eu olhava em seus olhos e era como olhar para águas translúcidas. Agora teus olhos parecem um fosso sem-fim, um fosso seco e cheio de ramos secos. O que mudou em ti, menina? Parece que se eu chegar muito perto para lhe confortar acabarei me machucando em espinhos.

Patrícia moveu-se até a porta sentindo um frio na barriga.

Isabela desprendeu-se do ombro de Ignácio indo em sua direção.

Para a garota aquilo soou como um tipo de aviso. Sabia que não alcançaria a porta se a vampira não quisesse. Isabela saberia usar a velocidade noturna muito melhor que ela. Isabela era uma vampira antiga. Quão antiga não poderia dizer, mas ela exalava perigo pelos olhos azuis. Não era uma novata, de jeito nenhum. E era amiga de Ignácio. Patrícia relutava em lembrar dos acontecimentos da noite anterior, mas era difícil. Os avisos do vampiro Samuel pareciam se encaixar.

— Vamos para a sala. — disse o velho vampiro. — Temos muito o que conversar, eu e vocês quatro. Isabela está dispensada desse inconveniente.

A vampira ruiva e de olhos azuis fitou o ancião. Parecia lhe dizer alguma coisa com o olhar.

— Vá, Isabela. Está tudo sob controle. Só quero os meus pupilos, nada mais.

Isabela deixou o quarto primeiro. Patrícia foi logo atrás da mulher enquanto a sombra e a presença pesada de Ignácio parecia lançar tentáculos em suas costas. O corredor até a sala nunca pareceu tão longo e tão sombrio. Patrícia parecia ter diminuído, sentindo-se um ratinho, um camundongo num labirinto cujos corredores conduziam a ratoeiras imensas e inescapáveis. Quando chegou à sala o olhar dos três amigos caiu direto nela. Aparentemente todos percebiam sua aflição. Bruno adiantou-se e abraçou a amiga.

— Patrícia... — murmurou o rapaz, enrodilhando-a em seus braços.

Patrícia ficou feliz em encostar a cabeça no peito largo de Bruno. Era como achar um cavaleiro montado num cavalo branco, tangendo uma lança contra dragões que a espreitavam. Patrícia olhou nos olhos do amigo sem nada dizer. Virou-se para o restante dos colegas que a observavam. Raul tinha os olhos mais negros que ela já tinha visto. Era como olhar para os olhos de outra pessoa. Negros e magnéticos. Exalavam algo diferente e tão poderoso que ela teve medo de continuar encarando o amigo.

Raul sorriu e se aproximou.

— Patrícia, você está bem?

A garota não falava uma palavra. Sua luta era para manter a mente selada. Tinha medo que Ignácio detectasse qualquer coisa. Tinha de continuar concentrada. Estava sufocando. Estava se sentindo tonta. Não ia conseguir esconder o segredo do encontro com Samuel. A coroa de espinhos formada em sua cabeça se mantinha firme e forte, mas sentia agora as pontas aguçadas e duras dos ramos ferirem sua pele, como se uma mão invisível as enterrasse ainda mais em seu crânio.

— Eu não estou bem! — gritou, de repente.

Bruno largou-a.

— Estou cansada. Estou louca da vida!

Os três rapazes se entreolharam e depois olharam para Ignácio.

Raul olhou para os cantos da sala. Não via mais a vampira ruiva que fizera uma visita inesperada na noite anterior, machucando-lhe o peito e dando-lhe tanta força que era impossível deixar de usar. Tinha-se transformado completamente. Sua mente tinha mudado, seu tato, mas principalmente a sua fome tinha mudado. Desde que despertara naquela noite um vazio queimava em seu estômago. Ignácio tinha surgido e pedido que todos aguardassem ele voltar com Patrícia. Os minutos que se passaram de espera foram minutos de angústia. Raul queria sair para caçar. Precisava acabar com aquela sede abominável que tomava conta de seus sentidos. Precisava se aliviar daquilo. Queria alguns pescoços em sua boca. Alguns gemidos em seus ouvidos. Isso, sem contar que queria interpelar a belíssima vampira que se apresentara na noite passada. Os olhos azuis profundos tinham um poder avassalador. Queria estar com ela, conversar com ela, saber por que ela tinha feito aquilo com ele. Saber se ela tinha-lhe injetado uma maldição ou uma dádiva.

— Até agora você, Ignácio, não me explicou como as armas que nós tiramos dos contrabandistas foram parar nas mãos dos mesmos bandidos que assaltaram o ginásio.

Os rapazes se entreolharam. Aquilo era novidade.

— Não há a menor chance das armas usadas no assalto serem as mesmas que entregaram a Bert na noite passada.

— Eu vi com meus próprios olhos. Eu peguei um dos fuzis lá, quando estávamos perto do galpão e ele tinha uma placa entalhada muito particular. Vi a mesma placa na coronha do AK-47, com o mesmo salmo da Bíblia... a mesma arma que tiramos dos traficantes tentou derrubar Bruno dentro do túnel. Muita coincidência, Ignácio!

— Modere seu tom de voz, minha cara. Certamente um mal-entendido está provocando essa situação entre nós, irmãos de raça, irmãos de propósitos.

— Meu propósito é acabar com gente ruim! — bradou a garota.

Ignácio andou pela sala, indo até a sacada. Fitou longamente o parque. Tentava disfarçar sua irritação. Patrícia era uma novata incomum, não conseguia sondar seus pensamentos naquele momento. Talvez a raiva que ela vivenciava naquele instante estivesse gerando esse inconveniente. E o pior, era tão boa que tinha farejado fração de seus pensamentos, mencionando o nome de Sofia. O ancião virou-se e encarou o bando. Os filhos de Sétimo ainda eram uma incógnita para o vampiro.

— Vocês são meus funcionários. Não se esqueçam nunca disso. Entraram para um negócio que não podem sair. Estão aqui para executar os serviços que a agência Jugular colocar diante de vocês. Serão sempre bem pagos, serão sempre bem cuidados e vigiados. Não autorizei a incursão de vocês no caso do assalto do Ibirapuera. Não permiti que usassem as armas da agência nem nosso equipamento para interferir.

— Eles iam matar aquela gente. — disse Alexandre.

— Iam? — indagou Ignácio, erguendo os ombros. — E vocês tinham de salvá-los? Era obrigação de vocês? Pelo menos uma dúzia de pessoas está sob a mira de armas agora nesse país. Vocês vão salvar todas elas?

— Não. Não salvaremos todos, Ignácio. Somos vampiros que querem sangue de bandidos e a televisão nos entregou de bandeja um bando deles. Não é porque eu sou uma garotinha que vou enfiar meu rabo entre as pernas. Minha imortalidade vai servir para algum propósito. Não serei uma sombra pálida e escondida nunca mais.

— Muito nobre de sua parte, Patrícia. No entanto, preveni que devem, sim, se manter nas sombras. Viram o circo em que aquilo se transformou? Já ligaram a televisão hoje? Sabem do que estão falando o dia inteiro? Quantos milhões serão precisos para recuperar o túnel e o lago do Ibirapuera! Vocês destruíram um túnel e o lago do Ibirapuera! Vocês chamaram a atenção do mundo inteiro. De vampiros do mundo inteiro. O Exército vai redobrar seus investimentos no Serviço de Contenção. Vai triplicar sua truculência. Vai aniquilar com todos de nossa raça. E vocês acham que ficarão incógnitos? Todos saberão que foram os vampiros de Ignácio que fizeram aquele circo. Eles vão achar vocês, vão fatiar vocês, vão acabar com vocês.

— Não tenho medo deles, Ignácio. — rebateu Patrícia. — Tenho medo de você.

Um silêncio pesado marcou a sala. O ar ficou tão denso que parecia que imobilizaria todos ali por décadas. Ignácio ficou com seus olhos presos em Patrícia. A garota estava certa.

— Mantenham-se nas sombras, vampiros. Mantenham-se invisíveis que nada acontecerá a vocês. Mais uma palhaçada igual à de ontem a noite, aí, sim, Patrícia, te darei motivos de sobra para temer a minha figura. Você não me conhece, garota. Não tem idéia do vespeiro em que enfia tua mão doce. Vocês são meus vampiros e farão o que eu mandar. Sou muito, muito paciente... mas sei ser muito, muito severo.

Ignácio proferiu o aviso e desapareceu diante dos olhos dos novatos.

Raul correu até a sacada a tempo de ver o vulto do delgado ancião correr entre as árvores do parque escuro.

Os quatro se olharam. Os rapazes fixaram os olhos em Patrícia. Ela estava lívida e parecia que ia chorar.

— Ignácio está nos manipulando. Ele está nos enganando. Ele não é nada do que nos disse. Ignácio é um demônio e quer nos lançar numa jornada que nunca sequer sonhamos.

— Deus do céu, Patrícia! De que diabos você está falando? — inquiriu Bruno, aproximando-se da amiga e tomando suas mãos.

— Preciso ensinar a vocês como bloquear seus pensamentos. Já!

Os vampiros ainda sentiam o peso das palavras do ancião e sabiam que Patrícia não estava de brincadeira. O cheiro de tempestade e contenda pairava no ar.

CAPÍTULO 45

Samuel adentrou o bar. O mesmo que estivera na última vez em que fora salvo pela *barwoman* e conseguira dar no pé, deixando para trás alguns corpos para o Serviço de Contenção carregar para casa. Logo que entrou, buscou o dono do estabelecimento com o olhar. O velho já estava com o telefone na mão. Samuel foi tão rápido que ninguém percebeu seu movimento, só o infeliz delator. Samuel segurou a mão do velho e aproximou a boca de seu ouvido.

— Esse é o meu bar favorito, seu Alcides. Nunca causei encrenca aqui até o senhor dar com a língua nos dentes. Se eu ouvir aquelas sirenes de novo, acabo com aqueles soldados e volto aqui para arrancar seu coração pela boca, está ouvindo?

O velho tremia de olhos arregalados. O infecto não estava brincando.

— Eles não conseguem me pegar, mas eu consigo pegar o senhor.

Samuel soltou-o e voltou para o lado do balcão destinado aos fregueses. Olhou para a garota que lhe tinha dado um toque da última vez e lançou uma piscada. A garota sorriu e veio atendê-lo.

— Tudo certo com você?

— Graças a uma certa gentileza sua, tudo certo.

— Tá me devendo uma, garotão.

— Com certeza. Quando precisar é só chamar.

A *barwoman* preparou o drinque de Samuel. Não precisava perguntar qual era. Toda semana o pálido cliente pedia a mesma coisa e ficava sentado ali por algumas horas.

— Você mora longe? — perguntou o vampiro.

— Uma quitinete aqui perto. É apertadinha, mas aconchegante.

— Sei. — devolveu Samuel, com um sorriso nos lábios. — Eu passo lá uma hora dessas.

A garota sorriu.

— Será bem-vindo. Pode vir à minha casa quando quiser.

Samuel tocou a mão da garota e segurou firme.

— Um convite desses eu nunca esqueço.

A garota puxou a mão suavemente e virou-se para atender outro freguês no balcão.

— Tomara. — balbuciou, afastando-se do vampiro.

Samuel apanhou o copo com bebida e serviu-se de um mínimo gole, o suficiente para umedecer sua boca. O sorriso morria lentamente enquanto as preocupações levantadas na noite anterior acendiam em sua cabeça.

— Conseguiu o que queria, garotão? — indagou uma foz grave a suas costas.

Samuel surpreendeu-se com a presença dela naquele lugar. Isabela era discreta. Costumava manter encontros em locais reservados mesmo quando Ignácio queria mandar recados urgentes. Eram conversas raras e, geralmente, no meio de cemitérios.

— Ela deixou a porta da casa aberta, pobrezinha. Acha que está atraindo um *dom-juan* para a sua arapuca, quando na verdade está expondo seu canto sagrado a uma besta noturna que chegará mansinha como um amante e então, depois de satisfeito os desejos da carne, nhac! Satisfará o desejo egoísta e solitário do sangue.

— Descreve a ti mesma, ruiva?

Isabela sentou-se ao seu lado. Vestia um casaco branco com golas e punhos de pele de animais igualmente alvos. Seu cabelo vermelho e seus olhos brilhantes não deixavam nenhum dos homens no ambiente em paz. Todos torciam os pescoços para trás para tentar adivinhar quem era aquela beldade.

— Você só aparece quando aquele xarope quer alguma coisa. O que foi dessa vez? Por que seu chefinho está irritadinho?

— Isso é você quem sabe. Ele nunca me mandou até você sem ter um bom motivo. O que você aprontou dessa vez, safadinho?

Samuel meneou a cabeça fazendo-se de desentendido.

— Se não quer nos ajudar, não nos atrapalhe. Ignácio nunca expôs nenhum de nossa extirpe. O que a garota fez foi burrice da grossa. Não se aproxime dela mais nenhuma vez, entendeu. — ameaçou a vampira, com a voz seca e os dentes pontiagudos quase tocando o pescoço do inimigo.

Samuel continuou imóvel e frio. Isabela não ia começar uma luta ali dentro. Não com tantos celulares sobre as mesas, não com tantas notícias de infectos aqui e ali. Se viera justamente para relembrar sobre o pacto de manterem-se incógnitos, não começaria um arranca-rabo num bar badalado do centro da cidade.

— Volte até o chiqueiro do seu patrãozinho e diga para ele cuidar da vida dele, vampira. Vocês me empurraram para dentro deste trem de desgraças sem ao menos perguntarem se eu queria um bilhete ou não, se eu queria sentar na janela ou no corredor. Então, da minha vida escura faço o que bem entendo.

— Você é muito valente para um vampiro tão novo.

— E você é muito burra para uma vampira tão velha.

Isabela agarrou o pulso de Samuel e gravou suas unhas de gelo na pele do rapaz.

— Burro é você, Samuel. Por que quer caçar confusão com um vampiro tão poderoso? Por que quer ser alvo de alguém contra quem não terá a mínima chance de vitória?

— Você faz muitas perguntas para quem tem tantas certezas, minha cara vampira. Se eu fosse tão insignificante assim, por qual razão no céu ou no inferno Ignácio te mandaria aqui, feito pombo correio, para arrulhar nos meus ouvidos? Ele poderia acabar comigo assim, num estalar de dedos. Blablablá. Você e Calíope já disseram isso meia dúzia de vezes, mas até agora não ouvi nenhum estalo mágico.

Samuel moveu a cabeça e fitou-a em silêncio. Ela ainda não sabia, mas a placidez daquele encontro estava por um fio, um fino e danificado fio.

— Ignácio tem um propósito. Ignácio está levando aqueles quatro para um nível que nenhum de nós jamais chegou. Ele vive nessa terra há mais de seiscentos anos. Ele conhece coisas que você não sonha existir.

— Solte meu braço, ruiva. Solte meu braço agora ou eu vou te mostrar uma coisa que você não sonha existir.

Isabela obedeceu, não por covardia, mas por mera conveniência. Queria agarrar a garganta de Samuel e enfiar a cabeça dele no espelho do outro lado do balcão, mas, feito isso, seria um caminho sem volta. Ela tinha ido ali para um alerta, não para uma guerra.

— Fique longe da vampira Patrícia, que nada te acontecerá. Se desobedecer, será um sinal de guerra. E eu sou a soldado da frente, bonitão.

— Se a conversa está chegando a esse ponto, Isabela, só há uma razão. Ignácio está perdendo o controle da situação. Eu não tenho nada a ver com o medo que ele tem. O mundo está ficando agitado demais para o velhinho e os fantasmas que ele prendeu no armário e jogou a chave fora estão batendo na porta. Ignácio está com medo, minha cara. Aceite esse fato. Ele tentou me convencer de todas as maneiras a participar dessa palhaçada de agência Jugular. Usou todas as cartas e na última delas eu li a palavra medo, escrita embaixo de um sete de ouro. Ele é um morto-vivo que cavou a própria cova, um covarde. Ele tem medo.

— Não atrapalhe nosso caminho com suas bravatas. Você sabe coisas que outros não sabem, pode ter algum valor, mas não seja um obstáculo ridículo. Ele só quer que você suma da frente da vampira.

— Teu mestre é muito sábio. Teu mestre vive nessa terra por muito tempo. Todos nós nessa vida escura sabemos disso, querida. Não precisa vir num bar para ficar matraqueando e me enchendo o saco. Acontece que algo que não acontecia sucedeu justo agora. O destino é cheio dessas brincadeirinhas sem graça. Eu gostei da vampira desde o primeiro segundo que botei os olhos nela. Eu vou defendê-la de seu patrãozinho com unhas e dentes. Quanto a meu sentimento por Patrícia... quanto a isso, ele não pode fazer nada.

— Ela armou um circo ontem à noite. Tudo está se complicando porque ela quer andar com as próprias pernas.

— Mas foi Ignácio que alongou as pernas dela, do que ele está reclamando agora?

Isabela não esperava uma resposta espirituosa daquelas. Ficou calada um instante.

Samuel sorveu mais um gole da bebida. Seus olhos dançaram pelo bar, observando placidamente seu Alcides, depois a prestativa e atraente *barwoman*, alguns dos fregueses alheios à tormenta do mundo das trevas no balcão do bar. Finalmente seus olhos voltaram para os oceanos azuis que Isabela trazia nos olhos.

— Contam nas ruas, minha querida, nos mais recônditos e exclusivos santuários, certas coisas que batem com o que eu já ouvi, e, em parte, é verdade, da boca de seu patrão. Havia nessa terra, há muito e muito tempo, um homenzinho chamado Jó. Um belo dia Deus e o Diabo resolveram fazer uma apostinha, uma brincadeirinha entre eles, manja? Estilo queda-de-braço, coisa de machão, só pra ver quem era o mais forte.

Os olhos da vampira se arregalaram. Ele citava o Jó bíblico, era óbvio, mas nada naquela noite soava como coincidência.

— O pobrezinho do Jó se lascou de verde e amarelo porque lhe tiraram tudo, fizeram sofrer os piores castigos só para testar a fé do pobre coitado em Deus. O Diabo fez Jó secar, fez Jó adoecer, ofereceu mundos e fundos para Jó abandonar seu amor e sua convicção. O Diabo lutou com tudo o que tinha para ter Jó para si. O Diabo confabulava, armava planos, engendrava fábulas, enchia Jó de chagas mas nunca conseguia chegar perto de Jó. A fé de Jó o guardava. Um guardião forte e implacável. Jó estará para sempre longe das garras do Demônio. E eu, minha amiga, sou um de seus guardiões. Sabia disso? Aposto que não. Aposto cada moeda que não. O Demônio parece saber tudo, Isabela. E é assim que ele conquista a tudo e a todos. Com seu encanto, com sua cultura, com seu carisma. Mas no fim das contas, meu doce de cabelos de fogo, o Diabo não sabe tanto assim. Eu sou um guardião de Jó, como já disse e repito, farei o que bem entender da minha vida escura.

Isabela levantou-se rapidamente e foi a vez de Samuel agarrar seu braço, cravando-lhe as unhas para que não saísse dali sem ouvir o final do que tinha a dizer.

— Dizem por aí que Jó passaria por tudo, tudo de novo sem nem mesmo olhar para o lado dessa vez. Jó não tem olhos para o Demônio. Jó só tem olhos para a verdade. E todos pagam o preço um dia. Diga para seu mestre que todos pagam o preço um dia. — terminou o vampiro, abrindo sua mão e deixando o pálido e marcado pulso da vampira livre para ir.

Isabela simplesmente desapareceu do bar.

Samuel sorriu. Via em sua mente um par de dez e mais três cartas sem valor. Virou o restante da dose e chamou a *barwoman*.

— Eu já vou, meu anjo negro. Os negócios me chamam.

— Vai lá, bonitão. Essa fica por conta da casa.

Samuel sorriu e balançou a cabeça.

— Você está mexendo com fogo, garota. Não devia fazer isso.

— Eu sei, bonitão. Eu sei.

Samuel foi até a calçada. O cutucar em sua cabeça indicava que Isabela estava se deslocando em grande velocidade. Não estava vindo em seu encontro. Estava indo para a mansão de Ignácio no topo do edifício Martinelli. Ventava um pouco àquela hora. Caminhou até a calçada do outro lado e fez sinal para um táxi, enquanto tirava um celular do bolso do casaco. Tinha de falar com Patrícia imediatamente.

O táxi passava em frente à igreja da Sé, que costumava estar fechada àquela hora. Samuel via uma procissão enorme, uma fila sem-fim de gente trazendo vê-las protegidas do vento.

— É, depois que começou a aparecer esse negócio de vampiro na televisão, moço, as igrejas tão ficando abarrotadas de novo. — comentou o motorista.

— Pois é. O povo vive precisando de um empurrãozinho para voltar a ter fé em alguma coisa. — comentou o vampiro.

— Eu mesmo tentei comprar uma réstia de alho hoje, quem disse que achei? Revirei aquele CEASA de cabo a rabo e nada.

— Eu não gosto de alho. Não vai me fazer falta nenhuma.

O motorista, sorrindo do comentário do freguês, olhou para o retrovisor perdendo a cara despreocupada. O freguês era pálido.

— Para onde o senhor disse que ia mesmo?

— Pedi que parasse lá em cima, em frente ao quartel do Corpo de Bombeiros da Consolação. Meu irmão está de plantão. Vou passar para deixar um recado.

— Ah, tá. — respondeu vagamente o motorista, enquanto apertava forte o volante e começava a rezar um pai-nosso mentalmente. Sabia perfeitamente que quando parasse para deixar o cliente em frente ao Corpo de Bombeiros estariam nos portões do Cemitério da Consolação. O motorista engoliu a seco e pressionou o acelerador. Quanto antes se livrasse daquele estranho freguês pálido, melhor.

CAPÍTULO 46

Quando Isabela entrou na suntuosa sala da cobertura de Ignácio, encontrou o mestre sentado em uma confortável poltrona. Ele via televisão, com os olhos imóveis, atento às palavras do noticiário.

— Meu bom Ignácio...

— Shhh! — chiou o vampiro, colocando um dedo na frente dos lábios.

Isabela aproximou-se. As cenas exibidas eram repetidas. De um presídio devastado por uma infecta e um lobisomem.

— Quando te disse que a segunda dose não seria para nenhum deles, nenhum dos pupilos restantes do turno da noite, eu estava falando dela.

Nesse instante a figura de uma vampira loura, de olhos verdes, surgiu na frente do monitor da penitenciária, para em seguida a tela encher-se de chuviscos.

— Ela acabou com um presídio inteiro. Ela tem o sangue de Sétimo nas veias. É uma cria de primeira linhagem, muito mais poderosa que Raul, Patrícia e os demais. E existe alguma coisa nela que não sei explicar. Tanto ódio... podemos trazê-la para o nosso lado também.

— Se assim o senhor quer, meu mestre.

Ignácio levantou-se e a TV desligou sem que ele usasse o controle. Ele andou sobre o tapete antiqüíssimo e foi até um dos janelões da mansão. A cidade estendia-se diante seus olhos.

— Contudo é preciso que se apresse, meu mestre. Meu encontro com teu desafeto foi um tanto... perturbador.

— Você se preocupa demais com aquele imbecil. Samuel não é meu maior problema. Ele é só um chato no meio do caminho, que está se engraçando justamente com Patrícia. Meu único problema, de verdade, é Jó. E agora, de uma hora para outra, desde que os infelizes irmãos do Rio d'Ouro deram o ar da graça por essas bandas, esse problema se acentua hora após hora, criando um tiquetaquear ensurdecedor em meus ouvidos, deixando-me louco e cego.

— Samuel diz ser um guardião de Jó.

Ignácio virou-se imediatamente encarando a vampira. Sua expressão profundamente séria e preocupada foi se dissolvendo até dar lugar a um tímido sorriso.

— Um guardião de Jó... Ah! Ah! Ah! — riu, contidamente. — Essa é boa. Os noturnos juntam pedaços de coisas que ouvem aqui e ali, juntam-se como comadres fofoqueiras e tecem hipóteses curiosas a respeito de um segredo que só eu sei e só eu presenciei.

— Mas ele disse com todas as letras.

— Ele blefou, Isabela. Ele blefou, sua estúpida, como fazem os jogadores de truco, de pôquer. E te fez vir correr como um cão fugindo de uma sova. Que vergonha, Isabela.

Isabela deixou seus olhos acenderem. Podia contar nos dedos quantas vezes dom Ignácio a havia humilhado e insultado daquela forma nos últimos duzentos e cinqüenta anos. Fosse blefe ou não, Samuel estava mexendo com Ignácio. O mestre, tão contido e suave, sempre no controle de absolutamente tudo que o rodeava, estava agora à mercê de rompantes de descontrole e perturbação visível.

— Se é um blefe, mestre Ignácio, por que não acaba logo com esse infeliz.

Ignácio andou de lá para cá. Olhou a vampira ruiva e parou.

— Samuel é um original, minha filha. É o último original feito nestas terras. Como acha que os outros reagiriam sabendo que eu acabei com um original? Como você está fazendo, os outros vampiros colocar-se-iam a me julgar. O que um novato tolo e ignorante poderia fazer de tão perturbador para fazer com que eu, dom Ignácio, o vampiro mais antigo das paragens, se dignasse a mexer um dedo contra ele? Não me tome por um estúpido, querida.

Isabela ficou sem saber dar resposta.

— E você bem sabe que aquele vampiro tem um leão-de-chácara dos bons. Você nunca o viu, eu bem o sei. São poucos que têm condições de enxergar o irmão que protege as costas do vampiro. Samuel é um ignorante, um vampiro sem alma, despreparado e arrogante, mas tem bom relacionamento em muitos níveis. Isso conta e sempre contou. Um dia esse palhaço ainda será meu aliado e eu tirarei proveito desse bom relacionamento que ele goza com o plano dos anjos.

— Mas ele sabe de Jó.

— Sabe o que todos sabem, Isabela. Sabe o que contei quando tentava desesperadamente convencê-lo a se juntar a nós.

— E o senhor fez isso justamente achando que o bom relacionamento do vampiro com o plano dos anjos lhe franquearia passagem frente aos guardiões de Jó. Você disse muitas coisas para ele, muitos segredos que eram escondidos até de mim. E agora ele junta isso com futricas e informações perdidas aqui e ali e monta um quebra-cabeça, tosco, torto e impreciso, mas forma alguma figura que nossos olhos conhecem, meu senhor.

Ignácio voltou à janela. O tiquetaquear do relógio. Isso era demais para ele. Ele era um eterno e não se importava com o tempo. Agora os minutos esmagavam sua cabeça e o conduziam a um corredor no qual tinha dado poucos e tolos passos.

— Tenho pressa, Isabela. Isso era tudo o que eu temia. A pressa e raiva nublam nossas ações. Precisamos agir agora. Precisamos unir todas as formas que dispusermos. Samuel esteve com Patrícia ontem à noite, isso eu sei. A fedelha conseguiu fechar sua cabeça para mim, mas para ter feito isso com tanto zelo e tanta obstinação deve haver um significado muito forte por trás de tudo isso. Samuel esteve com ela. Samuel lhe falou de Jó e de meu único medo, meu único inimigo real. Com toda essa trapalhada do Exército, querendo encontrar tudo quanto é vampiro e aprisioná-los em Quitaúna para um extermínio em massa, não duvido que cedo ou tarde aquele capitãozinho de meia-pataca irá ouvir algum rumor de Jó. Jó é um vampiro português como eu, raiz de todos os problemas que o Exército enfrenta e não é difícil imaginar, Isabela, esse capitãozinho movendo mundos e fundos para ir de encontro ao túmulo protegido de Jó.

— Mas ninguém consegue se aproximar, os guardiões...

— Esse é um luxo que não devo admitir. Contar com o acaso, contar com o provável. E se, minha querida, for justamente esse o propósito dos guardiões de Jó? Que eu, somente eu, aquele que quer garantir que Jó jamais desperte, não chegue perto de seu caixão? Os guardiões poderão dar passagem a Brites e todo seu aparato tecnológico. Garantir que Jó seja resgatado daquele fim de mundo por alguém que não vai destruí-lo no primeiro instante.

— Ele não conhece a chave para despertar, Jó, meu senhor. Ele não tem como conhecer a chave. Somente a bruxa poderia abrir os olhos do vampiro que tanto teme.

— Mesmo assim devo tomar certas precauções. Uma chave conhecida é a bruxa. Quero que você conduza o turno da noite para a ilha e acabe com a bruxa. Imediatamente. Sem o avatar da Deusa na terra, as chances de Jó estarão reduzidas, o sangue não será ativado. Enquanto você cuida disso e mantém Patrícia ocupada e longe de Samuel, eu me encontrarei com a poderosa cria de Sétimo, que chamam de Aléxia, e darei a ela a segunda porção do preparado. O turno da noite, Aléxia e o lobo que a secunda serão nossas armas contra os guardiões de Jó. Raul e Aléxia juntos darão conta do recado, para mim isso é claro. Mesmo que não destruam os guardiões, mantê-los-ão ocupados o suficiente para que eu mesmo apanhe o caixão de Jó.

Ignácio de pé no meio da sala baixou a cabeça e colocou as palmas das mãos cobrindo o rosto.

— A semente plantada no coração daquele vampiro não poderá germinar nunca. Desde o dia em que o vi partir para longe de minhas garras nunca mais gozei de paz plena. É agora ou nunca, Isabela. Ou me apodero de Jó e descanso em paz ou virarei um louco, um monstro que vagará pelas sombras, escondido e amedrontado por toda minha eternidade. O mundo jamais esquecerá que nós existimos e o Exército nunca cessará essa caçada... é questão de tempo até que saibam de Jó.

Isabela estava perplexa. Sabia que esse dia chegaria. Mas tinha imaginado milhares de preparativos e muito mais soldados. Ela e Calíope tinham escapado por um triz do último confronto com os guardiões. A ruiva não tinha tanta fé assim quanto seu mestre Ignácio. É verdade que Raul se mostrara uma fera soberba no confronto do túnel, mas bastaria? Ver Ignácio com medo e aflito tirava o chão em que ela pisava. Seu mestre era tudo para ela. Era uma rocha, um porto seguro. Daria seu arremedo de vida por ele, se preciso fosse.

— Vá, vampira! Destrua a bruxa da ilha!

Isabela obedeceu prontamente, saltando a janela da cobertura do edifício Martinelli e voando para o arranha-céu do outro lado do passeio. Desceu rápido e num piscar de olhos chegou até a garagem. Bert já a esperava com o motor ligado.

CAPÍTULO 47

Yuli caminhava lentamente. As roupas providenciadas por Eliana serviam e lhe cobriam com perfeição. A touca do moletom, jogada em cima da cabeça, escondia seu rosto pálido e as mangas compridas enrolavam em suas mãos. A calça *jeans* era rematada por um par de botas marrons escuras. As ruas praticamente desertas daquele bairro de Roda Velha garantiriam seu anonimato. Respirava rapidamente, igual a quando viva nas horas de alta ansiedade. Era a primeira vez que cruzava aqueles caminhos na condição de vampira. Podia ouvir vozes conhecidas para dentro dos muros e das casas que tinham visto aquela menininha crescer. Um amargo na boca e uma tristeza no coração ao passar o casarão de esquina onde um dia morou o amado namorado Marcos. Parou na calçada um instante. Olhou entre os ramos de dama-da-noite que cresciam nas hastes de ferro e enchiam suas narinas com o perfume adocicado e característico da planta. Mirou a janela do quarto que pertencera ao namorado. Vontade de gritar seu nome, tocar a campainha e ver dona Marta e perguntar se podia entrar e falar com Marcos. Beijar a boca do namorado. Yuli aproximou-se ainda mais e agarrou as grades. Seus olhos de vampira enxergavam com perfeição. Seus ouvidos ouviam mais. Tinha alguém na janela do quarto de Marcos. Uma mulher que soluçava. Yuli recuou três passos e quase caiu no meio-fio. Começou a correr. O som que tilintava em seu ouvido era o choro de dona Marta.

Quando a vampira parou de correr estava em frente a sua casa. Os muros brancos, caiados, as telhas velhas e recobertas de uma casca negra, o quintal comprido e de grama aparada, a casa térrea de três quartos onde crescera e vivera como uma adolescente normal até o dia em que, bem ali, plantada onde estava, subiu na caminhonete de Hélio para ir ao acampamento na lagoa dos Patos. Virou-se mais uma vez para os portões de madeira. Colou o rosto entre as tábuas e ficou olhando o gramado molhado.

Provavelmente o pai tinha estado ali uma ou duas horas antes e tinha ligado os regadores automáticos e teria ficado sentado na cadeira de balanço dedilhando o violão por uns quinze minutos. Yuli engoliu a seco. O dedo tremia enquanto ia até a campainha. Teria sido muito mais fácil saltar sorrateira e buscar uma janela destravada. Mas não queria entrar como vampira. Queria entrar como filha que voltava. Passou a mão no rosto, nervosa, enquanto mais nervosa ficava com o ladrar de mais e mais cães na vizinhança, acionados assim que o pai destravou a pesada tranca da porta da sala. Pela fresta do portão viu o pai, com aquele ar indignado de sempre, sair descalço para o chão frio. Se ela estivesse lá dentro teria escutado o "onde já se viu? Isso são horas" que parecia gravado como arquivo de MP3 na garganta do velho. Yuli tremia dos pés à cabeça. Imagens vinham em sua mente, tremia muito mais agora do que quando se vira cercada pelos soldados do Serviço de Contenção na Rodoviária do Tietê em São Paulo. Tremia muito mais agora do que quando tivera a cabeça de Diego entre seus joelhos e tentando rezar e se vendo mais uma vez cercada por um punhado de soldados. Agora não tinha de virar loba para fugir nem evocar poderes dados pelo inferno para vencer um obstáculo. Agora tinha de ver aquele portão se abrindo e olhar nos olhos do pai. Isso lhe causava uma sensação avassaladora. Vontade de correr e ligar de um lugar bem longe. Vontade de ficar e se agarrar na cintura do paizinho e pedir perdão e pedir um beijo e querer deitar no colo dele junto com sua mãe.

Yuli ouviu quando a chave foi inserida no cadeado e o clique liberando a grossa corrente que escorreu para o chão, caindo sobre as lajotas vermelhas que cortavam o gramado verde e iam até a porta da casa. O homem abriu lentamente o portão e ficou olhando para aquela garota mirradinha parada na frente de sua casa. Não precisava que ela tirasse a touca de moletom para saber quem é. Sua filha emanava uma energia tão conhecida, um cheiro tão gravado em seu inconsciente que era impossível não distingui-la.

— Filha! — murmurou o homem com a voz sumida.

— Pai!

Os dois se abraçaram por longos minutos, bem ali, em frente a casa, com o portão semi-aberto. O pai enfiou o nariz entre os cabelos grossos, lisos e negros da garota e inspirou fundo. Cheiro de filha. Apertou-a forte contra o peito musculoso como se não fosse deixá-la sair do meio dos braços nunca mais. Depois a segurou pelos ombros e a afastou a distância de seus braços. Os olhos da filha, rasgados iguais aos seus, tinham algo de diferente. Pareciam ainda mais iluminados e cheios de vida. Seu Gilberto levou a mão até a touca que cobria a cabeça da filha e retirou o capuz. Yuli estava tão pálida quanto a lua.

— Pai! — balbuciou a filha, abraçando o pai pela cintura mais uma vez.

— Vem, filha. Vamos entrar.

Yuli cruzou o gramado, enquanto o pai abaixava-se para apanhar a corrente e tornar a trancá-lo, sem notar que do outro lado da rua, da janela do sobrado, alguém tinha assistido toda aquela cena.

A mulher abriu os olhos sentindo uma mão fria acariciando seus cabelos. A visão nublada demorou para entrar em foco. Não houve susto no primeiro instante. Em seus sonhos a mulher queria aquilo mais que tudo. Yuli estava abaixada ao seu lado na cama e lhe fazia um cafuné gostoso. Só então dona Irene se deu conta de que aquilo não era um sonho. A garota dentro daquele moletom que ela nunca tinha visto era realmente sua filha desaparecida. Sentou-se num repente e o grito foi inevitável.

— Yuli!

A garota sorriu para a mãe e a abraçou.

— Filha, eu nem acredito? Você não está com frio? Você está tão fria! — disse a mãe, estreitando a garota nos braços.

Nesse instante o pai acendeu a luz do quarto.

Os olhos da mãe, fixos no rosto da garota, mal se moviam nas órbitas. Os olhos marejaram, mas a mulher conteve-se para não chorar. Que mãe ia querer aquilo para um filho? Que mãe quer o menor mal para um filho? Mas aquilo não era catapora nem caxumba. A mãe soltou as mãos da filha e passou os dedos nos olhos rapidamente, levantando-se e fechando a camisola. Seus cabelos tão longos, grossos e lisos como os de Yuli formaram um leque enquanto manteve a cabeça abaixada. Sua filha, com a pele branca feito papel e as veias enegrecidas na base do pescoço confirmavam que ela estava doente. Irene queria gritar, queria chacoalhar Yuli pelos ombros, mas tinha de manter a calma, manter o desespero escondidinho num cantinho do coração que só as mães têm nessa hora. Não queria que a filha ficasse alarmada. Para tudo na vida tinha um jeito. Aquilo, a coisa da doença, estava toda hora na TV, em todos os canais, já até falavam na busca da cura. O sumiço, o desespero inicial, ninguém mais soube do grupinho de namorados que fora acampar na lagoa dos Patos. Indo até o local, tanto os familiares quanto a polícia só tinham encontrado os restos de uma barraca e rastros dos pneus indo embora dali. Provavelmente uma quadrilha especializada em roubar caminhonetes tinha feito o serviço e o destino dos adolescentes era quase que certo. As famílias tinham rezado em conjunto, temendo a hora em que a notícia chegasse, que em algum ponto da mata, algum bosque afastado, pescadores ou alguém fazendo uma trilha tivesse encontrado os corpos dos filhos. Ficavam se torturando, imaginando todo tipo de aflição passada pelos garotos, mas em nenhum de seus pesadelos imaginavam que os filhos estariam expostos a esse novo mal. A mãe passou carinhosamente a mão sobre o rosto da filha. Yuli tinha sido infectada por aquela doença que tanto se discutia e que desencadeara um pânico jamais experimentado no país. As pessoas deixavam as ruas quando o sol se punha, as vendas não tinham mais alho para fornecer à população. Gente armazenava comida com medo de uma pane geral na distribuição, as igrejas voltaram a ficar superlotadas durante as missas com pedidos de proteção. Até gasolina estava faltando em alguns centros. As imagens que chegavam de São Paulo eram fortes e o Exército fazia uma propaganda ostensiva na TV para que cada suspeito de carregar aquela infecção fosse denunciado para que a praga fosse contida e um surto avassalador e incontrolável não se tornasse realidade enquanto não encontravam a cura.

Dona Irene se levantou.

Todos foram para a sala em silêncio. Yuli não quis acordar a irmã mais nova, apesar da insistência do pai. Sentaram-se ao redor da mesa de centro e ficaram quietos um instante. O pai e a mãe conversando a todo momento só com os olhos.

— Está com fome, minha filha? Quer que eu prepare alguma coisa?

Yuli só meneou a cabeça em sinal negativo.

— Você está tão pálida... — murmurou o pai.

— Por que você não ligou, minha filha? A gente quase morreu do coração. Tá todo mundo pensando que vocês estão mortos.

— Ai, mãe. É tudo tão confuso. Eu não queria ligar, eu não podia ligar. Vocês não podem fazer nada. Eu sou uma desgraçada agora... nem deveria ter vindo aqui, colocar a vida de vocês em risco.

— Em risco? Em risco por que, minha filha? Essa coisa pega, assim? Só de estar junto.

Yuli apertou os olhos e baixou a cabeça.

— Não, pai. Não pega assim.

Seu Gilberto levantou-se e andou de lá para cá.

— Onde estão os outros, guria? A gente tem de avisar a família de todo mundo. A mãe do Marcos, tadinha... tá um trapo que só vendo.

Yuli baixou a cabeça mais uma vez e dessa feita começou a chorar e soluçar.

— Onde estão os outros, filha? — insistiu o pai, um pouco mais duro na voz, querendo uma resposta.

— O Marcos morreu, pai. Mataram ele. Caçaram a gente... ele... acabaram com ele, mãe.

O pai caiu sentado no sofá em frente da filha. O Marquinho. O menino vivia ali pelas ruas do bairro. Lembrava ainda do porre homérico que o garoto tinha tomado, e batido o carro novinho da mãe no poste, tudo isso com a notícia do vestibular de medicina. Outro dia ele estava no portão beijando sua filha. Um beijo mais demorado e mais desavergonhado do que ele permitiria à filha, mas eles eram namorados há tanto tempo. Seu Gilberto ficou com a mão no rosto um segundo.

— Morto?

— Assassinado, pai! — gritou Yuli, nervosa, levantando num rompante.

Com a reação da filha, a mãe estremeceu assustada e lembrou imediatamente das frases repetidas à exaustão nos noticiários: *"Os infectos adquirem hábitos violentos. Não são confiáveis. Eles atacam os entes queridos sem razão aparente"*.

Dona Irene recuou um pouco no sofá. Yuli estava transtornada, andando de um lado para outro. A pele branca destacando-se no moletom negro. Sabia que aquela reação não era típica da filha, mas também sabia que era a reação típica de quem quer que fosse que visse seu amado ser assassinado.

— Como ele morreu? — perguntou a mãe.

Yuli parou. Ficou lívida. Como contar para os pais a situação em que o namorado morreu.

— Eu vou contar uma coisa para vocês... a coisa mais bizarra que vocês jamais ouviram. Mas não importa o que eu diga e o que eu fale, lembrem-se que vim aqui para me despedir de vocês, para estar com vocês pelo menos mais uma vez nesta vida. Eu não sou mais a Yuli que deixou essa casa para o acampamento. Agora eu sou outra coisa. Sou Yuli, uma vampira, uma cria da noite, um monstro... mas que ama vocês mais que tudo no mundo. Só queria ficar um tiquinho mais com vocês antes de sumir nesse mundo.

Irene buscou e apertou a mão de Gilberto que estava sentado ao seu lado. Trocaram um olhar rápido. Queriam discutir com a filha. Ninguém iria tirá-la dali. Ela não ia sumir no mundo coisa nenhuma. Era a filhinha deles. Tão importante quanto a irmã que dormia no quarto ao lado. A seus olhos ela era ainda a Yuli. A Luli que cresceu bagunçando e correndo com a irmã e arranhando o joelho e vindo com os bracinhos pra cima, chorando e pedindo colo. A Luli que gostava de cachorrinhos e que tinha enchido as paredes do quarto com desenhos em estilo de heróis japoneses. A menina que pulava o muro para ir brincar. Ela não era outra coisa. Ela não era uma desgraçada como se auto-intitulava.

— Yuli, meu amor. Não importa o que diga e o que tenha vivido. Não importa...

Yuli respirou fundo e começou a narrar o seqüestro perpetrado por dom Afonso e Leonardo quando estavam à beira da lagoa dos Patos. A história seria longa e cheia de sobressaltos.

✠ ✠ ✠ ✠ ✠ ✠

Os caminhões verde-oliva rodavam em direção ao bairro da Lamparina, em Roda Velha. Uma ligação anônima dava conta de que uma garota pálida vagava pelas ruas e tinha entrado na casa de uma família de orientais. Os dados fornecidos eram o suficiente para presumir que se tratava de Yuli, a garota vampira loba que vinha sendo seguida desde Osasco. Não poderiam perdê-la desta feita, ainda mais agora que pesava contra ela a morte de Cerpa e mais trinta companheiros, isso só levando em consideração suas ações no Rio Grande do Sul.

Desta vez a missão de captura da infecta era comandada por um coronel. Experiência em combate a vampiros? Nula. Contudo, era um oficial graduado e que inspirava confiança nos homens, e desde o momento da denúncia vinha reunido com o tenente Welington, oficial especialmente destacado de Quitaúna aquela tarde para liderar as duas equipes de dezoito homens do Serviço de Contenção, treinados há poucos dias em Barraquinha e munidos de toda a parafernália rapidamente introduzida por Brites após os primeiros confrontos com os vampiros. Ainda estavam na fase de erro e acerto e a cada novo embate ou depoimento colhido mais aprendiam acerca daquelas estranhas criaturas. E a amarga verdade é o que os vampiros e lobisomens ainda gozavam de uma desagradável vantagem. Eram assassinos eficazes e difíceis de se deitar a mão.

✠✠✠✠✠✠

Yuli já tinha chegado à metade de seu conto de sucessões de infortúnios e pesadelos. Já tinha contado da decisão dela e de Marcos de abandonarem a alcatéia e descrevia aos pais os derradeiros momentos junto ao namorado. Nesse momento ela fez uma breve pausa, como um hiato para exprimir o luto ainda guardado e a saudade marcada em seu peito de bicho.

Dona Irene e seu Gilberto abraçaram a filha naquele instante de silêncio. Um silêncio estranho, porque Yuli choramingava como a filhinha adolescente que viram sair de casa coisa de um mês antes, mas os pais estranhavam o corpo sempre quente e gostoso da filha e que agora era diferente, frio como uma pedra de gelo e duro feito rocha.

Foi Yuli quem notou primeiro. Uma brisa trazia cheiros diferentes para casa. Alguém espreitava. Lembrou-se daqueles que lhe prestaram socorro. Dois pontos na cabeça sentindo um leve cutucar. Os vampiros do Luxor Hotel se moviam ao lado da casa.

— O que foi? — indagou o pai, percebendo a mudança na fisionomia da filha.

— Os vampiros que me salvaram... está acontecendo alguma coisa.

— O quê?

— Não sei, mãe. Mas preciso sair. Eles estão aqui.

Dona Irene levantou-se e benzeu-se rapidamente. O pai ficou estático e boquiaberto. Como aquilo tudo poderia ser verdade? Não queria que a filha se fosse.

— Está acontecendo alguma coisa. Preciso sair.

Yuli afastou-se, indo até a porta. Olhou para os pais uma última vez.

— Adeus, pai. Adeus, mãe. Quem sabe um dia... — ela parou, cortando a frase na metade e deixando no ar.

O som de motores possantes chegaram aos seus ouvidos sensíveis primeiro. No meio disso tudo, um novo helicóptero. Estavam atrás dela mais uma vez.

Antes que os pais pudessem alcançá-la, Yuli já estava do lado de fora da casa encontrando com o casal de amigos.

Tiago estava dentro do jipe, de motor ligado agora.

— Vamos, guria. Te apressa! Eles estão chegando!

Yuli saltou para a traseira do veículo e o motorista arrancou à toda velocidade bem quando as luzes dos primeiros veículos do Exército enchiam a rua com seus faróis.

— Temos de sumir daqui! — bradou Eliana. — As coisas estão feias pro teu lado, garota. Onde quer que tu vás, eles te farejam.

— Tivemos uma idéia, Yuli. Sei que você pode não gostar, mas o melhor lugar para estar e esperar nesse momento é junto da tua matilha. Vamos te levar para Leonardo.

A oriental guardou silêncio. Talvez eles estivessem certos. Talvez fosse hora de retornar ao seu bando. De se isolar com os da sua espécie e reorganizar os pensamentos. Não podia ficar rondando Roda Velha. Ela sabia que era fraca demais para obedecer sua própria determinação de se afastar dos pais. Sentiria saudades de novo. Voltaria para a casa dos pais de novo. O pior poderia acontecer. Poderia colocá-los em risco. Por ora era sensato deixar-se nas mãos de Tiago e Eliana. Os bons amigos tinham mais experiência nessa vida maldita ou ao menos ponderavam com mais clareza do que ela conseguia.

Tiago, percebendo que o holofote do helicóptero não ficara para trás igual aos veículos de terra, obrigando-o a antecipar sua tática. Desejou o frio sobrenatural. Em questão de segundos a temperatura ao redor do jipe começou a cair e a infestar toda a atmosfera ao redor. Em mais alguns segundos os primeiros flocos de neve despencavam do céu. Isso ia dificultar as coisas para o Exército e talvez conseguissem chegar à rodovia e tirar a garota dali.

CAPÍTULO 48

Aléxia olhava-se no espelho pela centésima vez desde que deixaram o esconderijo às margens da represa Billings e rumavam para a cidade a bordo de um Fiat Stillo roubado de um tolo que se deixara seduzir pelas curvas sedutoras da vampira loira e de olhos esmeralda. Depois do banho de sangue no presídio, Aléxia via as cicatrizes provocadas pelos raios de sol irem minguando aos poucos. Ao menos tinham atenuado o suficiente para aborrecê-la muito menos e permitir-lhe mirar seu reflexo com menos asco e desespero que antes. Agora não era nem sombra do monstro transfigurado que vira em sua própria face logo ao despertar. A receita já tinha. Sangue, muito sangue. Preparava outro plano, com Hélio dirigindo o possante veículo pela Imigrantes, rumando para a Avenida dos Bandeirantes, onde teriam acesso à zona sul da cidade.

Para trás, no esconderijo do trio fugido do posto de gasolina, um par de olhos vermelhos circundava o casebre abandonado. Ignácio tinha chegado quando o carro partia levando aquela que era alvo de sua busca. No entanto, quando se preparava para segui-la, sentiu uma outra poderosa presença. A presença de mais alguém infestado pelo sangue de Sétimo. O antigo fidalgo português deixou que Aléxia partisse e invadiu a construção. Vampiros novatos eram assim. Buscavam buracos para se esconder, não tinham a mínima classe. Não raciocinavam direito e qualquer buraco empoeirado que os mantivesse longe do sol nas horas de luz servia como habitação. Meneou a cabeça negativamente vendo compensados pregados a paredes de tijolos à vista que serviam para manter o sol do lado de fora. Tecidos pesados jogados para todos os lados e, num cômodo menor, a figura daquela que emanava tanta energia. O corpo da mulher adormecida, como não podia ser diferente, jazia inerte, lembrando a figura de um cadáver. Ignácio inspirou fundo e sentiu o cheiro de Sétimo impregnado na mulher. Ela era mais que uma filha de Sétimo. Tinha sido uma de suas escolhidas. Era uma das noivas do vampiro. Não precisou se esforçar para sondar a mente da vampira. Ela estava entregue, desprotegida, desarmada. Ignácio aproximou-se ainda mais. Que belo corpo a garota pálida de longos cabelos negros tinha. Sétimo era um garoto muito esperto, nada bobo. Paola era seu nome. Paola. Ignácio tocou-lhe a testa. Encantadora. Por que estaria ainda adormecida com a noite alta lá fora? O velho vampiro, que muito já tinha visto e assistido nesse mundo de trevas, logo concluiu que ela hibernava, vítima de algum trauma recente, recarregava suas energias, sem conseguir voltar ao mundo dos vampiros até que se sentisse segura para isso. Sorriu. Era uma irmã de Jó, uma vez que o vampiro também hibernava. Há séculos. Esses sonos reparadores poderiam durar mil anos. O vampiro suspirou e concentrou-se na mente da vampira. Ignácio fechou os olhos. Se a vampira visse alguma coisa ele também veria. O vampiro suspirou fundo e quando era carregado com as sensações da vampira adormecida cambaleou para trás. Abriu os olhos admirados. Os últimos dias não estavam sendo fáceis, muito menos agradáveis. Ele não tinha simplesmente saído dos pensamentos de Paola, tinha sido arrancado por alguma coisa. Ignácio fitou-a intrigado por mais um momento. Seu baú da mais preciosa fortuna, cheio de tempo até a boca, tinha recebido um golpe de machado e o tesouro mais precioso vazava. O tempo de Ignácio escorria pela fenda e não podia ficar ali, analisando aquela situação, comprazendo-se com o inesperado. Ignácio, com se tivesse voltado a ser humano, tinha pressa. Tinha de ser objetivo. Voltou seu pensamento para a vampira loira. Aléxia se afastava. O vampiro abandonou a morena e deixou o esconderijo. Pelo celular, chamou Bert que o apanhou minutos mais tarde na beira da estrada.

✠ ✠ ✠ ✠ ✠ ✠

O policial tinha mandado o carro encostar. Hélio obedeceu. Não era a primeira vez que era abordado pela polícia rodoviária depois de virar vampiro. O saco é que estava num carro roubado. Olhou pelo retrovisor. Estavam afastados coisa de quinze metros da frente do posto policial que tinha ficado para trás. O policial vinha sozinho enquanto seu parceiro estava parado na beira do asfalto, olhando para os outros carros. Aléxia, muda, ao seu lado, sabia que não precisava abrir a boca para se ver livre daquele embaraço. Hélio já tinha provado que era um cara de atitude e não pensaria duas vezes antes de acabar com o humano.

Hélio baixou o vidro automaticamente.

O policial olhou para o rapaz e apontou uma lanterna para dentro do veículo. Garoto pálido, pensou.

— Documentos e habilitação, por favor.

— Um momentinho. — rebateu o rapaz.

O policial assistiu o rapaz debruçar-se sobre a acompanhante. Uma mulher loira, de cabelos quase nos ombros, pernas grossas numa saia curta. Pálida feito o garoto. O policial estava com a mão na coronha da arma e a lanterna continuava sobre o mocinho.

O garoto voltou à janela do carro e ergueu as sobrancelhas.

— Acho que eu saí na correria, tchê. Não estou encontrando minha carteira nem os documentos do carro, policial.

— Sei. Seu RG...

Hélio deu de ombros.

— Tava tudo na carteira.

— Pode descer do carro, por favor?

— Claro.

Aléxia olhou para trás. O outro policial, alheio à abordagem do parceiro, continuava observando os carros que vinham na estrada.

Hélio desceu e encarou o policial. Não precisaria sequer de sua forma lupina para sair daquela enrascada. Só lamentava porque daria mais pistas ao Exército de seu paradeiro. Começariam a ligar a destruição na prisão ali perto com esse novo ponto na beira da Imigrantes. Seria fácil determinar um perímetro no qual toda a Billings estaria incluída. Bufou irritado enquanto a lanterna do policial ficava mais uma vez na sua cara, irritando seus olhos que ficaram mais negros.

O policial, por sua vez, espantava-se cada vez mais com a mórbida palidez do rapaz. A moça não ficava tão para trás. Mas o rapaz tinha aquela marca que repetiam tanto. Veias negras se destacando contra a pele branca. Pensava em chamar Rogério, seu parceiro de turno. Não queria ser um alarmista idiota, mas ao que tudo indicava estava frente a frente com um daqueles infectos. O cara não tinha a violência que tanto falavam, tinha até sido educado e tudo o mais. Mas estar num veículo sem documentação alguma já era motivo mais que suficiente para detê-lo por dois minutos, enquanto passava a placa do carro pelo rádio do posto. Podia ser produto de furto ou roubo. Agora, se aquele rapaz fosse mesmo um tal de infecto, teria de acionar também o número especial que o comando militar tinha passado, o que de brincadeira chamavam de Disque-vampiro.

Lentamente o policial se dirigiu à janela do veículo e rapidamente baixou a cabeça para ficar visível a loira.

— Senhora, desça do carro, por favor.

Aléxia desceu com um sorriso encantador.

O policial dirigiu-lhe o facho de luz. Seu rosto... tinha algo de estranho, como se tivesse sofrido queimaduras recentes do lado esquerdo. Mas os olhos claros e vívidos chamavam mais atenção do que aquele detalhe em sua pele. Seus seios bem desenhados contra a blusa de lã negra e as pernas firmes e atraentes poderiam deixar qualquer homem doidinho. Ele não conseguia tirar os olhos dela. Foi seu primeiro e último erro.

Hélio agarrou a mão do policial para que ele não sacasse a arma enquanto Aléxia atirou-se sobre ele e selou sua boca com um beijo para que não gritasse. As garras da outra mão de Hélio foram ao pescoço do policial e esmigalharam sua traquéia. O garoto lobo virou os olhos para o segundo policial, ele ainda olhava para a estrada. Ele começou a caminhar lentamente, evocando seu dom da noite, sem fazer barulho algum. Aproximava-se do desavisado patrulheiro rodoviário quando uma pick-up Mercedes-Benz freou repentinamente no acostamento para surpresa do policial. Um homem magro tirou o braço para fora e enquanto o patrulheiro levava a mão à sua arma, dois clarões escaparam do carro, simultâneos a explosões de cartuchos de pólvora, e os tiros entraram, o primeiro pelo pescoço e o segundo varando o queixo da vítima. O soldado caiu se contorcendo e gemendo, enquanto Hélio ficou estático. A porta do Mercedes-Benz negro se abriu lentamente e um homem magro e alto desceu. Um vampiro.

— Boa noite, rapaz.

Hélio deixou os olhos ficarem vermelhos e se curvou, grunhindo.

Ignácio ignorou a falta de educação do novato e fixou os olhos nela, o verdadeiro objeto de seu interesse. Aléxia.

O veterano passou por Hélio sem dar-lhe mais atenção e estendeu a mão para a garota.

— Aléxia, eu presumo.

A vampira ficou espantada. Nunca tinha visto aquele sujeito. Um vampiro. A garota sorriu, depois fez uma expressão de curiosa.

— Você me conhece de onde?

Ignácio sorriu e rodeou a mulher. Olhou para Hélio. O lupino tinha abandonado a posição agressiva e agora também exibia um ar curioso.

— Conheço vocês da televisão. Mostraram uma porção de vezes o seu rosto capturado pelo monitor do presídio.

Aléxia sorriu.

— Um serviço impressionante, Aléxia. Um poder avassalador. Digno se uma filha direta de Sétimo, meu velho amigo.

A expressão no rosto de Aléxia mudou ao ouvir o nome de seu perdido amor.

— Você, mais que ninguém nesse planeta, merece o que te trago essa noite. Três presentes, um pedaço de Sétimo para correr em suas veias para sempre. Ajudar-me a capturar alguém que Sétimo simplesmente detestava e, no final de tudo isso, entregar-lhe de bandeja aquele que queima sua memória por ter sido o homem que virou vampiro e trouxe a desgraça ao seu amado criador.

— Tiago! — exclamou a vampira.

— Exatamente, minha querida. Exatamente. Interessada?

Aléxia olhou para o Mercedes-Benz parado à beira da rodovia.

— Fale-me desse primeiro presente. O pedaço de Sétimo?

Ignácio abraçou a vampira e conduziu-a até o SUV estacionado e de motor ligado. Bert ao volante.

— Querida, você já ouviu falar do turno da noite? — perguntou docemente.

Aléxia meneou negativamente a cabeça.

— Venham. — olhou para Hélio. — Venha você também, filho de Afonso. Tenho muitas e boas histórias a contar a respeito de seu velho e morto pai.

Hélio abriu um sorriso largo. O ancião conhecia dom Afonso. Era impressionante!

Os vampiros entraram no carro negro, deixando para trás o posto rodoviário, o veículo roubado e dois corpos caídos à beira da estrada.

CAPÍTULO 49

Patrícia tinha recebido a ligação há quinze minutos. Sem perder tempo e sem discussão seus amigos a seguiram até a garagem onde subiram no caixão prateado e zarparam para a rua. Destino: Cemitério da Consolação.

Alexandre conseguiu estacionar o Lexus prateado nos fundos do cemitério e, com facilidade, o quarteto invadiu o campo santo. Túmulos que mais pareciam obras de arte decoravam o caminho que os quatro desgraçados seguiam sob o céu noturno.

Patrícia sentia o cutucar na testa. Estava bem no centro. Era só continuar andando em frente que o encontraria. O corredor reto chegou a um canto do Cemitério da Consolação. Ela avistou Samuel sentado nos degraus de um imponente mausoléu decorado com o brasão da República. Certamente o túmulo que guardava os restos mortais de um presidente do Brasil.

— Lá está ele. — avisou a vampira para os amigos.

Bruno e Alexandre chegaram com ares desconfiados. Raul, com a jaqueta negra contendo o famigerado crucifixo vermelho nas costas separou-se do grupo, subindo num túmulo e olhando a tudo um pouco afastado. Sabia que fora com a ajuda dele que tinham escapado do túnel, mas se aquele engraçadinho pensava que ele morria de simpatia por sua pessoa, estava enganado. Raul não confiava em vampiros e se aquele ali pensasse em aprontar alguma coisa, estaria estrategicamente posicionado para revidar.

Patrícia tinha dito um monte de coisas a respeito do novo cara. Que era um vampiro muito mais novo que Ignácio, mas que estava por essas bandas há alguns anos e que, de igual, já tinha sido abordado por Ignácio para pertencer ao turno da noite. Como Samuel recusara repetidas vezes, Ignácio acabou revelando as verdadeiras intenções embutidas no desejo de adoção do novato. Ignácio tinha uma história longa, que cruzava os séculos e, enraizada há mais de seiscentos anos em Portugal, onde jazia o motivo da preparação de vampiros com grande potencial de desenvolvimento. Bruno não tinha entendido direito essa parte, mas o grosso da história era que o velho vampiro queria soldados fortes o bastante para vencer uns tais misteriosos guardiões de Jó e que Jó era um vampiro que fora enviado ao Brasil por Miguel, mais conhecido como o vampiro Gentil. Uma vez vencidos os guardiões, Ignácio tomaria para si o caixão contendo o corpo de Jó, seu único desafeto existente no mundo inteiro com capacidade para enfrentá-lo se um dia chegasse a despertar. O que Bruno entendia disso tudo é que esse tal de Jó era coisa muito séria a ponto de fazer Ignácio lançar mão de seu plano de preparação meticulosa para deitar as mãos no inimigo e garantir que ele nunca acordasse, saindo de sua conduta habitual que se pautava pela paciência, observação e oportunidade. Mas de tudo o que a amiga tinha contado para todos no apartamento, o que mais validava aquela conversinha de que Ignácio estava passando o quarteto para trás, dizendo-se bom moço e alegando que a agência Jugular era uma ferramenta obscura e canhestra de fazer o bem, fora o fato da arma. Patrícia, durante o serviço da fábrica abandonada, depois de terem abatido boa parte dos capangas e contrabandistas, tinha segurado um fuzil russo nas mãos. Incrivelmente, horas mais tarde, o mesmo fuzil, com a mesma placa com entalhes de um salmo muito conhecido estava lá, no Túnel Ayrton Senna, na mão de criminosos mais uma vez, que tinham feito não sei quantos reféns para tentar se safar da polícia. É claro que a decisão de Patrícia e Alexandre de irem acabar com aquela atrocidade melou o plano dos bandidos e, de quebra, melou a máscara que o bom dom Ignácio vinha usando. Para Bruno não interessava aquele blablablá místico de guardiões, de bruxa avatar, de Jó com tirinhas de coração de vampiro e coisa nenhuma. Para Bruno o fato de Ignácio ter ficado com as armas do contrabando, usando ele e seus colegas para apanhá-las, arriscando os pescoços e horas depois as mesmas armas terem caído em mãos criminosas mais uma vez era mais que suficiente para unir-se cegamente aos planos da amiga e romper de vez com o ancião. Bruno apoiaria Patrícia no que quer que fosse. A vampira era mais que uma amiga. A vampira era uma líder, uma linda e atraente líder.

Alexandre enxergava a crise sob outro prisma. A história das armas já valia todo aquele alvoroço, afinal de contas os quatro tinham dado as mãos e concordado em embarcar na Jugular porque iriam agir contra os criminosos e não paralelamente a eles. Iriam matar gente ruim. Nunca colaborar com criminosos. Contudo, o que lhe atraía naquela coisa toda que começava ter cheiro de motim era que mais uma vez a secular história dos vampiros do Rio d'Ouro vinha à baila. Um deles, o vampiro Gentil, tinha pedido a Cabral que trouxesse ao Brasil o corpo de um vampiro selado num caixão. Alexandre literalmente caiu sentado quando Patrícia disse aquilo a primeira vez. Cabral! Caraca! Os vampiros do Rio d'Ouro, mesmo como coadjuvantes, tinham participado da famosa expedição que culminara com a chegada da armada de Cabral na terra nova, ao Brasil. E em que raios de lugar estaria aquele tal de Jó? Essa parecia ser a maior incógnita. Mas se aquele sabichão do Samuel sabia de tanta coisa, talvez soubesse também onde Jó estava escondido e selado, vamos dar um destaque nisso aqui, protegido, protegidíssimo por guardiões. Patrícia não soube explicar isso direito. Tinha dito apenas que o vampiro falara em guardiões, sem especificar raça, tipo, planeta, nada. Se fossem vampiros, teria dito logo que o tal do Jó estava cercado pelos vampiros mais filhos da mãe do universo e pronto. Mas não. Havia sempre aquela aura, aquele mistério quando falavam em Jó, existiam os guardiões de Jó. Fossem o que fossem essas criaturas eram osso duro de roer e já tinham botado o filho da mãe do Ignácio para correr uma vez. Alexandre chegou a sentir certo entusiasmo com a narrativa da amiga, por estar mais uma vez envolvido no mistério dos vampiros do Rio d'Ouro, querendo ou não, aqueles vampiros portugueses eram agora sua linha ascendente, Alexandre estava disposto a seguir Patrícia e o desconhecido Samuel. Se Jó era amigo de Gentil, que por sua vez era amigo de Sétimo, uma coisa estava ficando clara naquela noite, Ignácio era inimigo dos vampiros do Rio d'Ouro.

Raul sentia cheiro de encrenca no ar. Tinham deixado o apartamento mesmo com ordens expressas de ali permanecerem. A contragosto, seguiu Patrícia naquela bobagem. Se aquele engraçadinho tentasse qualquer coisa iria se arrepender de ter-se metido com os vampiros do mestre.

Samuel sondou os quatro com o olhar. Demorou-se um pouco mais no quarto vampiro, o de jaqueta negra que se mantivera afastado. Tinha de ficar com um olho na nuca por conta daquele ali.

— Por que nos chamou aqui? — inquiriu Patrícia.

— Acabo de ser visitado por Isabela. E digamos que foi uma visita nada cortês. Ela pediu que me afastasse de vocês de uma vez por todas.

— Eles descobriram que foi você e seu irmão que nos tiraram daquele túnel ontem à noite?

— É possível que sim, Patrícia. Mas foi bem taxativa em dizer que Ignácio não me quer perto de você. Vocês não estão sendo preparados para acabar com o mundo dos barra-pesadas. Vocês estão sendo treinados para se fortalecerem, para ampliarem seus poderes vampíricos e enfrentarem os guardiões de Jó.

— Afinal de contas, que raio são esses guardiões? — inquiriu Alexandre.

Samuel caminhou na frente do túmulo do presidente morto. Passou a mão na cabeça.

— Eu nunca vi um, Alexandre. Só ouvi histórias. Histórias da própria boca de Ignácio quando tentava me convencer a ser parte do turno da noite. Ele não foi bem claro, mas que esses caras são parada-dura, isso, são. Certa vez ele foi com um grupo de trinta vampiros para cima dos guardiões e voltou com apenas dois sobreviventes, aliás, duas lindas e poderosas sobreviventes. Calíope e Isabela, a vampira ruiva.

Samuel moveu-se nos degraus do imponente mausoléu. Suspirou fundo e continuou a falar:

— Ignácio contou uma coisa ou outra. Que era impossível detectá-los no meio da mata... então não eram vampiros, porque Ignácio é fogo nesse ponto. Se for vampiro, ele acha. São grandes e fortes e não se parecem nem um pouquinho com coisa desse mundo. São rápidos e ariscos e movem-se entre as árvores, as sombras. São protetores da melhor qualidade. Nem vampiro nem gente chega perto de onde Jó está sepultado. É um rincão abandonado, sagrado, inviolável.

— Eu conheci a ruiva que você falou. — disse Raul. — Ela fez isso no meu peito. — falou, abrindo a jaqueta e mostrando uma estranha cicatriz que teimava permanecer em sua pele.

Samuel aquiesceu.

— Ela é poderosa. Não sei se um de nós é capaz de acabar com ela numa luta mano a mano, mas, se ficarmos juntos, podemos nos defender.

— E essa tal de Calíope?

— Calíope é cria antiga de dom Ignácio, quando ainda se fazia passar por mercador de negros nos velhos tempos da Corte. Ignácio teve muitas identidades, viveu muitas vidas. Um legítimo camaleão. E Calíope é pior que Isabela. Ela consegue encantar os homens com sua voz de sereia. E os vampiros também. Tomem cuidado, garotos. — disse Samuel, colocando pela primeira vez um sorriso no rosto. — Ela é fogo. Se acharam Isabela bonita, precisam ver Calíope. Ela é demais.

Patrícia cruzou os braços olhando carrancuda para Samuel.

O vampiro percebeu o olhar da vampira e desmanchou o sorriso.

— Só peço que tomem cuidado com as duas. A sedução é a arma que mais usam, mas não subestimem a força de ambas. Elas enfrentaram os guardiões de Jó. Não venceram, mas também sobreviveram para, certamente, tentar de novo.

— E como você sabe de tudo isso, cara? Pelo que sei você tem menos de dez anos de existência.

— É verdade, Bruno. Sou o que os vampiros chamam de um original.

— Eu li na cartilha sobre esse termo. Nossa! Você teve a alma roubada de um demônio! — espantou-se Alexandre.

— Exatamente. E como um original eu tenho acesso a certos antros de vampiros. Ganho confiança com mais facilidade e escuto uma coisa aqui e ali quando querem se aproximar, me conhecer melhor.

— Do jeito que você fala, essa cidade está infestada de vampiros.

— E está. Acontece que há uma lei entre os vampiros. Devemos nos manter incógnitos. Sermos garças entre as garças. Assim evitamos os curiosos, os caçadores e tudo o mais. Mas também não somos tantos assim. Em São Paulo, se tivermos coisa de quinhentos vampiros, é o máximo. Mas vão somando; São Paulo, Rio de Janeiro, Curitiba, Porto Alegre, Salvador, Belém, Brasília, Cuiabá, Osasco, Niterói, Santa Catarina... em todo canto há um grupo dos nossos. Mas todos são crias, como vocês, vampiros mais fracos, que se desenvolvem muito lentamente. Vocês são exceção por conta de serem filhos de quem são. Vocês têm sangue de Sétimo nas veias. Uma lenda entre os vampiros. Duvido que qualquer vampiro-cria teria cara de peitar vocês. Veja você, Patrícia, em poucos dias já conseguiu bloquear sua mente até mesmo contra Ignácio. O Raul, não sei como, perpetrou uma entrada fantástica naquele túnel e colocou tudo abaixo! O Serviço de Contenção não teve chances contra vocês.

— Mas foi você quem nos salvou no final.

— Meu irmão, Patrícia, meu irmão salvou-os no final. Mesmo assim, acho que vocês teriam saído dali quando a enxurrada do lago carregou tudo. Teriam tido ótimas oportunidades para escapar. Vocês são os filhos de Sétimo, e os combatentes, meros mortais.

— Exato. Os quatro são filhos de Sétimo. — retumbou a voz grave da vampira. — Propriedade da agência Jugular.

Os cinco viraram suas cabeças para trás.

Isabela caminhava entre os túmulos do Cemitério da Consolação, com os cabelos vermelhos soltos por cima de seu casaco branco.

— São filhos de Sétimo e protegidos de Ignácio. São o turno da noite.

Samuel engoliu a seco. Olhou para os lados. Nenhum outro vampiro tinha vindo com ela, mas viu Bert movendo-se a distância. O humano poderia estar armado. Uma pistola com balas de prata muito provavelmente.

— Ele não está armado, Samuel. — rebateu Isabela. — Veio apenas me ajudar a buscar o que é do meu mestre. O turno da noite tem uma nova missão, e é para ser executada agora.

Patrícia fitava Isabela. A coroa de espinhos foi mentalizada fechando seus pensamentos. Tinha de ajudar Samuel caso Isabela criasse caso.

Isabela fitou longamente os olhos negros de Patrícia. Franziu o cenho exibindo os dentes longos e os olhos vermelhos.

Raul, lentamente foi se aproximando da vampira ruiva, enquanto Bruno e Alexandre ladearam Patrícia.

— Temos de partir para Niterói, agora. Nosso próximo alvo está lá.

— Uma garota de dezesseis anos que nem sabe de seus poderes ocultos? — perguntou Patrícia, pegando as palavras que flutuavam nos pensamentos da vampira.

— Pare de entrar na minha cabeça, guria! Você não tem o direito! — urrou a vampira.

— Eu tenho o poder, garota. Leio a mente de quem eu quiser.

Novamente Isabela emitiu um grunhido ferino, exibindo as presas.

— Estamos no mesmo time, Patrícia. Vim aqui para afastar um fanfarrão de vocês. Sigam Bert, ele os conduzirá até seu apartamento onde serão preparados para a viagem e para a execução do novo alvo.

— Ignácio está mesmo com pressa, não é, Isabela? E deve estar se borrando de medo para estar colocando tanta carroça na frente de poucos bois. Não vê que ele está ficando cego com essa paranóia, vampira. Não entende que ele levará você e tantos outros para outra luta que será perdida? — redargüiu Samuel, andando pelo túmulo e buscando uma melhor posição onde pudesse se defender e revidar um eventual ataque físico da vampira.

— Sigam Bert, agora. Eu ficarei aqui mais dois minutos. — disse a ruiva, entredentes. — deixando os olhos vermelhos e luminescentes.

Samuel imitou a adversária, seus olhos acenderam e ele curvou um pouco o corpo.

— Você pode ser das antigas, ruiva, mas será que agüenta com um original?

— Ô se agüento. — respondeu a mulher de casaco branco e peles longas que balançavam com o leve vento que varria o campo santo.

— Ignácio perdeu a razão e está afundando como uma caravela adernada, minha amiga, e está levando você junto com ele para o fundo. Acha mesmo que vencerá os guardiões de Jó? Eles vão acabar com vocês dessa vez.

Isabela nada respondeu. Apenas avançou mais alguns passos. Percebia a presença de Raul bem à sua direita. Invadiu a mente do rapaz. Não precisava se preocupar com ele no momento. Seus olhos flamejantes grudaram no linguarudo Samuel. Seria um exercício interessante antes de partir de volta aos guardiões.

Patrícia segurou nas mãos de Bruno e Alexandre.

— Nós não vamos a parte alguma, vampira. Ignácio nos enganou quando nos juntou na fonte do Trianon. Nosso trato está desfeito.

— Ah! Ah! Ah! — riu largamente a vampira antiga. — Garotinha atrevida. Você acha que alguém pode desfazer um trato com Ignácio.

— Eu posso. Não trabalho mais para aquele demônio que me usou para tirar armas de bandidos e entregar nas mãos de outros piores. Agora farei minha própria lista, caçarei o sangue ruim que eu achar melhor.

— Nobre, muito nobre de sua parte, vampira. Sempre preocupada com o sangue de quem vai tomar.

— Ignácio não disse que mataríamos inocentes. — foi a vez de Bruno interferir.

— Ainda mais uma menina de dezesseis anos, igual a Patrícia falou. Se isso é verdade, estou fora. Uni-me a Ignácio para caçar pilantras e criminosos. Se essa garota não tem passagem na polícia, sem chance. — arrematou Alexandre, em tom jocoso.

Isabela torceu o pescoço e inspirou fundo.

— Quanta bondade transbordando do coraçao desses quatro corações. Aposto que o gosto do sangue dos marginais que mataram ontem à noite ainda está na boca de vocês. Assassinos! Vocês são assassinos!

— É nossa sina, vampira. É nossa sina. — rebateu Samuel.

— Posso ser uma assassina, mas não serei mais pau-mandado de Ignácio. O trato está desfeito. Devolvo tudo o que ele me deu.

Isabela voltou a fitar Patrícia. A garota estava decidida. Samuel, a eterna pedra no sapato.

— Eu estou com você, vampira. — disse Raul, aproximando-se de Isabela.

A vampira abriu um sorriso genuíno.

— Afinal, alguém com bom senso.

— Traidor! — resmungou Bruno.

Patrícia segurou o amigo.

— Calma!

Isabela olhou para o trio à sua frente e para o vampiro puro sentado no túmulo do presidente. A ordinariazinha tinha lido a sua mente e estava se transformando num perigo maior do que supôs a princípio. Ela e Raul, com seus novos poderes, certamente liquidariam a fatura, mas aquilo fugia do previsto. Não era para acabar com Patrícia e os demais. Ignácio não ficaria feliz. Isabela recolheu suas armas e virou-se para seu único aliado.

— Vamos, Raul. Teremos uma viagem agradável até o Rio de Janeiro. E quando voltarmos, Patrícia, cria um olho na tua nuca se quiser safar-se de uma boa surra.

Raul segurou a mão de Isabela e caminharam entre os túmulos até se juntarem a Bert mais à frente, enquanto o quarteto que ficava para trás guardava um instante de silêncio. Tudo acontecia rápido demais para ser realidade.

— O que faremos agora? — perguntou Patrícia.

— Deixemos que eles se vão. Precisamos pensar rápido e mover nossas pedras.

— Isso virou um jogo? — indagou Alexandre.

— Exatamente. — rebateu Samuel. — Ignácio quer botar as mãos em Jó a todo custo. Ele deve saber de alguma coisa que não sabemos ou está com tanto medo que está disposto a apostar tudo o que tem para ter esse medo sob controle.

— Quem controla o medo, vence.

— Exatamente, Patrícia. Exatamente.

Samuel desceu até junto dos vampiros. As árvores farfalhavam com o vento, derrubando folhas secas no chão de cimento do antigo campo santo.

— Se pusermos as mãos no caixão de Jó antes, controlaremos Ignácio. Poderemos retomar as rédeas de nossa vida escura. Do contrário, Ignácio não descansará até acabar com cada um de nós, um a um. Ele é antigo e orgulhoso demais para engolir um sapo desse peso e desse tamanho. Vangloria-se de todo seu poder e fortuna. Não deixará que manchemos seu nome e nem sua honra com uma afronta dessas. Agora será como uma corrida. Temos de encontrar o túmulo de Jó antes do vampiro português.

— Não tem uma alternativa? Um plano B? — indagou Alexandre. — Você mesmo disse que ele foi com trinta vampiros e quase voltou sem ninguém. Eu sou vampiro faz poucas semanas... vida eterna, já ouviu falar disso? Não quero terminar esse passeio antes dos duzentos.

— Ai, como você é irritante, Alexandre! — berrou Patrícia. — Não podemos nos acovardar agora. Temos de ir para cima de Ignácio ou ele acaba com a gente.

Todos ficaram calados mais um momento. Foi Bruno que andou em círculos, pisando sobre as folhas secas, fazendo-as estalar.

— E se e quando encontrarmos Jó? Ele é um vampiro bom ou ruim?

Samuel deu de ombros.

— Se encontrarmos seu túmulo... iremos despertá-lo?

O silêncio pesou novamente. Na verdade Samuel não sabia se teriam a capacidade de despertar o vampiro. Pela história que Ignácio lhe havia contado de própria boca algumas chaves eram necessárias. Uma delas era o avatar da deusa. Uma bruxa que encantaria as chaves. As outras lhe eram desconhecidas. Mas até onde iam as verdades e possibilidades que envolviam aquele conto centenário era impossível enxergar. A única verdade que restava era que Jó tinha sido um amigo especial dos vampiros do Rio d'Ouro e que Ignácio de alguma forma tinha culpa dele ter sido encerrado num caixão e sido mandado para aquele sono involuntário por tantos anos. Jó tinha contas para acertar com Ignácio e deveria ser muito, mas muito mais poderoso que o ancião para causar tanta apreensão e atropelo por parte do sempre controlador e comedido vampiro português.

Patrícia andou até Bruno e abraçou-o. Samuel mordiscou o lábio vendo a cena. Era ele quem queria aquele abraço tão carinhoso. Depois a vampira tomou Alexandre pela mão e juntou-se a Bruno. Os três permaneceram juntos, em roda e se olharam.

— Você é o carinha mais irritante que eu conheço, mas continua do meu lado. — disse para Alexandre e virando-se para Bruno. — E você é o parceirão que qualquer vampira podia querer, e continua do meu lado. Nós juntos ainda somos O Turno da Noite. Ainda seremos a razão de muitos criminosos se esconderem depois que o sol se pôr. Não vamos perder essa batalha e, de quebra, vamos trazer Raul de volta para nossa família.

Samuel, ouvindo aquilo, meio sem jeito, coçou uma orelha. Não estava incluso no círculo nem na família.

— É claro que você está na família, seu encrenqueiro. — brincou Patrícia, olhando para o vampiro. — Venha. Junte-se a nós. Nós somos o turno da noite. Você é o turno da noite. Juntos vamos encarar qualquer parada.

— Acho que eu vou chorar agora. — brincou Alexandre.

Bruno e Samuel riram do tom de gozação do rapaz, enquanto Patrícia continuou séria.

— Bem, se isso é uma corrida, sugiro que partamos agora. — disse Alexandre, erguendo a chave do Lexus e balançando.

Em um piscar de olhos os quatro estavam dentro do caixão prateado, de motor ligado e avançando. Se a garota vivia em Niterói, poderia ser salva caso interferissem na hora certa. Confabulando enquanto Alexandre seguia pela Avenida Pacaembu em direção à Marginal Tietê, tinham os obstáculos claros. Patrícia só tinha pescado alguma coisa na cabeça de Isabela. A bruxa que falavam era uma garota de dezesseis anos e que nem sabia os poderes que tinha. Via a imagem de uma menina, uma adolescente... um nome. Aidara. Ao menos era um começo. Uma pista. Aidara vivia em Niterói.

— Como vamos encontrar essa garota se não temos um endereço? — perguntou Bruno, como que adivinhando os pensamentos da amiga.

— Eu não consegui ver claramente onde ela mora. Mas Isabela sabe.

— Isso nos basta. É só seguirmos a vampira de perto. Quando ela entrar em Niterói, nós poderemos interferir.

— Não sei, Alexandre. Agindo assim estaremos sempre um passo atrás. É perigoso. Conheço muito bem Isabela. Se Ignácio se contentar em ter Raul no seu time, o que duvido, mas não descarto, eles vão usar esse expediente para armar uma bela arapuca para nós quatro e dar um ponto final nessa perseguição. — ponderou Samuel.

— Bem, então vou sentar o pau na máquina. Mesmo que eles vão para um aeroporto não vão conseguir embarcar imediatamente. — premeditou Alexandre. — Vou fazer esse Lexus voar pela Dutra a duzentos e quarenta por hora, acho que dá para fazer em três horas e meia até o Rio de Janeiro.

— A duzentos e quarenta? Só vamos ter um problema voando assim. A polícia rodoviária federal.

— Eu não vou parar enquanto não chegar ao Rio. É missão de vida ou morte.

— Então voa, moleque. — aconselhou Samuel. — Só uma coisa está errada nessa sua previsão.

— O quê?

— Eles não vão para Congonhas e sentar o rabo na frente de um guichê de companhia aérea.

Todos arquearam as sobrancelhas.

— Ignácio, na falta de um, tem dois aviões particulares no Campo de Marte.

— Merda! — exclamou Bruno.

— Eles vão chegar primeiro.

Patrícia tinha tomado um balde de água fria na cabeça.

— Bem, mesmo tendo um avião, ele não vai decolar imediatamente. Vamos torcer para que esse vôo seja de última hora. Vai levar pelo menos uma hora e meia para eles conseguirem decolar, seguindo os protocolos. Vamos torcer para o vento estar contra o avião. Tudo isso nos dará minutos importantes. E quando o sol nascer, temos de estar no Rio de Janeiro, entocados e escondidos, ao pôr-do-sol estaremos praticamente empatados. Temos de salvar essa garota. Ela é uma das chaves para controlarmos Ignácio.

Patrícia ficou calada ponderando sobre tudo aquilo, estavam partindo para uma jornada de destino incerto. Não queria chegar primeiro até a garota para controlar Ignácio. Queria chegar primeiro simplesmente porque sabia que a garota não tinha idéia da tempestade que se aproximava. Uma vez que tinha lido isso na mente de Isabela, era seu dever colocar-se à frente da vampira e salvar a vida da inocente. Mais uma vez, igual à noite em que encontrou o bilhete de Samuel na sua jaqueta, sabia que o turno da noite estava em perigo.

Fim do segundo episódio

Próximo episódio

O LIVRO DE JÓ

Fale com o escritor:
andrevianco@gmail.com

Conheça outros livros do autor...

Sete corpos cadavéricos são encontrados dentro de uma caixa de prata a bordo de uma caravela naufragada no litoral brasileiro há mais de 500 anos. Apesar das advertências grafadas no objeto de prata, a equipe do Departamento de História da Universidade Soares de Porto Alegre decide violar a caixa para estudar os cadáveres. Quando os pesquisadores abrem a caixa, acabam despertando Inverno, um dos mais temíveis vampiros que já existiu. O best-seller Os Sete encanta o leitor com sua originalidade e ritmo do começo ao fim. Um passeio empolgante e inesquecível pelo mundo dos vampiros do Rio Douro.

O vampiro Sétimo surge na continuação do magnífico Os Sete, revelando toda a frieza e o poder do mais temido vampiro de todos os tempos. Sétimo assume a forma de um adolescente de dezesseis anos e ergue uma verdadeira legião de vampiros para dominar o Brasil e o mundo de forma sangrenta e apavorante. Elege, então, um vampiro para servir-lhe como guia, general e pupilo. Com sua sede por sangue e conquistas, proclama-se a criatura mais poderosa da Terra, atraindo, além dos vampiros, inimigos deste e do outro mundo que despenderão esforço sobre-humano para combatê-lo, empregando, além de armas carregadas com balas de prata, dentes pontiagudos e poderes paranormais. Um thriller de encher os olhos e acender a imaginação do leitor.

Um anjo tentando salvar a alma de um mortal acaba quebrando uma das mais importantes regras que rege o mundo dos anjos e dos demônios. Tal fato permite que as criaturas das trevas conclamem a "Batalha Negra", o que poderá desencadear a destruição de todos os anjos de luz da Terra. Agora, os dois exércitos estão furiosos, transformando as tranqüilas pastagens de Belo Verde em um funesto campo de batalha, onde as espadas se parecem chamas, e os olhos, brasa. Esta misteriosa aventura sobrenatural orquestrada pelo mestre da fantasia e do terror nacional, André Vianco, está repleta de batalhas do mundo dos anjos, dos vampiros e dos demônios, tendo como cenário uma pequena cidade do interior do Brasil.

Os protagonistas deste agradável e emocionante romance transitam pelo mundo do sofrimento, do remorso e da solidão. O que está em jogo é a vida de quatro pessoas. Caminham cadenciados para um desfecho sombrio, sem esperança e sem paixão. Contudo, deparam-se com um estranho que lhes traz um misterioso cartão de visitas. Aqueles que seguirem o coração e buscarem "A Casa" encontrarão uma porta aberta para o perdão e para uma segunda chance com aqueles que já partiram deste mundo. Este é o primeiro livro de Vianco que segue a linha espiritualista, despertando a reflexão em torno do sentido máximo da vida.

Em *Sementes no Gelo* o autor volta a explorar o sobrenatural. Um detetive depara-se com o caso mais estranho de sua vida. Uma cliente surge queixando-se de estranhas aparições em seu apartamento. Quando começa a investigar o fenômeno bizarro, o detetive chama a atenção de espíritos furiosos, impedidos de reencarnar, que lançam sua fúria sobre todos os que lhe chamam a atenção e que se interpõem em seu caminho. Muitos sustos e situações sombrias conduzirão o leitor até o final mágico deste misterioso romance.

Uma noite começada como outra qualquer entra para a história da humanidade quando metade dos seres humanos adormece de forma inexplicável. O pesadelo parece não ter fim quando os humanos, livres do sono, descobrem que dividem a noite com os demônios da escuridão. Nessa atmosfera de horror e tensão, surgem criaturas que poderão lutar contra o mal e o terror: os Bentos. Seres abençoados que têm a missão de combater os vampiros a qualquer custo. Para tanto, precisarão se unir ao último Bento, que desperta de um sono de trinta anos... E ainda não imagina o que o espera fora daquela cama de hospital, onde tudo parece muito confuso. Vianco desafia o leitor a conhecer esta saga vigorosa, cheia de mistérios, e a apaixonar-se por suas passagens arrebatadoras e seus personagens poderosos.

Lúcio, o escravo de Cantarzo, carrega seu mestre vampiro encerrado numa caixa de madeira. Sua missão é levá-lo até Tereza, uma bruxa que vive ao norte do Brasil, que fará com que Cantarzo desperte e se torne o rei dos vampiros. Com poucas pistas sobre o real paradeiro da tal bruxa, o lacaio do vampiro começa uma jornada que trará resultados nefastos, caso alcance seu objetivo. Do lado dos humanos, Bento Lucas faz crescer em seus semelhantes a chama da esperança, empurrando-os pelos trilhos da reconquista do país até então assolado pelos inimigos noturnos. O destino de Lucas e de Cantarzo está a ponto de se cruzar e nas páginas de *O Vampiro-Rei vol. 1* o leitor se encontrará com um mundo fantástico e assistirá de camarote a todo o desenrolar dessa saga inigualável, imaginada e conduzida por André Vianco, o talentoso contador de histórias que vem se destacando no campo da literatura fantástica brasileira.

Bento Lucas, o guerreiro de luz, e Cantarzo, o vampiro-rei, finalmente se encontram e protagonizam o grande combate. *O Vampiro-Rei vol. 2* é o tomo mais recheado de aventuras, combates e criaturas fantásticas de toda a saga iniciada em Bento. Bravura e determinação, medo e morte, paixões avassaladoras, criaturas assombrosas, personagens destemidos, situações de completo desespero e momentos de quietude e introspecção. Embarque em *O Vampiro-Rei* e conheça esta história. Conheça um mundo novo. Boa viagem!

O Turno da Noite surgiu para agitar o submundo. Quatro vampiros recém-trazidos para a vida noturna são atraídos por um vampiro ancião que vive em São Paulo. Ignácio oferece proteção e ensinamentos para os novatos em troca de suas habilidades para lutar contra o crime organizado. Uma mistura explosiva que vai sacudir a cidade e mergulhar o leitor em suspense, ação e muito mistério. Vampiros, lobisomens e anjos se misturam num conflito no qual não sabemos ao certo quem é herói e quem é bandido. Compre seu bilhete, tome seu lugar, *O Turno da Noite* vai zarpar para uma viagem inesquecível.

INFORMAÇÕES SOBRE NOSSAS PUBLICAÇÕES
E ÚLTIMOS LANÇAMENTOS

Visite nosso site:
www.novoseculo.com.br

NOVO SÉCULO EDITORA

Rua Aurora Soares Barbosa, 405
Vila Campesina - Osasco/SP
CEP 06023-010
Tel.: (11) 3699-7107
Fax: (11) 3699-7323

atendimento@novoseculo.com.br

FICHA TÉCNICA

Formato	16x23cm
Mancha	12,5x20,5cm
Tipologia	ClassGarmond BT
Corpo	11
Entrelinha	15
Total de páginas	336